新汉语水平考试
模拟试题集

HSK 六级

总策划：董　萃　王素梅

主　编：王素梅

副主编：张大强　金顺基　吉庆波

北京语言大学出版社
BEIJING LANGUAGE AND CULTURE UNIVERSITY PRESS

主　编：王素梅

副主编：张大强　金顺基　吉庆波

编　者：（以姓氏笔画为序）

于　茜　王素梅　吉庆波　刘平源　刘　欣

汤晏颖　许晓倩　李　森　张大强　张秋洪

张　鸽　金顺基

编写说明

新汉语水平考试（HSK）是由中国国家汉办于2009年推出的一项国际汉语能力标准化考试，重点考查汉语为第二语言的考生在生活、学习和工作中运用汉语进行交际的能力。考试共分6个等级的笔试和3个等级的口试。

为了使考生们能够更快更好地适应新的考试模式，了解考试内容，明确考试重点，熟悉新题型，把握答题技巧，我们依据国家汉办颁布的《新汉语水平考试大纲》（HSK一级至HSK六级），在认真听取有关专家的建议、充分研究样题及命题思路的基础上，编写了此套应试辅导丛书。

本套丛书根据新HSK的等级划分分为六册，分别是：

《新汉语水平考试模拟试题集　HSK一级》
《新汉语水平考试模拟试题集　HSK二级》
《新汉语水平考试模拟试题集　HSK三级》
《新汉语水平考试模拟试题集　HSK四级》
《新汉语水平考试模拟试题集　HSK五级》
《新汉语水平考试模拟试题集　HSK六级》

每级分册均由10套笔试模拟试题组成，试题前对该级别考试作了考试介绍，对新模式的答题方法进行了指导；试题后附有听力文本及答案，随书附有听力模拟试题的录音MP3。

本套丛书的主要编写者均为教学经验丰富的对外汉语教师，同时又是汉语水平测试方面的研究者。所有试题在出版前均经参加过新HSK考试的考生们试测。各级试题语料所涉及的词汇及测试点全面覆盖大纲词汇及语法点。我们精心选取语料，合理控制难易程度，科学分配试题数量和答题时间，力求使本套丛书的模拟试题更加接近新HSK真题。

相信广大考生及从事考试辅导的教师们会受益于本套丛书，这也是我们的最大心愿；同时也希望使用本套书的同仁们不吝赐教，提出宝贵意见。

本套丛书各分册配套录音听力试题前的中国民乐由“女子十二乐坊”演奏，在此深表谢意。

《新汉语水平考试模拟试题集》编委会

Preface

The new HSK is a standardized test of international Chinese proficiency launched by Hanban in 2009, which mainly tests the non-native speakers' ability to communicate in Chinese in their life, study and work. There are 6 levels of written test and 3 levels of oral test.

In order to help the test takers get familiar with the mode and questions of the new test, understand its contents and focuses, as well as master the test taking strategies, we have compiled this series of test guides based on the opinions of relevant experts and our sufficient study on the sample tests.

There are 6 books in this series, corresponding to the six levels of the new HSK.

Simulated Tests of the New HSK (HSK Level Ⅰ*)*
Simulated Tests of the New HSK (HSK Level Ⅱ*)*
Simulated Tests of the New HSK (HSK Level Ⅲ*)*
Simulated Tests of the New HSK (HSK Level Ⅳ*)*
Simulated Tests of the New HSK (HSK Level Ⅴ*)*
Simulated Tests of the New HSK (HSK Level Ⅵ*)*

Each book includes 10 written tests. Before the simulated tests is the introduction to the test of the level and the directions for answering the questions of the new mode. The script of the listening section and answers can be found after the tests. An MP3 disc of the recording of the listening section is attached to the book.

All the authors and editors of this series are Chinese teachers with rich teaching experience, as well as researchers of international Chinese proficiency testing. Before publication, all of the simulated tests had been taken by examinees who have taken the new HSK. The test materials at all levels ensure a full coverage of the vocabulary and language points required by the outline of new HSK. The language materials have been carefully selected with thoughtful deliberation, the complexity of the questions has been carefully controlled, and the amount of the questions as well as the time to answer the questions have been arranged reasonably. We have done our best to make the simulated tests of this series more like the real new HSK tests.

We believe that test takers and teachers of HSK will benefit from this book. Also, we sincerely hope that colleagues using this book will render us your criticism and share your precious opinions with us.

Sincere thanks will go to Twelve Girls Band, who have performed the Chinese folk music before each listening test in the audio recordings accompanying the series.

The Compilation Committee of *the Simulated Tests of the New HSK*

目　录

Contents

新汉语水平考试 HSK（六级）

考试介绍

考试对象 参加新 HSK（六级）的考生应已掌握 5000 及 5000 以上常用词语，可以轻松地理解听到或读到的汉语信息，以口头或书面的形式用汉语流利地表达自己的见解。

考试内容及时间 新 HSK（六级）笔试分为听力、阅读和书写三个部分，共 101 题，约 140 分钟，包括：

1. 听力（50 题，约 35 分钟）
2. 阅读（50 题，45 分钟）
3. 书写（1 题，45 分钟）

还包括考生填写个人信息 5 分钟，最后填写答题卡 10 分钟。

新 HSK（六级）听力试题每题听一遍，包括三个部分：第一、二部分各 15 道题，第三部分 20 道题。内容和要求如下：

听力	第一部分　每题播放一小段话，试卷上每题提供 4 个选项，考生选出与听到的内容一致的一项。
	第二部分　播放三段采访，每段采访后带 5 个试题，试卷上每题提供 4 个选项，考生根据听到的内容选出答案。
	第三部分　播放若干段话，每段话后带几个问题，试卷上每题提供 4 个选项，考生根据听到的内容选出答案。

新 HSK（六级）阅读试题包括四部分：第一、二、三部分各 10 道题，第四部分 20 道题。内容和要求如下：

阅读	第一部分　每题提供4个句子，要求考生选出有语病的一句。
	第二部分　每题提供一小段文字，其中有3到5个空格，要求考生结合语境，从4个词语选项中选出最恰当的答案。
	第三部分　提供两篇文字，每篇文字有5个空格，要求考生结合上下文语境，从提供的5个句子选项中选出可以填到横线上的句子。
	第四部分　提供若干篇文字，每篇文字带有几个问题，要求考生从4个选项中选出问题的正确答案。

新HSK（六级）书写试题只有一个部分。内容和要求如下：

书写	考生先要阅读一篇1000字左右的叙事文章，时间为10分钟，阅读时不能抄写和记录；监考将阅读材料收回后，考生将这篇文章缩写为一篇400字左右的短文，时间为35分钟。标题自拟。只需复述文章内容，不需加入自己的观点。

考试成绩　新HSK（六级）听力、阅读和书写部分满分各为100分，总分300分，180分为合格。考试成绩长期有效。作为外国留学生进入中国院校学习的汉语能力的证明，成绩有效期为两年（从考试当日算起）。

新汉语水平考试 HSK（六级）

答题指南

新 HSK（六级）考试笔试分听力、阅读和书写三部分。

听　力

听力共分为三个部分，每题听一遍，第一、二、三部分答题时间均为 12 秒左右。

第一部分　共 15 道题，每题为 80—100 字的一段话，每题听一遍。这部分试题是从四个选项中选择与录音内容一致的一项。例如，你听到下面一段话：

一个妙龄姑娘嫁给了一位大富商。结婚当天的晚上，新娘对新郎说："你的年纪都快赶上我爷爷了，我真的觉得有点儿委屈了我自己！"新郎说："要说委屈嘛，我比你更委屈。你爷爷只比我大 5 岁，可我还得叫他爷爷。"

你看到试卷上有四个选项：

A 姑娘觉得自己很幸运
B 富商觉得自己很幸运
C 姑娘的爷爷比富商大 5 岁
D 富商比姑娘的爷爷大 5 岁

根据录音中"你爷爷只比我大 5 岁"，可以判断正确答案为 C。考生在回答这部分试题时应注意抓住一些具体的、比较小的但却重要的信息；概括所听内容的主要意思及主要观点；正确理解新词及流行语；理解中国人幽默的表达方式；注意特殊句式的表达意义。

第二部分　共 15 道题，每题听一遍。这部分试题是根据一段采访选择正确答案。共 3 段采访，每段采访 600 字左右，主持人或记者与嘉宾以问答形式进行对话。嘉宾多为不同领域的名人，如作家、成功的创业者、电影导演、教练、运动员等有影响力的人。每段采访后有 5 个问题，要求考生根据采访内容作出回答。问题多为以下几个方面：嘉宾的身份、经历、观点和态度、感受等；采访所涉及的故事揭示的道理和给我们的启示；采访中所涉及的事情出现的原因、结果；采访所涉及故事的时间、地点、意义。所以，考生在听这部分录音时，要一边听一边记录上述内容和可能问到的问题的相关信息。

第三部分 共 20 道题，每题听一遍。这部分试题是根据录音中的短文选择正确答案。每段短文 300 字左右，每段后有 3—4 个问题。短文题材主要是寓意深刻的小故事、科普知识、对事物的看法等。问题多为以下几个方面：发生了什么事情？出现了什么问题？问题是怎么解决的？应该注意些什么？这段话告诉我们什么道理？文中人物做事的目的是什么？关于某个问题，文章的观点是什么？所以，考生在听录音时应注意对文章观点的把握，概括文章信息，理清事情的发展脉络和前因后果，注意说话人对某一问题的观点、看法以及建议。

阅 读

阅读共分为四个部分。

第一部分 共 10 道题。要求考生选出 A、B、C、D 四项中有语病的一项。这部分主要测试考生对汉语语法的掌握情况，如搭配问题、语序问题、虚词问题、结构问题等。考生在找病句的时候应从上述几方面着眼。

第二部分 共 10 道题。选择合适的词语填空。每题大概 80 字左右，题干有 3—5 个空儿，考生应根据上下文把正确的词语填到空儿中。这部分试题主要考查考生对近义词的辨析能力。考生应注意词语的搭配、意义、感情色彩、语体色彩等。答题时考生可采用排除法。例如：

61. 世界上有些________动物，尽管人们________去保护，仍然处于濒临灭绝的境地，有的已________毁灭。可是有些动物，比如老鼠，虽然人们在用各种方法消灭它们，但总是消灭________。

A 珍稀　　千方百计　　遭到　　不了
B 珍惜　　千军万马　　得到　　不得
C 珍惜　　千方百计　　得到　　得了
D 珍奇　　小心翼翼　　遭到　　了得

珍稀，珍贵而稀有；千方百计，想尽办法做某事。对于“珍稀”动物，人们应该“千方百计”去保护。遭到，指遇到不好的对待。“动词+不了”是结果补语的否定形式。所以 A 为正确答案。

第三部分 共 10 道题，选择句子填空。这部分由两段短文组成，每段短文 500 字左右。每段短文有 5 个空儿，考生应选择所给句子放在短文中正确的画线位置上。短文中空的位置都是与上下文有密切关系的句子。所以，考生在作答这部分内容时，应该注意事情发展的顺序、事理的逻辑性以及前后句式的搭配。

第四部分 共 20 道题。阅读短文，回答问题。这部分试题提供 4—5 段短文，每段短文有 700 字左右，短文后带 4—5 个问题。短文题材多为科普知识、社会生活、求职创业、记叙事件等方面。作答这类试题时，考生应注意以下几个问题：准确理解文章每段的意思及全文的中心思想，全面概括文章的主要内容，注意文章涉及的统计数字，留意文章的细节，注意事件发生的时间、地点、人物、原因和结果等。这类试题的问题一般按照文章的行文顺序提问，所以考生可根据试题的顺序来推断答案在文章中的大概位置。对全文概括和理解的题一般出现在最后边。

书 写

要求考生在 10 分钟内阅读 1000 字左右的文章，阅读后缩写成一篇 400 字左右的短文（算标题和标点）。常见的体裁是记叙文和议论文。考生作答这部分试题时应注意：

如果是记叙文，应注意时间、地点、人物、起因、经过、结果以及事件说明的道理等。在叙述的时候，考生要注意时间和空间的顺序；

如果是议论文，应注意论点、论据和结论等。要注意文章段落的首句，因为段落首句往往是表达观点的句子。

在缩写短文时，考生不要加入自己的观点，只要陈述文章的原意即可。除此之外，还要注意拟写标题简洁切意（题目一般 7 个字以内更能使人印象深刻），段落清晰，结构完整，逻辑严谨，字迹清楚，卷面整洁。

需要注意的是，新 HSK 考试答题时先在试卷上作答，考试结束前 10 分钟再把答案写在答题卡上（把正确答案所对应的字母涂黑）。例如：

1. [A] [B] [C] [D]

作文纸的书写规范请参照模拟试卷 1 答案中的“缩写参考”。

新汉语水平考试

模拟试卷

新汉语水平考试

HSK（六级）模拟试卷 *1*

注　意

一、HSK（六级）分三部分：

1. 听力（50 题，约 35 分钟）

2. 阅读（50 题，45 分钟）

3. 书写（1 题，45 分钟）

二、答案先写在试卷上，最后 10 分钟再写在答题卡上。

三、全部考试约 140 分钟（含考生填写个人信息时间 5 分钟）。

一、听 力

第一部分

第 1—15 题：请选出与所听内容一致的一项。

1. **A** 姑娘觉得自己很幸运
   B 富商觉得自己很幸运
   C 姑娘的爷爷比富商大 5 岁
   D 富商比姑娘的爷爷大 5 岁

2. **A** 洗衣机很有用
   B 丈夫不喜欢做家务
   C 丈夫不喜欢用洗衣机
   D 丈夫不喜欢用洗碗机

3. **A** 孟子很有礼貌
   B 孟子很聪明
   C 学习环境很重要
   D 学习环境不太重要

4. **A** 小男孩在偷苹果
   B 小男孩在吃苹果
   C 苹果掉下来了
   D 苹果不是农夫的

5. **A** 处理问题要在它发生之后
   B 成功是逐渐积累起来的
   C 南辕北辙
   D 滥竽充数

6. **A** 妻子动作很快
   B 丈夫喜欢妻子化妆
   C 丈夫已经等了很久
   D 他们已经离婚了

7. **A** 小强很聪明
   B 婚礼不该在同一天
   C 这是巧合
   D 这不是巧合

8. **A** 小明想要更多蛋糕
   B 小明不喜欢蜡烛
   C 蛋糕很小
   D 蛋糕很多

9. **A** 小强肯定在溜冰
   B 小强可能在游泳
   C 小强喜欢溜冰
   D 小强喜欢游泳

10. **A** 上学是应酬
    B 儿子不想上学
    C 儿子不想回家吃晚饭
    D 爸爸也在上学

11. **A** 小王喜欢老奶奶
    B 女朋友很善良
    C 小王很善良
    D 那个朋友很善良

12. **A** 苹果很好吃
    B 孩子们常偷苹果
    C 牧师多嘴多舌
    D 孩子们多嘴多舌

13. **A** 声音是固定不变的
B 声音只有一个
C 没有第二种声音
D 我们有两种声音

14. **A** 儿子很关心爸爸
B 儿子不会考第一名
C 爸爸很高兴
D 爸爸要死了

15. **A** 妈妈小时候很淘气
B 妈妈很淘气
C 小强的孩子很淘气
D 小强很淘气

第二部分

第16—30题：请选出正确答案。

16. A 修补窗户
    B 装饰房间
    C 表达内心
    D 排除无聊

17. A 姥姥和妈妈
    B 奶奶和妈妈
    C 奶奶和姥姥
    D 奶奶、姥姥和妈妈

18. A 接近一万
    B 一万
    C 一万多
    D 两万

19. A 1996年
    B 1997年
    C 1998年
    D 1999年

20. A 金奖
    B 银奖
    C 铜奖
    D 优秀奖

21. A 戴勇
    B 建筑师
    C 莫尚勤
    D 工程师

22. A 香港
    B 深圳
    C 广州
    D 上海

23. A 完美和永远
    B 完美和永恒
    C 满足和恒久
    D 完整和久远

24. A 公寓
    B 图书馆
    C 商场
    D 办公楼

25. A 开公司
    B 开花廊
    C 开画廊
    D 开花店

26. A 井里的水
    B 河里的水
    C 下雪融化的水
    D 下雨蓄积的水

27. A 不能适应那里的环境
    B 希望回到大城市生活
    C 想读书充实丰富自己
    D 不太喜欢那里的孩子

28. **A** 家人的帮助
B 得到的投资
C 自己赚的钱
D 朋友的帮助

29. **A** 生活问题
B 学费问题
C 身体健康问题
D 心理健康问题

30. **A** 平等关系
B 帮助与被帮助的关系
C 尊重与被尊重的关系
D 照顾与被照顾的关系

第三部分

第 31—50 题：请选出正确答案。

31. A 很容易找到工作
B 没什么变化
C 越来越容易
D 越来越难

32. A 学生们不想找工作
B 真实有效的信息少
C 学生们不喜欢和别人争
D 真实有效的信息太多

33. A 学生条件不好
B 学生缺乏经验
C 学生喜欢竞争
D 企业需要人才

34. A 做生意
B 宣传产品
C 抢劫
D 收取费用

35. A 都是富翁
B 富翁和强盗
C 富翁和拉比
D 拉比和强盗

36. A 需要休息
B 遭到了抢劫
C 遇到了大风
D 遇到了强盗

37. A 拉比很有钱
B 拉比有知识和智慧
C 拉比给他们讲课
D 拉比是犹太人

38. A 获取智慧和知识
B 受到别人的赏识
C 赚到很多钱
D 保护自己的东西不被别人抢走

39. A 镇静剂
B 咖啡果
C 咖啡豆
D 咖啡因

40. A 0—1 杯
B 1—2 杯
C 2—3 杯
D 4—5 杯

41. A 没有影响
B 破坏神经系统
C 肚子饿
D 脖子疼

42. A 不知道
B 没有影响
C 帮助睡眠
D 破坏睡眠

43. **A** 北京
B 丹东
C 大连
D 上海

44. **A** 50 年
B 20 年
C 10 年
D 15 年

45. **A** 300 米
B 500 米
C 300—500 米
D 3000—5000 米

46. **A** 辽宁
B 山东
C 河北
D 河南

47. **A** 感冒
B 乙流
C 甲流
D 禽流感

48. **A** 美国游客
B 墨西哥游客
C 想去国外的中国人
D 从国外回来的中国人

49. **A** 发烧、头痛
B 发烧、咳嗽
C 咳嗽、流涕
D 发烧、腹泻

50. **A** 马上回国
B 暂时不要回国
C 没有要求
D 自我观察

二、阅 读

第一部分

第 51—60 题：请选出有语病的一项。

51. **A** 他得到了老师和同学们的赞扬。
    B 他多么渴望有一个学习机会呀！
    C 我发现他这个学期变化了很大。
    D 大家一致称赞他是一个讲文明、懂礼貌的孩子。

52. **A** 舞美设计艺术一向被人誉为“眼睛的音乐”、“映花的绿叶”。
    B 人类自从开始采金以来，一共开采了近 11 万吨黄金。
    C 他们分工非常严格细致，与自己无关的事决不会去过问。
    D 他呼吁非洲国家要重视女童的教育，而提高妇女的文化水平。

53. **A** 以前我曾在英国牛津大学的巴顿学院留学两年了。
    B 农民不堪重负，这个问题已到了非解决不可的程度了。
    C 要花招要比诚实容易得多，只是到头来聪明反被聪明误。
    D 我觉得自己的知识储备还不够，还需要进一步充实。

54. **A** 我初来乍到，对北京不熟悉，对歌坛也不熟悉，又没有资历。
    B 冠军毕竟只有一个，这是很残酷的事，但也正是比赛的魅力所在。
    C 如果她没有接到我的电话，会替我担心得吃不下饭、睡不着觉的。
    D 面前这个诚实的小伙子，对这位著名的音乐家来说显然也是很欣赏的。

55. **A** 催化剂已成为现代化学工作者最得力的帮手，但尚有许多问题未弄清。
    B 我就是这样一个人，又可以说是理想主义者，又可以说是实践主义者。
    C 他的这种情绪还影响到了工作，影响了整个乐队的形象。
    D 要创造条件让更多的青年科学家迅速成长，但万万不可揠苗助长。

56. **A** 我们再三说也无济于事，真不知如何是好，所以请您来指导。
    B 该国卫生部门正在积极采取措施，以防止炭疽病进一步扩散。
    C 我们只有不断探索，才能取得成功，没有此外的好办法。
    D 人类一旦遇到外星人，应该怎样与他们进行交谈？

57. **A** 1988 年汉城奥运会，我记住了高敏，她好像国际比赛当中没输过。
B 老师答应了，但同时也要求我从此以后和马晓军断绝来往。
C 我把这一切都归结于她在那篇关于画家村的文章中对我的“吹捧”。
D 由于身处热带，他的脸被西双版纳的太阳晒得黑黑的。

58. **A** 只要导演不喊“过”，我们就得一遍一遍地重来。
B 我觉得我们之间已经扯平了，因此对他的要求，我一概拒绝。
C 王治郅是凭他最后几场的表现，最终得以加入小牛队的。
D 听说贵公司不仅在中国国内很畅销，而且外国顾客也很多。

59. **A** 我们那所小学有 600 多名学生，光是女生就占了一多半。
B 对于是否担心流感疫情会蔓延的问题，近五成市民表现出乐观态度。
C 像我们这种的所谓艺术家，实际上根本就没人瞧得起。
D 著名画家林风眠一下子就看上了他的作品，认为他值得培养。

60. **A** 我一个人不愿意喝闷酒，所以想让他陪我，当然是由我请客。
B 凡日降雨量在 10 毫米以下的称为小雨，10—25 毫米则为中雨。
C 减肥最为有效的办法就是要吃多一些含水量大的食物，如水果和蔬菜。
D 那个滑冰场可能是你在哈尔滨唯一能找到冰的地方，至少夏天是如此。

第二部分

第 61—70 题：选词填空。

61. 世界上有些________动物，尽管人们________去保护，仍然处于濒临灭绝的境地，有的已________毁灭。可是有些动物，比如老鼠，虽然人们在用各种方法消灭它们，但总是消灭________。

A 珍稀　千方百计　遭到　不了　　B 珍惜　千军万马　得到　不得
C 珍惜　千方百计　得到　得了　　D 珍奇　小心翼翼　遭到　了得

62. 有的人有博士学位________没有修养品位，________没有什么魅力可言；所以我们________要从外表上修饰打扮自己，保持魅力不衰，更要从修养学识上不断________个人的魅力。

A 又　依旧　不但　增多　　B 也　依然　不仅　增加
C 却　照样　既要　提升　　D 倒　仍然　既然　提高

63. 在奴隶制早已________的现代文明世界中，又出现了________新的“奴隶”，从发达国家，如美国，到发展中国家，如中国，________都是他们的身影，他们________自己叫“房奴”。

A 报废　一群　处处　跟　　B 废除　一批　到处　管
C 消除　一帮　随处　把　　D 废弃　一团　哪里　对

64. 有行业研究员________，________是中国电科院________国网电科院，到 2012 年都要实现 800 亿元的收入________，不过依靠现有的产业难以实现，需要继续兼并收购其他企业。

A 表达　不管　并且　意图　　B 表明　不是　而是　目的
C 表示　无论　还是　目标　　D 表现　不论　而且　达标

65. 孩子在家庭里排行的顺序是人格形成的一个很重要的________。不过，孩子的性格________直接来自天生的排行顺序，________取决于父母所倾注的心力。当然，人格的形成也与家教________有着很大的关系。

A 因素　不是　而是　方式　　B 要素　既是　又是　方略
C 素材　不但　更是　方法　　D 元素　不仅　也是　策略

66. 现在，钢笔已是人们________使用的书写工具，它________于 19 世纪初。1809 年，英国________了第一批关于贮水笔的专利证书，这________着钢笔的正式诞生。

A 遍及　创制　发布　标注　B 普通　创造　颁布　标记
C 普及　发现　公布　标明　D 普遍　发明　颁发　标志

67. 中国目前的家庭教育________重视智力因素的开发和培养，而________非智力因素对孩子未来成功与命运的影响。________，我们________全面发展的家庭教育。

A 往往　忽视　也就是说　缺乏　B 常常　省略　换句话说　缺少
C 往常　忽略　老实说　短缺　D 经常　漠视　说真的　匮乏

68. 当今，用英语进行交际，是学生们必须学习和掌握的一种________。原因之一就是因为英语是使用最为______的语言之一。为了________同世界的联系，更好地与世界各国进行学习和交流，掌握英语是很______的。

A 技艺　广阔　增大　需要　B 技术　宽广　增强　必须
C 技能　广泛　加强　必要　D 能力　宽泛　增加　必需

69. 2009 年上半年，对于中国电影________，与其说是逆市上扬，________说是水到渠成。近年来，中国电影________改革所释放的市场潜能，________超过了经济环境的压力。

A 来谈　还是　产业界　显然　B 来说　不如　产业化　明显
C 而言　而且　产业性　显著　D 说来　或者　产业力　显现

70. 佛山是一座历史名城，________中国南派武术的故乡，著名的洪拳、咏春拳都是以佛山________重要基地而________的，一大批武术名人，如黄飞鸿、李小龙的名字早已________。

A 而是　看做　发愤图强　深入人心
B 又是　当做　发奋图强　尽人皆知
C 还是　当成　奋发有为　众所周知
D 也是　为　发扬光大　家喻户晓

第三部分

第71—80题：选句填空。

71—75.

王阳是班里公认的技术尖子，从大三开始就在一些小的计算公司做项目，大四的时候他就能自己独立地做一些小项目了。

自信的王阳一直梦想着大学毕业后能进入一家大的有名的电脑公司，（71）________。进入大四以后，王阳经过多方的联系了解到，进入大企业实习是毕业后进入这些企业的关键。积极的王阳为了找到实习机会，经常泡在北大或者清华的聊天室和应届生网站上，寻找跨国大企业的实习生招聘信息，（72）________。但是实习期结束后，王阳并没有被该公司录用。

王阳经过认真总结后认为这次失败是以下几点原因造成的：

第一，（73）________。学生时代做的项目是不少，但都比较小，通常是项目经理找几个像他这样能动手的学生，简单地碰个头就开始干了，没有特别严格的规范要求。但大公司不一样，每一步都需要说明规范的文档，需要进行评审之后才能交付给下一个环节，而且每个人都是做自己最擅长那一块，这和王阳以前需求、设计、编码、测试一条龙全做的方式完全不一样。

第二，（74）________。王阳在同学中技术不错，导致自我评价过高。每当经理提出一些善意的批评，王阳都会认为是领导在否认自己，经常因此带着负面情绪工作，影响了整个团队的氛围。现在王阳明白了，工作需要协同合作的沟通能力，这一点在任何公司都非常重要。

第三，（75）________。刚进入公司时，王阳常犯的错误是谁交代给他任务，他会立即停下手头的事情去处理这件事，导致了一段时间考核下来，他一直在不断处理紧急但不重要的事情，重要的事情一件都没做。

A 沟通有障碍
B 干活不规范
C 成为一名顶尖的软件工程师
D 不善于说“不”，不懂得时间管理
E 终于，他如愿以偿地进入了一家知名公司实习

76—80.

一年前的一个下着微微细雨的傍晚，下班后，我在我家小区门口遇到了一个久未谋面的老友，因为多聊了几句，耽误了回家的时间。这时，母亲打来了电话，想想离家也就一两分钟的工夫，我便没有接听。恰巧在这时，离小区不远的地方发生了一起车祸。听到消息的母亲顿时急了，穿着拖鞋就飞快地往楼下跑。不知是谁在楼道里扔了一块果皮，眼神不好的母亲不小心踩在了上面，重重地摔倒在地，(76)________。

那天晚上见到母亲的时候，她已躺在了医院的病床上，(77)________。听医生说，母亲摔坏了腿，(78)________。我流着眼泪，后悔莫及地望着病床上睡去的母亲，心里有一种难以言说的疼痛。一个被我忽略的电话，却成了母亲为我担心的理由，正是因为她时刻把我放在心中最重要的位置，才使她遭受了这种折磨。

正当我默默自责时，母亲翻了一下身，(79)________。我伸出手，将母亲那双被琐碎的家务磨得粗糙无比的手紧紧地放在我的怀里。母亲微微睁开眼睛，依稀看到了我，一丝开心的笑容立刻在她的脸上绽放开来。“平安就好，平安就好……”母亲那含混不清的言语，(80)________，刹那间，我的眼泪如开闸的洪水夺眶而出，久久不能干涸。

从那以后，无论我何时何地，哪怕仅仅只隔着几米距离，只要母亲打来电话，我都会以最快的速度接听。因为让父母将心放宽，不为自己担心，就是做儿女的责任。

A 神志也有些模糊
B 脚上打着石膏
C 嘴里不停地念叨着我的名字
D 顿时昏迷不醒
E 顿时刺中了我心中的最痛点

第四部分

第81—100题：请选出正确答案。

81—84.

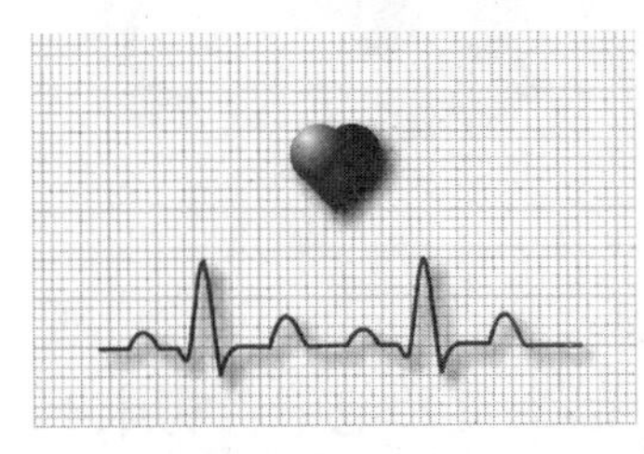

当人夜间进入梦乡时，心脏还在值“夜班”。据记载，心脏停跳又复活的世界纪录为3小时24分，但在睡眠环境下，心脏恐怕一分钟也不能停止跳动。不过心脏并不是一刻不停地工作，它也在抽空休息。它收缩时是在工作，它舒张时是在休息。每分钟心跳75次时，每一次心跳，心房和心室的收缩时间分别为0.1秒和0.3秒，而舒张时间分别为0.7秒和0.5秒，休息时间倒比工作时间长。

肺也要值“夜班”。肺就像一台鼓风机，不停地把富含氧气的空气吸入体内“助燃”，把富含二氧化碳的废气排出。科学家们认为，只要这台鼓风机停止工作5分钟，人就会“断气”。当然，肺也要休息，肺泡采用轮休制，每次呼吸只有部分肺泡在工作。

说到值“夜班”，也别忘记了消化系统。据试验，食物在胃内消化停留3.48小时，在小肠内吸收停留5小时，在结肠内停留16.24小时，在“环卫部门”直肠中经过21.2小时才能排出。照此算来，人在夜间睡眠时，消化系统的“夜班工人”还在对昨天早餐到今天晚餐的食物作一系列处理。

人体的很多部分都坚守在“夜班”岗位上。例如腺垂体在夜间也会分泌一种生长激素，加速软骨与骨头生长，使人长高。大脑中的睡眠中枢也在工作，它会产生去甲肾上腺素在清晨把人唤醒，否则人就要无休止地睡下去。甚至主管思维的大脑也安排有“夜班”——做梦。感谢这些“夜班工人”，它们使我们的生命平稳地延续下去。

81. 关于心脏，下列选项正确的是：
    A 休息时间没有工作时间长　　**B** 睡眠时一分钟也不能休息
    C 停跳又复活的最长时间为3小时24分　　**D** 舒张时也是在工作

82. 肺是怎么休息的？
    A 5分钟休息一次　　**B** 把废气排出就是休息
    C 肺泡采用轮休制　　**D** 肺泡一边工作一边休息

83. 食物从进入消化系统到排出体外大概需要多长时间？
    A 3.48个小时　　**B** 21.2个小时　　**C** 16.24个小时　　**D** 45.92个小时

84. 下列选项正确的是：
    A 人体所有部分时刻都在工作　　**B** 心脏停跳不一定代表人已死亡
    C 消化系统白天休息，晚上工作　　**D** 大脑的睡眠中枢在人睡觉时不工作

85—88.

据统计，中国 2008 年 2 月 CPI 上涨 8.7%，商务部长陈德铭 3 月 12 日接受了中外记者的采访。他指出，造成中国 CPI 大幅上涨的原因主要有三点：

中国食品价格的上涨是主要因素。2 月份食品价格上升了 23.3%，这主要是因为 2 月份北方和南方的天气都不好，农产品的生产和运输受到了影响，因此加大了运输成本，又正好赶上春节的购物高峰，从而造成了市场供不应求。但天气状况转好后，交通便利，这个原因的影响可能就会消除。

第二，中国国内农产品价格的上涨是部分因素。中国农产品价格从 1997—2007 年 10 年时间的年平均增长在 0.7%左右，而这 10 年居民收入增长大大高于这个数字。因此，价格上涨又有一定的必然性和合理性。

第三，国际初级产品的价格全面大幅度上升，包括能源、资源、农副产品等。今年 2 月份，国际初级产品价格同比上涨了 44%，其中原油上涨 62.8%，食品上涨 39.1%，中国市场跟国际同步，这必然也对中国 CPI 有较大影响。

综合以上的情况来看，造成 2 月份 CPI 上涨的部分原因可能在下半年消失，因此商务部长陈德铭预计中国下半年的 CPI 将有所下降。

85. 下列哪一项不是中国 CPI 大幅上涨的原因？

A 中国食品价格上涨　　**B** 中国国内农产品价格上涨

C 农产品生产成本提高　　**D** 国际初级产品价格全面大幅上升

86. 2 月份中国食品价格上涨的原因不包括哪一项？

A 天气不好，运输受影响

B 运输成本提高了

C 赶上春节的购物高峰

D 天气不好，食品生产量少，市场供不应求

87. 为什么说中国农产品价格上涨有一定的必然性和合理性？

A 10 年的平均增长低于居民收入增长　　**B** 成本提高了

C 居民收入提高了，就有钱买贵的了　　**D** 不可能总是保持不变

88. 下列哪个选项是正确的？

A 预计下半年的 CPI 将有所下降

B 食品价格下半年会下降

C 国际初级产品的价格下半年不会上升

D 中国国内农产品价格一定会继续上涨

89—92.

创新能力在当今社会越来越受到人们的重视，因为它是促进社会进步的原动力。那么如何培养创新能力呢？

首先，在学习中，要知其然，也要知其所以然。我们在学习数学的时候，可能人人都会背数学公式，但是，聪明学生还会记住这个公式是如何推导出来的。知道了已经存在的事物的内在原因，才能根据这种根本性的原理来研究和创造出更新的东西。其次，遇到问题应试着从不同角度来思考。美国 3M 公司一位研究员想发明一种黏合力非常强的胶水，但因为种种原因失败了，实验得到的只是一种黏合力很差的液体。一段时间后，他发现人们有这样一种需求：把便条或书签贴到桌上或墙上，可以随时揭下来。他此前发现的黏合力差的液体不正可以派上用场吗？就这样，一种险遭废弃的技术促成了即时贴的发明。第三，凡事要动手实践。小时候，老师让我们用 6 根火柴拼成 4 个大小一模一样的正三角形。通过动手实践，我们都找到了正确答案。同时我们也发现了六根火柴还能拼成直角三角形、正方形等，这样的实践让我们对几何空间知识记忆深刻。同时，在实践的过程中也很有可能做出一些连自己也意想不到的成果。

在一种鼓励探索、重视实践的教育环境下，创新并不难。只要具备扎实的基本功和灵活的头脑，在不断实践的过程中，你是可以做出最新颖、最有用也最有可行性的创新来的！

89. 对句中画线句子解释正确的一项是：

A 要知道它是这样的，才能知道它之所以是这样的

B 要知道它是什么样的，也要知道为什么这样

C 要知道原因，也要知道结果

D 必须要知道事物的内在原因

90. 即时贴的发明说明了什么道理？

A 研究创造出来的东西一定能用得上

B 遇到问题应试着从不同角度来思考

C 实验研究出的质量差的东西也要保留

D 开始时失败了也不要紧

91. 老师让我们用火柴拼三角形是想让我们：

A 有所创新

B 我们学习，他休息

C 通过动手深刻记忆几何空间知识

D 发现直角三角形和正方形的知识

92. 培养创新能力不包括下列哪一项？

A 要动手实践

B 遇到问题试着从不同角度来思考

C 学习时，要知其然并知其所以然

D 要寻找良好的教育环境

93—96.

前不久，中国国家旅游局副局长杜江表示，目前中国旅游业收入占 GDP 的比重超过了 4%，旅游业对经济增长的拉动作用日益明显。据介绍，旅游业综合性强，关联度大，产业链长，能够影响和促进与之相关联的 110 个行业发展。据世界旅游组织测算，旅游收入每增加 1 元，可带动相关行业增收 4.3 元。旅游业作为第三产业的重点，是现代服务业的重要组成部分，对文化交流、生态文明和人的全面发展都具有明显的促进作用，能够促进经济、社会协调发展。

世界旅游组织秘书长佛朗西斯科·弗朗加利认为，中国旅游业在世界旅游业发展中发挥的作用越来越大，中国将在 2020 年超过法国、西班牙、美国而成为世界第一旅游目的地，同时，10 年后中国有望成为世界第一旅游大国。

然而，中国旅游业还存在一定的问题。据国家旅游局有关负责人介绍，当前中国旅游业发展的一个基本情况，就是旅游需求远远大于旅游供给，呈现出明显的人民群众的需求大大上升，旅游的服务跟不上的短缺性情况。当前大众消费的热点，正由观光旅游向观光与休闲度假并重转变，消费方式灵活多变。但长期以来，中国的旅游产品以景区观光为主，远远满足不了大众休闲的需要。因此今后的中国旅游建设必须向这个方向发展。

93. 旅游业的特点不包括什么？

A 创收比较多　　**B** 关联度大

C 产业链长　　**D** 综合性强

94. 旅游业的作用不包括什么？

A 能够促进经济、社会协调发展　　**B** 对文化交流具有促进作用

C 对生态文明具有促进作用　　**D** 能使全社会的人全面发展

95. 中国旅游业还存在什么问题？

A 旅游资源短缺　　**B** 正向观光与休闲度假并重转变

C 旅游需求远远大于旅游供给　　**D** 没有大众休闲的服务

96. 下列哪一项是正确的？

A 10 年后中国定会成为世界第一旅游大国

B 目前中国的旅游业还不如法、西、美三国

C 中国旅游业收入占 GDP 的比重是 4%

D 中国经济的增长完全由旅游业来拉动

97—100.

人们在实践中得出了这么一个结论：成功来自谦虚。

为什么成功来自谦虚呢？

庄子说："吾生也有涯，而知也无涯。"他很明确地说明了学无止境的道理。也就是说，假如知识是辽阔无边的整个宇宙，那么你所知道的只是其中的一颗星星而已。只有掌握了许多必要的、有用的知识，成功的大门才会向你打开。因此，我们要谦虚好学。

著名学者笛卡尔说过："越学习，越会发现自己的不足。"

是啊，只有经过学习，不断扩大知识领域，扩充知识面，储存更多的信息，你才能真正领悟到"知也无涯"的深刻含义。也只有这样，你才能做到谦虚成熟，不断进取，成功便自然会到来。

那么，当我们在学习或事业上有了一定作为的时候，还要不要谦虚呢？答案是肯定的。因为"谦虚使人进步，骄傲使人落后"，有些人常常就是由于骄傲自大而陷入泥坑。如果取得了一点点成绩就沾沾自喜，被眼前的胜利冲昏头脑，就会把辛苦得来的成果毁于一旦。因此，只有在取得好成绩时不自满，才会使事业和学业都更上一层楼。

此外，谦虚更是一种美德、一种修养。能否做到谦虚也是衡量一个人思想品质是否高尚的标准之一。真正优秀的人永远都怀着一颗谦虚谨慎的心，为人处世也远比其他人稳重成熟。

成熟的谷穗低着头，成熟的苹果红着脸，它们都在启示我们：成功来自谦虚。

97. 庄子的话说明了什么道理？

A 知识是宇宙　　**B** 只有努力学习才能学完知识

C 学无止境　　**D** 要勤学好问

98. 在学习或事业上有作为的人要不要谦虚？

A 不要　　**B** 要

C 不一定　　**D** 文中没提到

99. 什么能使事业和学业都更上一层楼？

A 取得好成绩时不自满　　**B** 不断努力学习

C 沾沾自喜　　**D** 被眼前的胜利冲昏头脑

100. 下列哪一项是真正优秀的人该有的特点？

A 高尚的品德　　**B** 有钱有势

C 能力和知识　　**D** 谦虚谨慎

三、书 写

第 101 题：缩写。

(1) 仔细阅读下面这篇文章，时间为 10 分钟，阅读时不能抄写、记录。

(2) 10 分钟后，监考收回阅读材料，请你将这篇文章缩写成一篇短文，时间为 35 分钟。

(3) 标题自拟。只需复述文章内容，不需加入自己的观点。

(4) 字数为 400 字左右。

(5) 请把作文直接写在答题卡上。

多年前有一个鞋匠，在小城一条街的拐角处摆摊修鞋，寒来暑往，也说不清有多少个年头了。

有一个冬天的傍晚，他正要收摊回家的时候，一转身，看到一个小孩在不远处站着。看上去，孩子冻得不轻，身子微蜷着，耳朵通红通红的，眼睛直愣愣地盯着他，眼神呆滞而又茫然。

他把孩子领回家的那个晚上，老婆就和他闹别扭。对于这样一个流浪的孩子，有谁愿意管呢？更何况，一家大小好几张嘴，吃饭已经是问题，再添一口人就更显困窘。他倒也不争执，低着头只有一句话："没人管的孩子我看着可怜。"然后便听凭老婆唠唠叨叨地骂。

尽管这样，这孩子还是留了下来。鞋匠则一边在街上钉鞋，一边打听谁家走丢了孩子。两年多的时间过去了，并没有人来认领这个孩子，孩子却长大了许多，懂事、听话而且聪明。鞋匠老婆渐渐喜欢上了这个孩子，家里再拮据，也舍得拿出钱来为孩子买穿的和玩的。街坊邻居都劝他们把孩子留下来，鞋匠老婆也动了心。有一天吃饭时，她对鞋匠说："要不，咱们把他留下来当亲儿子养吧。"鞋匠闷了半晌没说话，末了，把碗往桌上一丢："贴心贴肉，他父母快想疯了，你胡说什么！"

鞋匠还是四处打听，他一刻也没有放松对孩子父母的找寻。他求人写下好多寻人启事，然后不辞辛苦地贴到大街小巷。风刮雨淋之后，他又重新再来一遍。甚至有熟人去外地，他也要让人家带上几份，帮他张贴。他找过报社，没有人愿意帮这个忙，电视台也没有帮助他的意思。他把该想的办法都想了，心中只有一个念头：一定要找到孩子的父母。

终于有一天，孩子的父母寻到了这个地方。他们只是说了几句感谢的话，就急匆匆地带着孩子走了。鞋匠并没有计较什么，只是一起摆摊的人都说他傻。他总是呵呵一笑，什么也不说。

生活好像真的跟鞋匠开了个玩笑，这之后便再没有了孩子的任何音信。后来，他搬离了那座小城，一家人掰着指头计算着孩子的岁数，希望长大了的孩子能够回来看看他们，但是，没有。再后来又数次搬家，直到他死，他也没有等到什么。

若干年后，一个有德有才的小伙子因为帮助寻找失散的人成了名，他在互联网上还注册了一个专门寻人的免费网站。令人惊奇的是，网站竟然是以鞋匠的名字命名的。进入网站，人们看到，在显要位置上，是网站创始人的“寻人启事”。他要寻找的，就是很多年以前，曾经给过流落在街头的他无限关爱和帮助的那个鞋匠。

网站主页上，滚动着这样一句耐人寻味的话：当你得到过别人爱的温暖，而生活让你懂得了把这温暖变成火把，从而去照亮另外的人的时候，不要忘了，这就是生活对爱的最高奖赏。

新汉语水平考试

HSK（六级）模拟试卷 2

注　意

一、HSK（六级）分三部分：

　　1. 听力（50 题，约 35 分钟）

　　2. 阅读（50 题，45 分钟）

　　3. 书写（1 题，45 分钟）

二、答案先写在试卷上，最后 10 分钟再写在答题卡上。

三、全部考试约 140 分钟（含考生填写个人信息时间 5 分钟）。

一、听 力

第一部分

第1—15题：请选出与所听内容一致的一项。

1. A 学生长得像老鼠
B 学生不喜欢老师
C 学生误会了老师
D 老师不会画老鼠

2. A 儿子不知道节约和小气的区别
B 爸爸不知道节约和小气的区别
C 妈妈总是很节约
D 爸爸总是很小气

3. A 我很伤心
B 我会继续努力
C 我害怕失败
D 实验很难

4. A 吃巧克力可能会上瘾
B 巧克力不好
C 女性吃巧克力会变丑
D 女性吃巧克力有好处

5. A 超市里东西非常多
B 超市太多了
C 奶粉牌子很好
D 没有我们喜欢的奶粉

6. A 女孩迷路了
B 小张迷路了
C 小张不知道怎么问路
D 小张喜欢这个女孩

7. A 小王婚后不快乐
B 小王婚后很快乐
C 小王婚前不快乐
D 小王一直很快乐

8. A 笑话很可笑
B 笑话不可笑
C 老板很幽默
D 职员很善良

9. A 小明没耽误看比赛
B 比赛还没有开始
C 朋友没有看比赛
D 比赛快要结束了

10. A 中国队永远胜利
B 中国队很厉害
C 中国语言很奇妙
D 美国朋友很厉害

11. A 朋友没有力气
B 朋友跑了第九名
C 朋友觉得没劲
D 比赛没有意思

12. A 比赛不分胜负
B 比赛没有结果
C 西班牙队胜利
D 西班牙队失败

13. **A** 妈妈害怕蟑螂
B 妈妈害怕小莉
C 小莉害怕蟑螂
D 小莉不怕蟑螂

14. **A** 爷爷常自己跟自己说话
B 爷爷很幸福
C 爷爷想工作
D 爷爷工作很忙

15. **A** 爸爸没时间休息
B 爸爸睡眠不好
C 爸爸不爱吃饭
D 爸爸工作很忙

第二部分

第 16—30 题：请选出正确答案。

16. A 精神上独立
    B 创作上独立
    C 精神和创作上都独立
    D 资金独立

17. A 重庆大学美术系
    B 重庆大学电影学院
    C 重庆大学美术电影学院文学系
    D 北师大美术电影学院文学系

18. A 大学一年级
    B 大一刚开始的时候
    C 在北师大的时候
    D 到了重庆以后

19. A 资金方面的工作
    B 整体的发行
    C 整个班底的管理
    D 以上都正确

20. A 自己写的
    B 改编的
    C 自己写的，也受别人的启发
    D 不知道

21. A 电视节目
    B 收音机
    C 博客
    D 家里

22. A 2003 年
    B 2004 年
    C 不清楚
    D 刚从法国回来的时候

23. A 陪老公
    B 读书
    C 工作
    D 游山玩水

24. A 时间太多
    B 一台烤箱
    C 想做面包
    D 想吃蛋糕

25. A 金钱
    B 美食
    C 爱情
    D 生活

26. A 公司总经理
    B 首席设计师
    C 品牌创始人
    D 以上全都对

27. A 年纪轻
    B 喜欢玩儿
    C 喜欢设计
    D 有天赋

28. **A** 新加坡
B 江苏
C 湖南
D 香港

29. **A** 提供交流的平台
B 让设计师专心搞设计
C 提供经营方面的指导
D 控制成本

30. **A** 如何把公司做大
B 成本问题
C 明天、后天的事情
D 能赚多少钱

第三部分

第 31—50 题：请选出正确答案。

31. A 做猪肠汤
    B 哄儿子玩儿
    C 逛集市
    D 去散步

32. A 猪养得少
    B 等过节时再杀
    C 猪太小了
    D 她只是哄孩子

33. A 他也想吃
    B 不想对孩子撒谎
    C 让孩子高兴
    D 妻子不敢杀

34. A 做人不能太小气
    B 父母要多关心孩子
    C 做人要讲求诚信，说到做到
    D “杀猪”这个方法能够教育孩子

35. A 经济发展
    B 社会安定
    C 提高生活水平
    D 人口问题

36. A 经济
    B 环境
    C 社会
    D 生活

37. A 发展经济
    B 提高人口死亡率
    C 计划生育
    D 发展科技

38. A 人口给环境带来压力
    B 环境和人口没有关系
    C 环境影响人口出生率
    D 互为因果的联系

39. A 儒家伦理道德观念
    B 地理环境
    C 饮食审美风尚
    D 民族性格特征

40. A 春秋时期
    B 战国时期
    C 秦汉时期
    D 周秦时期

41. A 谷子
    B 大黄黏米
    C 黄豆
    D 稻子

42. A 黄粱
    B 粟
    C 豆类
    D 稻子

43. **A** 宣纸
B 水印纸
C 稿纸
D 画纸

44. **A** 耐酸、耐碱
B 安全线
C 蓝纤维
D 水印图案

45. **A** 纸张的厚度
B 纸张的大小
C 水印的深浅
D 水印的方向

46. **A** 美观的需要
B 防伪的需要
C 印刷的需要
D 雕刻的需要

47. **A** 瓦匠
B 木匠
C 油漆工匠
D 铁匠

48. **A** 他自己改了姓
B 鲁国人不让他姓"输"
C 他是鲁国人
D 人们不喜欢输

49. **A** 草叶
B 树枝
C 工具
D 蝗虫

50. **A** 锻炼自己的意志
B 观察蝗虫的牙齿
C 经常被草划破手
D 善于观察和发现

二、阅 读

第一部分

第 51—60 题：请选出有语病的一项。

51. **A** 入夏以来，特区政府为市民和游客举办了很多丰富多彩的活动。
    B 园林中的景物要源于自然，又高于自然，使人工美和自然美融为一体。
    C 图书馆使用录音电话办理续借，哪怕午夜想续借也没关系。
    D 教师节那天，一个我教的学生代表给我送来了精美的礼物。

52. **A** 我能坐出租车去要去的地方，并且我听得懂很简单和短小的对话。
    B 我和海若一家一见如故，就像一家人一样，我们一起痛，一起急。
    C 你们的支持和理解对我很重要，不论是过去、现在还是将来。
    D 你不知道你应该走哪条路，可能任何一条路都会令你抵达目的地。

53. **A** 我不想让我的人生留下后悔，我应该珍惜时间，珍惜生活。
    B 法律通常都采用成文的方式加以颁布，以便做到家喻户晓。
    C 永定门城楼的复建将本着“修旧如旧”的原则。
    D 北京市轨道交通建设管理公司坚决贯彻实施“阳光工程”。

54. **A** 第一次拿到钱时，陈省身不无得意，这是他第一次的劳动报酬啊！
    B 他在这本书里，把那时的所见所闻都如实而又委婉地写了出来。
    C 这种传统的发展模式导致了自然生态恶化，环境污染日益严重。
    D 人的才能的大小，完全是由于后天的学习和实践决定的。

55. **A** 大学生身心发展还不够成熟，虚荣心较强，容易产生攀比心理。
    B 每次看到这张照片时都让我引起故乡般的舒服感和幻想般的新鲜感。
    C 爸爸说：“这么近，还犯得上雇面包车，花那几百元冤枉钱？”
    D 吴强先是掉到一棵树上，然后掉到地上，否则真的没命了。

56. **A** 北京是一座历史古城，还有北京又是正在迅速发展的现代化大都市。
    B 内地顾客多了，为了方便，香港的珠宝店开始接受人民币付款。
    C 他是位好干部，得到了人民的拥戴，并安排他担任了县长的职务。
    D 广东地方传统剧种在农村市场已日趋冷清，取而代之的却是黄梅戏。

57. **A** 地震给人类带来了灾难，然而人造地震却能帮助人们勘探矿藏。
B 随着年龄的增长，婴儿的情绪表现也逐渐变了很多。
C 在人们心目中，老虎一直是危险而凶狠的动物。
D 如果说有人能从高变矮，返老还童，恐怕人们难以相信。

58. **A** 有人说李经纬打肿脸充胖子，可能吃错了药，可他十分清醒。
B 我每天能继续工作 12 小时，但若一生都得这样，就会把我累坏。
C 其实爸爸特别在意我的一切，只是他表达的方式不一样罢了。
D 物价从 4 月发生了多次大幅度上涨之后，10 月份又猛烈上涨。

59. **A** 丹顶鹤性情高雅，形态美丽，素以喙、颈、腿“三长”著称。
B 只有商业上的成功才是平遥人最引以为荣的事情。
C 我三个月后回美国去，希望到那时能见到我的老朋友。
D 这样可以借机先锻炼一下自己，为后来的发展打下基础。

60. **A** 目前防治工作主要从小处着眼，从细节入手，查遗补漏。
B 有一次，他倒在了丛林中，幸亏同伴及时赶到，他才没丢掉这条命。
C 下了船还要等汽车，因为没有候车室，只好坐在沙滩上任凭风吹日晒。
D 事实上，她学了汉语一年半了，可口头表达并不怎么流利。

第二部分

第 61—70 题：选词填空。

61. ________考古发现，磁州地区以彭城为中心，是中国瓷器________地之一。早在 7500 年前，这一地区便开始烧制陶器，彭城以北 20 公里的磁山新石器的________，曾出土过大量的夹砂褐陶和红陶器，中国社会科学院将其________为“磁山文化”。

A 根据　发源　旧址　称作　　　B 依据　起源　原址　叫做
C 据　　发祥　遗址　命名　　　D 凭　　诞生　地址　称呼

62. 除夕是汉族两大________的节日之一，________身在何地，人们都要在这一天________家中与亲人团圆，以守夜的方式辞旧迎新。春节的饮食也非常讲究，较为广泛的________为初一吃饺子，初二吃面，初三吃合子。

A 团聚　无论　赶回　习俗　　　B 团圆　尽管　跑回　习惯
C 聚会　不管　回去　风俗　　　D 相聚　不论　回来　民俗

63. 人进入______一年龄阶段，便会对自己所出生的故土______一份特殊的感情。那些少小离家、背井离乡的游子，对故土更有一层深深的______。

A 此　　生产　尤为　留念　　　B 该　　出产　特殊　迷恋
C 本　　产出　特别　爱恋　　　D 某　　产生　尤其　眷恋

64. 沈阳故宫院内的文溯阁之所以________，不仅仅因为它的建筑________，________因为它是闻名于世的《四库全书》的________之所，也是建在宫廷中最大的一所图书馆。

A 家喻户晓　独具匠心　还　　珍贵
B 驰名中外　别开生面　只　　珍宝
C 名扬四海　别具一格　而且　珍藏
D 美名远扬　与众不同　也　　珍玩

65. 身体和心理都健康，才________是真正的健康。随着人们物质生活水平的________提高，人们对健身越来越重视，形成了________健身的热潮，大家对健康有了新的认识和________。

A 讲得上　逐渐　一阵　领会　　B 算得上　不断　一股　了解
C 谈得上　不停　一起　明白　　D 称得上　连续　一场　理解

66. 走出校园进行语言实习，是考查学生汉语水平与能力的重要________。________实习前后的授课、讨论等活动，________提高了学生实际运用汉语进行交际的能力，而且也________了他们对中国社会、文化、经济、历史的了解。

A 途程　经过　不光　加强　　B 路径　经历　不仅　加大
C 途径　通过　不但　加深　　D 路途　经验　不只　深入

67. 古代先人们许多含义深刻的名句，是他们通过________的人生旅途得出的经验，至今，不但仍然给人们以________，还极大地激发了人们________真理的积极性，我们应当珍惜这________宝贵的精神财富。

A 艰辛　启迪　探求　份　　B 艰苦　启蒙　探究　件
C 困难　启发　追求　则　　D 困苦　启示　探索　条

68. 老张这个人很________。初次与他见面，你可能会觉得他很________，难以________。可是时间一长，你就会发现其实他挺________，挺爱开玩笑的。

A 独特　严格　接触　幽默　　B 特别　严肃　接近　风趣
C 特性　严厉　靠近　有趣　　D 特殊　严峻　靠前　诙谐

69. 派克笔创始人乔治·派克________其在机械方面的________，设计并________了以自己名字命名的钢笔——派克笔，并于 1888 年________了派克公司。

A 依据　体验　创制　创办　　B 凭着　经历　开创　创建
C 凭借　经验　制造　创立　　D 依照　心得　创造　创设

70. 卢沟桥位于北京郊区的永定河上。它________于公元 1189 年到 1192 ________。卢沟桥设计科学、________美观，它全长 266.5 米，由 11 个半圆形的石拱________。

A 建设　期间　外形　构成　　B 建筑　年代　外貌　形成
C 建造　时代　外在　组合　　D 修建　年间　造型　组成

第三部分

第 71—80 题：选句填空。

71—75.

人们常用“血浓于水”来说亲情。确实，（71）________，不必伴随惊天动地的事件，它永远存在于我们生活中，像水一样不可或缺，但永远比水深浓。因为比水多了一份情意，一份鲜红的情意。

上小学时，我比较任性。一天，我回到家中，感觉非常渴。于是，我急匆匆地找水瓶，想倒杯水喝。可我把屋子里的水瓶找了个遍后，还是一无所获。我心里非常沮丧，转而从口渴变成了愤怒。也不是对某人的愤怒，只是一种因为失望而油然而生的愤怒。越是渴越是怒，越是怒，（72）________。终于，我的愤怒转移到了我的身体上来，（73）________。我一次次狠狠地放下手中的空瓶，发出激烈的撞击声，不过幸好没把水瓶砸碎。在虐待完空瓶之后，我气乎乎地冲回了房间，随手关闭了房门，发出响亮的声音。

“笃、笃、笃”，我正在做作业时，门外传来了敲门声。我起身开门。原来是父亲为我送水来了。一开始在我找水时，父亲虽一声不吭，但知道我的意图，只是不说出来，弄得我几乎忘记了他的存在。父亲是理解我的，在我虐待水瓶和门时，他一言不发，他知道我的心情，知道我要宣泄。（74）________，这就是亲情。

其实，当时我已忘掉了口中的渴，父亲送水已是我找水后 20 分钟了。但不烫的无色的白开水，让我深深地明白这种爱的伟大。在 20 多分钟里不但要煮开水，还要冷却让我喝，这份苦心，恐怕我永远不能体会。无色的水让我看到了红色的爱，（75）________。

A 我变得越来越粗暴
B 血永远浓于水
C 亲情就好比是水
D 这是建立在爱上的
E 就更是怒上加怒

76—80.

天有不测风云，人有旦夕祸福。人活在世上谁都难免要遇上几次不幸或者难以改变的事情。有些事情是可以抗拒的，也有很多事却是无法抗拒的。如面对亲人的亡故和各种自然灾害，你该如何应对？（76）________，否则，忧郁、悲伤、焦虑、失眠会接踵而来，最后的结局是：你让无法抗拒的事实改变了你。

很多人问我：为什么总感觉到你是快乐的？

其实，谁没有烦恼？谁又可以抗拒各种情绪的困扰？

这个时候，我会把自己陷入短暂闭塞的空间，戴上耳机与天籁之音相吻；会打开音箱，与歌手一起痴醉；会冲一个热水澡，（77）________；也会准备一顿丰盛的晚餐，约上几个朋友大吃一顿；也会来到空旷的田野发自肺腑地呐喊，把积压的委屈趁机发泄出来；或者是写点东西，把一些愤懑体现在字里行间。这样做了，（78）________，再睡个好觉，等天亮时，一切都会是崭新的。

在当今这个压力越来越大的社会，懂得处理好自己的情绪，会使你的（79）________，你也才有可能创造更美好的生活。

有这样一种说法："一个人的身体健康是1，而财富、感情、事业，家庭……都是1后面的0，只有依附于这个1，零的存在才会有意义，如果没了这个1，一切都将不存在。"因此人生最重要的就是有一个健康的身体，健康的身体靠什么来获得？那就必须有一个快乐的心情，所以，我们要学会释放压力，缓解疲劳，（80）________。

A 你就会拥有健康的心态
B 心里轻松很多
C 改变自己的生活态度
D 接受它、适应它
E 卸去心灵的疲惫

第四部分

第 81—100 题：请选出正确答案。

81—84.

色彩是城市景观中的重要因素。城市色彩研究工作主要有以下几个方面：一个城市是否可能或应该具有特定的色彩基调？什么样的城市色彩基调能够与其所在的自然环境和谐共处？如何从色彩这一设计角度使城市具有统一和谐、美丽宜人的景观，从而给生活于此的人们创造出良好的生存环境？

商业区的色彩一般是城市中最为活跃的部分。应该注意的是，针对不同性质的商业区，所应采取的控制策略是不同的。传统商业街所要传达的文化含量并不亚于其商业性，因此，色彩的处理应慎重，广告招贴和商品陈列应遵从传统方式，避免因色彩面积过大而破坏景观。而一般商业区以商业活动为主要目的，色彩的多变、强烈冲击的视觉效果有时也不失为一种特色。

传统地方文化保护区是城市地方历史和传统文化最为集中的体现，是保护地方人文环境和发扬其特色的重点所在，因此需要格外仔细地分析研究和慎重操作。对于确实具有一定历史文化价值的文物性建筑，外立面应以保护性清洗为主，尽量保留其原有的材质和色彩，绝不应盲目翻修粉饰，整旧如新。

城市色彩景观设计的实施可以使城市成为舒适美观的人居环境，但如何正确实施则有赖于对城市色彩的研究和设计。所以，我们应尽快将这个研究课题纳入到城市规划和城市设计的总体框架中去。

81. 下列哪一项不属于城市色彩研究工作？
    A 城市特定的色彩基调　　**B** 城市色彩与自然环境的和谐
    C 怎么创造出良好的居住环境　　**D** 怎样用色彩让城市更美丽

82. 设计城市商业区的色彩要注意什么？
    A 不同性质的商业区采取不同的方法
    B 增加传统商业街的文化含量
    C 以强烈冲击的视觉效果为特色
    D 把色彩和商品陈列结合起来

83. 为什么商业区的广告招贴和商品陈列应遵从传统方式？
    A 强烈冲击的视觉效果可以吸引顾客　　**B** 保护景观，避免影响商业区的文化含量
    C 使城市和谐统一　　**D** 传统方式是最保守的策略

84. 对于有一定历史文化价值的文物建筑，应该怎样设计它的色彩？
    A 翻修粉饰，整旧如新　　**B** 清洗干净
    C 保留其原有的色彩　　**D** 用新的材质还原其色彩

85—88.

帕金森氏综合征的病因就在于缺乏一种能在神经细胞间传递兴奋的化学物质多巴胺。从根本上治疗这种病的方法就是使患者的身体重新获得分泌这种化学物质的能力。帕金森氏病患者绝大多数是 50 岁以上的老年人。患者的主要症状是四肢僵直逐渐加重、颜面表情消失、两手颤抖、步履蹒跚。重病人甚至出现吞咽和语言困难。1903 年，瑞典著名脑内移植研究专家奥尔逊开始用老鼠进行脑内移植实验，将取自同种老鼠胎儿的分泌多巴胺的神经细胞移植到病鼠脑内，使移植细胞开始有新的神经纤维芽生长出来。这种出芽的神经细胞和正常神经细胞一样，具有相同的电生理性质，并能分泌多巴胺，病鼠因此恢复得和正常老鼠一样。在动物实验基础上，1982 年，斯德哥尔摩加罗林斯加医院的一名震颤麻痹患者，因药物治疗无效处于极度衰竭的危险状态。为了挽救已陷入绝境的病人，该院伦理委员会批准了给患者做脑内移植手术。

手术是在全身麻醉下进行的。首先由外科医生切开患者的后背，取出约 2/3 的一侧肾上腺。继而以奥尔逊、格纳西奥、麦德拉佐为首的墨西哥医务小组，为一位 50 岁的男性和一位 35 岁的女性帕金森氏病患者成功地进行了脑内移植术。1986 年 9 月 27 日，中国首例脑内移植手术在北京宣武医院获得成功。中国是继瑞典、墨西哥之后在临床上开展脑内移植手术的第三个国家。

85. 从根本上治疗帕金森氏病的方法是什么？

A 使患者身体重获分泌化学物质的能力
B 消除四肢僵硬、颤抖等症状
C 让老年人的肌体变得年轻化
D 让患者身体具备分泌多巴胺的能力

86. 下列哪一项不是帕金森氏综合征患者的症状？

A 两手颤抖　　**B** 走路困难
C 视物模糊　　**D** 说话含糊

87. 对老鼠进行的脑内移植试验结果怎么样？

A 成功　　**B** 失败
C 神经细胞不能分泌多巴胺　　**D** 原来的神经细胞产生新的神经纤维芽

88. 世界上第一个成功地进行脑内移植手术的是哪个国家？

A 中国　　**B** 瑞典　　**C** 墨西哥　　**D** 美国

89—92.

关于未来轮船的设计，设计师们有两个完全相反的目标。第一个目标是创制能让人在水下旅行和载货的船，这种船能使人如同在陆上生活那样，去探测开发海床，绘出海底地图。另一个梦想是建造一种介于飞机和传统水面轮船之间的高速远洋轮船，要做到这一点，首先就要使用威力无比的核反应堆作为推动力量。这种船将特别适于载运石油。目前能建造的核动力潜水油轮可以装4万吨油，以差不多40节的速度航行，和装货一样多、速度一样快、行程也一样的水面核动力船比较起来，消耗动力大约只有后者的一半。这类潜水船在战时供应军舰或在北极冰下运油极为有用。1960年，苏联的破冰船“列宁”号下水；两年后，美国的“撒凡那”号也下水。70年代初，苏联又建造了两艘核动力破冰船。1969年，日本也有一条核动力货船“陆奥”号下水。虽然核动力很昂贵，但海运专家主张使用这种动力货船用于长距离贸易线。

然而，不论用什么做动力，传统远洋轮的速度增长率赶不上陆上和空中运输工具的速度增长率，其主要原因是水的密度比空气要大上800倍，水中的摩擦阻力和空中的自然不可同日而语。自开始营运以来，火车、飞机和汽车的速度约增加了10倍：火车从每小时16千米增加到100千米；旅客班机从96.6千米增加到966千米；今天大多数汽车在理论上都有能力将速度从原来的每小时19千米增加到193千米。在上个世纪60年代，“大东方”号机动船曾以14节的创纪录速度横越大西洋，可至今，机动船的速度增加还不到3倍。

89. 未来轮船的设计目标是什么？

A 和飞机一样快的船　　**B** 和现在的目标相反

C 水下行走的船和高速远洋轮船　　**D** 水下行走的船和陆上生活的船

90. 跟水面核动力船比较，核动力潜水油轮有什么优点？

A 节省动力　　**B** 消耗动力大　　**C** 载货量大　　**D** 速度快

91. 为什么传统远洋轮速度增长率比空中运输工具的小？

A 水的摩擦力小　　**B** 空中的摩擦力大

C 水的密度比空气密度大　　**D** 以上都对

92. 根据本文，现在机动船的速度可能是多少？

A 20节　　**B** 10节　　**C** 45节　　**D** 200节

93—96.

生活中，愤怒无处不在。从小到大我们都知道发怒是不好的，那些直接或者间接的生活经验也让我们知道，发怒的"破坏力"有多大——失去朋友、得罪亲人或者丢掉饭碗。可问题是，人人都会生气，每当"怒从心头起"的时候，到底要不要表达出来？又该如何表达？专家给我们提出了比较有参考价值的建议：

第一，明确告诉自己：我生气了。愤怒来临时，我们往往还没弄清楚发生了什么，不该说的话就说出去了，不该做的事也已经做了。所以，向自己承认"我生气了"，大声说："这件事让我很生气，现在我该怎么办？"告诉自己也告诉对方。这样做，会为你赢得处理愤怒情绪的机会。

第二，克制自己，不要马上说什么或者做什么。克制冲动并不意味着积累愤怒，而只是让你在感到愤怒的时候先冷静一下。

第三，你需要找出愤怒的焦点是什么，也就是需要想想我们的愤怒是从哪里来的，那个惹你生气的人到底做错了什么事，问题究竟有多严重，而不是直接去找是谁让你生气的。

第四，进行选择性分析。承认自己受了委屈，并承认再与那个伤害自己的人争论也无济于事，于是决定接受这个事实，拒绝让已经发生的事情破坏自己的幸福感。某些时候，这是处理愤怒的最佳方法。而在更多时候，处理愤怒的方法是，把自己的想法和感受坦白地讲出来，这样做的目的不是批评、责怪对方，而是要修复彼此的关系，请对方注意并和你一起努力，以找到解决问题的方法。

93. 下列哪一项不是发怒破坏力的表现？

A 失去朋友　　**B** 得罪亲人　　**C** 丢掉饭碗　　**D** 人人都生气

94. 为什么在愤怒来临时要明确告诉自己"我生气了"？

A 为自己赢得处理情绪的机会　　**B** 为自己说了不该说的话找借口

C 这样就可以做不该做的事了　　**D** 让对方准备好接受"我"发怒

95. 愤怒来临时，下列哪一项不是克制自己的好方法？

A 不要马上说什么　　**B** 不要马上做什么

C 积累一下愤怒　　**D** 先冷静一下

96. 下列哪一项不是找出愤怒焦点的方法？

A 想想愤怒从何而来　　**B** 想想惹你生气的人做错了什么

C 想想问题究竟有多严重　　**D** 找出让你生气的那个人

97—100.

隐身飞机之所以被称为“隐身”，是因为这种飞机的特点是在空中飞行时能够不让雷达这个“千里眼”发现。可为什么雷达发现不了它呢？让我们一起来看一下吧。

“隐身”轰炸机首先是由美国研制成功的。美国洛克韦尔公司研制的B-IB型变后掠翼战略轰炸机是世界上第一种具有部分 “隐身”功能的轰炸机。B-IB在飞机的外形、涂料和发动机的进、喷气口形状上都作了防雷达红外线探测处理。这就使它在敌方的雷达和红外线探测器面前具有了一定的 “隐身”作用。

第一种真正的 “隐身”轰炸机是美国的F-117战术轰炸机。美国洛克希德公司从上世纪70年代中期开始执行秘密研制 “隐身”战斗机的“臭鼬工程”计划。1977年原型机试飞成功，1981年定型投产。F-117外型奇特，翼身融为一体，整个机身表面几乎全部由多个小平面拼制而成，可将雷达波以各种角度散射，不能形成有效的回波。机身采用了大量统计表合材料，并涂有隐身涂料。这就使得F-117基本上不会被雷达和红外线探测装置所发现。F-117原本是作为战斗轰炸机而设计的，可是它飞行灵活性不够，由于它优异的“隐身”功能，敌机几乎不可能发现它并与它进行空战，所以它实际是被用来执行夜间轰炸任务的战术轰炸机。在美国入侵巴拿马和海湾战争轰炸伊拉克的空袭中，美国多次成功地使用F-117执行轰炸任务，而一次也没有被对方探测到。

美国战略空军和诺斯罗普公司研制成功的另一种 “隐身”战略轰炸机B-2是一种纯粹的飞翼式飞机。它最大的特点是将机身、机翼、发动机融为一体。它既没有水平尾翼，也没有垂直尾翼。据称它的航程达12000公里，载弹量达34吨，造价高达5.7亿美元，堪称世界之最。

97. 隐身飞机的特点是什么？

A 能够使机身消失 **B** 能够发现千里眼
C 能够不被人看到 **D** 能够不被雷达发现

98. 世界上第一种具有部分“隐身”功能的轰炸机是什么型号？

A B-IB型变后掠翼战略轰炸机 **B** B-IB型掠翼变后战略轰炸机
C F-117战术轰炸机 **D** F-117战略轰炸机

99. 美国公司的 “隐身”战斗机的“臭鼬工程”计划是从什么时候开始的？

A 上世纪60年代末期 **B** 上世纪70年代中期
C 1977年 **D** 1981年

100. “隐身”战略轰炸机B-2最大的特点是什么？

A 没有水平尾翼 **B** 没有垂直尾翼
C 机身、机翼、发动机融为一体 **D** 造价高达5.7亿美元

三、书 写

第 101 题：缩写。

(1) 仔细阅读下面这篇文章，时间为 10 分钟，阅读时不能抄写、记录。

(2) 10 分钟后，监考收回阅读材料，请你将这篇文章缩写成一篇短文，时间为 35 分钟。

(3) 标题自拟。只需复述文章内容，不需加入自己的观点。

(4) 字数为 400 字左右。

(5) 请把作文直接写在答题卡上。

那天是周末，老早就说好了要和朋友们去逛街，母亲却在下班的时候打来电话，声音像小女孩一样高兴：“明天我们单位组织春游，你下班时帮我到威风蛋糕店买一袋面包，我带着中午吃。”

“春游？”我大吃一惊，“啊，你们还春游？”想都不想，我一口回绝，“妈，我跟朋友约好了要出去，我没时间。”

跟母亲讨价还价了半天，她一直说：“只买一袋面包。快得很，不会耽误你……”最后她都有点儿生气了，我才老大不情愿地答应了。刚一下班我就飞奔前往。但是远远看到那家蛋糕店，我的心便一沉，店里竟是人山人海，排队一直排到了店外，我忍不住暗自叫苦，但是又不得不排队等着。我隔一会儿看一次表，又不时踮起脚向前面张望，足足站了 20 分钟才进到店里。想起朋友们肯定都在等我，更是急得直跺脚。心里开始埋怨：真不知道母亲是怎么想的，双休日不在家休息，还要去春游，身体吃得消吗？而且还是单位组织，一群老太太们在一起，有什么好玩的？春游，根本就是小孩子的事嘛，妈都什么年纪了，还去春游？

好在售货员告诉我再烤三炉就可以轮到我了，就在这时，背后有人轻轻地叫了一声：“小姐。”她的笑容几乎是谦卑的，“小姐，拜托您一件事，你看我只在你后面一个人，就得再等一炉。我这是给儿子买，他要去春游，我待会儿还得赶回去做饭，晚上还得送他去补习。如果你不急的话，我想，嗯……”没等我回答，她又问：“请问你是给谁买？”我很自然地回答她：“给我妈买，她明天也春游。”我刚说完，整个店都安静下来了，所有的目光同时投向我。有人大声地问我：“你买给谁？”我还来不及回答，售货员小姐已经笑了：“哇，今天卖了好几百袋，你可是第一个买给妈妈的。”

我环顾四周才发现，排队的几乎都是女人，从白发老人到青年少妇，每个人手里都拎着大包小包，一眼就看出她们作为母亲的身份。

“那你们呢?”我问她们。“当然是买给孩子的。”其中一位回答我，我身后那位妇女连声说：“对不起，我真没想到，这家店人这么多，你为了你妈妈这么有耐心啊。我本来不想来的，是儿子一定要。春游嘛，我也愿意让他吃好玩儿好。我们小时候春游，非常看重带什么好吃的。”她脸上忽然浮现出的神往的表情，使她整个人都温柔起来。我问：“你现在还记得小时候春游的事啊?”她笑了：“怎么不记得？现在也想去啊，每年都想，哪怕只在草坪上坐一坐晒晒太阳也好。可是总没时间。”她轻轻叹口气，“大概，我也只有等到孩子长到你这么大的时候，才有机会吧。”

我顿时明白了，原来是这样，春游并不是母亲一时的心血来潮，而是内心深处一个已经埋藏了几十年的心愿。

新汉语水平考试

HSK（六级）模拟试卷 *3*

注　意

一、HSK（六级）分三部分：

1. 听力（50题，约35分钟）

2. 阅读（50题，45分钟）

3. 书写（1题，45分钟）

二、答案先写在试卷上，最后10分钟再写在答题卡上。

三、全部考试约140分钟（含考生填写个人信息时间5分钟）。

一、听 力

第一部分

第1—15题：请选出与所听内容一致的一项。

1. **A** 小王的弟弟身体很好
   B 小王的弟弟爱做游戏
   C 小王的弟弟做游戏时受伤了
   D 小王喜欢开玩笑

2. **A** 孩子又睡着了
   B 父亲不会哄孩子
   C 父亲唱歌很难听
   D 邻居喜欢孩子哭

3. **A** 水可以随便喝
   B 少喝水才健康
   C 多喝水很重要
   D 应该科学喝水

4. **A** 威士忌是给这位男子喝的
   B 威士忌很好喝
   C 女士不喜欢威士忌
   D 乘客很担心这位男子

5. **A** 小张喜欢救人
   B 消防员们都想救女孩
   C 小张很勇敢
   D 小张很善良

6. **A** 苹果已经睡了
   B 小苹果已经睡了
   C 妈妈困了
   D 弟弟很聪明

7. **A** 假发很好看
   B 商标做得很假
   C 商标在假发上
   D 朋友在开玩笑

8. **A** 书店老板觉得很惭愧
   B 医生不喜欢吃药
   C 医生很有意思
   D 医生没吃过所有的药

9. **A** 女儿的成绩非常好
   B 女儿的成绩没有前座的好
   C 女儿觉得很委屈
   D 爸爸对女儿的成绩很满意

10. **A** 人的烦恼很多
    B 太会计划是聪明
    C 太会计划是自以为聪明
    D 我们应该计划未来

11. **A** 直发显得年轻
    B 卷发更漂亮
    C 商店老板很善良
    D 小丽是学生

12. **A** 鸟儿白天睡觉
    B 鸟儿睡觉姿势不同
    C 鸟儿睡觉姿势和人一样
    D 鸟儿晚上不睡觉

13. **A** 小强很乖
B 小强很胆小
C 小强骗老师
D 小强掉进坑里了

14. **A** 小王是倒数第一
B 小王成绩很好
C 小王成绩很差
D 朋友不会转学

15. **A** 全班都没及格
B 全班都及格了
C 全班都在 70 分以上
D 全班都在 80 分以上

第二部分

第 16—30 题：请选出正确答案。

16. **A** 一直都有
    B 1986 年入伍
    C 第一次跳伞时
    D 一位盲人飞到澳大利亚以后

17. **A** 不冷
    B 很冷
    C 感觉不到
    D 夏天不冷

18. **A** 恶劣的天气
    B 高空的环境
    C 烧开的开水
    D 轻型飞机

19. **A** 华人区
    B 环球飞行
    C 珠穆朗玛峰
    D 国内

20. **A** 轻型飞机
    B 高度
    C 天气
    D 发动机

21. **A** 凌平是报纸主编
    B 凌平是 CEO
    C 凌平是营销名人
    D 凌平是电影演员

22. **A** 青春爱情喜剧
    B 网络电影
    C 讲述空姐生活的电影
    D 爱情悲剧

23. **A** 30 万元
    B 3000 万元
    C 1 亿元
    D 10 亿元

24. **A** 传统的营销方式
    B 选秀
    C 利用网络媒体
    D 征集恋爱规则

25. **A** 会火暴
    B 也萧条
    C 上座率下降
    D 不受影响

26. **A** 50 年一次
    B 一年一次
    C 两年一次
    D 半年一次

27. **A** 酿酒师
    B 酒评界的人
    C 酒商
    D 以上三者

28. **A** 中国有庞大的市场
B 创新的经营模式
C 是葡萄酒文化的先锋传播者
D 以上都正确

29. **A** 喜欢
B 在澳大利亚 11 年
C 中国经济的发展
D 富豪阶级群体庞大

30. **A** 专业人士
B 葡萄酒公司职员
C 爱好者
D 酒商

第三部分

第31—50题：请选出正确答案。

31. A 公山羊
B 狐狸
C 马
D 狼

32. A 请他吃草
B 夸他的胡须完美
C 说井水甘甜好喝
D 赞美他勇敢

33. A 脚
B 头
C 背
D 角

34. A 做事情应先想清楚结果
B 不要相信别人的话
C 不要到井里面喝水
D 头脑应和胡须一样完美

35. A 海边
B 河边
C 水边
D 湖边

36. A 英国的战舰
B 秘密船
C 游来游去的小鱼
D 大鱼潜游突袭小鱼

37. A 水雷
B 海龟
C 乌龟
D 大鱼

38. A 运动
B 看电影
C 讲亲身经历
D 看小说

39. A 把座位卖了
B 预订座位
C 不想要了
D 受欢迎

40. A 故事内容不精彩
B 什么都讲，没有重点
C 不会讲故事的人
D 听故事的人不懂得欣赏

41. A 讲故事难些
B 写故事难些
C 两者都很难
D 两者都不难

42. A 吉林省
B 河北省
C 黑龙江省
D 辽宁省

43. **A** 酸菜
B 血肠
C 杀猪菜
D 五花肉

44. **A** 秋白菜
B 酸菜
C 猪血
D 肠衣

45. **A** 日本的空手道
B 韩国的跆拳道
C 泰国的泰拳
D 中国的武术

46. **A** 咏春拳
B 拳击
C 太极拳
D 截拳道

47. **A** 武术
B 李小龙
C 功夫
D 截拳道

48. **A** 两个方面
B 三个方面
C 四个方面
D 五个方面

49. **A** 复合性
B 变异性
C 普遍性
D 周期性

50. **A** 普遍性
B 变异性
C 复合性
D 周期性

二、阅 读

第一部分

第 51—60 题：请选出有语病的一项。

51. A 我对外语教学一窍不通，主要是让学生背生词、课文。
    B 李淑芳第一场就败给了一名加拿大选手，没有获得名次。
    C 有些人将电视比作家常便饭，而视电影为大餐。
    D 这看起来固然好笑，但它说明古印度人已知道情绪的秘密。

52. A 中药很讲究煎药的方法和服药的时间，有的药还有禁忌。
    B 这份报告为我国的经济建设提供了可靠的依据，节约了人力。
    C 他已经暗下决心，一定要把汉语演讲水平再提高一个层次。
    D 门卫老头儿把我们叫醒后，他睡眼惺忪地让我们出示住宿证。

53. A 社会发展与各类人才培养有密切的相关，这已经成为一种共识。
    B 瞳孔鼠标仅通过转动眼睛和眨眼就能控制电脑，操作十分简单。
    C 作为太阳系八大行星之一，海王星本身并没有什么特别的地方。
    D 积多年之经验教训，只有严格依法管理，方能收到事半功倍的效果。

54. A 初春早上的风却像冬日寒风一样向我迎面扑来，让我不由得打了个寒战。
    B 近年来，许多地理学家发现，人类活动对气候变化引起很大影响。
    C 这种青春气息仿佛昨日时光中似曾相识的再现，但是他不敢奢望。
    D 它们有令人惊异的记忆力，无论飞了多远，每年都能返回自己的故居。

55. A 在匆匆忙忙的现代商业社会里，这则柔情广告似清泉，沁人心脾。
    B 笑具有强身健体之功效，生活中倘若没有笑声，人就会生病。
    C 学校除必须让在校生扎实基础知识外，还让每人必须掌握一至两项技能。
    D 这部分人根本不信神佛，但为地方习俗所累，又不得不随大流。

56. A 每当看见刘斌那愁眉苦脸的样子，我就知道他的日子也不好过。
    B 赛后接受采访时，这位美国小伙子高兴地说："能够坚持过来我感到很意外。"
    C 5000 多只天鹅与海鸥、野鸭在湖中追逐嬉戏，呈现出一派和平宁静的气氛。
    D 此外，珙桐之所以珍贵，还在于它是植物中的"活化石"之一 。

57. **A** 我知道他是冲着我来的，于是就故意摆出一副对他冷漠的样子。

B 48.3%的被调查者眼里看，按照传统习俗过年更喜庆、热闹。

C 市民要注意个人和环境卫生，到医院时要配戴口罩，以免交叉感染。

D 这不是某一时某一地的问题，而是个全国甚至世界性的问题。

58. **A** 爱因斯坦认真工作的态度永远激励着那些献身于科学的人们。

B 小何听科长说自己的建议被采纳了，备受鼓舞。

C 在这种高温高压高密度的条件下，物质处于一种固态。

D 跟她下了飞机，然后打的到她家，一路上一直很高兴。

59. **A** 传说是海龙王的三公主造就了山水甲天下的桂林风景。

B 自我意识太强导致他们在择业时找不到合适的工作就宁可不就业。

C 现代社会，为了支持家庭生活，人们越来越忙，生活节奏越来越快。

D 我不在乎人们相不相信我，因为反正我会赢得下一次大选。

60. **A** 对我有偏见的那些人完全不相信我说的一切，硬说我是看花了眼。

B 初到中国，我才 16 岁，是个连“你好”都不会说的小韩国女孩。

C 虽然他并没有任何认出我来的明确表情，但我确信自己没有认错人。

D 你们的真诚的信任和鼓励使我们深受感动，信心满怀。

第二部分

第 61—70 题：选词填空。

61. 为了使汉语水平考试更好地________海外不断增长的汉语学习者对汉语考试的新的要求，中国国家汉办组织中外汉语教学、语言学、心理学和教育测量学等领域的专家，在________调查、了解海外实际汉语教学的基础上，________近年来国际语言测试研究最新成果，________研发并于 2009 年 11 月推出了新汉语水平考试。

A 满意　充足　参考　再次　　**B** 满足　充分　借鉴　重新
C 适合　充满　参照　重复　　**D** 适应　充沛　利用　反复

62. 佛教的系统传入，对中国哲学________整个中国文化都起到了巨大的启迪作用。佛教哲学本身________着极深的智慧，它对宇宙人生的________、对人类理性的反省、对各种概念的分析都有其________之处。

A 以至　体现　思考　特殊　　**B** 以致　拥有　看法　独特
C 乃至　蕴藏　洞察　独到　　**D** 甚至　埋藏　考虑　格外

63. 大凡经过刻苦自学的人，都不习惯________。华罗庚通过自学磨练出一种清晰而简洁的思维________，后来被国外学者________华罗庚特有的“直接法”。这种独树一帜的数学风格，在他的青年时期________已经显露苗头。

A 亦步亦趋　方法　誉为　就　　**B** 人云亦云　方式　称作　才
C 随声附和　形式　叫做　也　　**D** 模仿照搬　特点　称为　都

64. 中国画在世界上是________的，这________因其历史深厚久远，大师巨匠众多，________重要的是其独特、鲜明的艺术个性，________它所表现的中华民族独有的宇宙观、哲学观和审美观。

A 绝无仅有　不但　还　和　　**B** 数一数二　不只　很　并
C 屈指可数　不止　可　及　　**D** 独一无二　不仅　更　以及

65. 语言濒危是一种全球现象。________联合国教科文组织最新发布的《濒危语言图谱》，全世界有 7000 种语言，其中一半以上的语言将在本世纪________，80%—90%________在未来的 200 年内灭绝。相比________，动植物灭绝的速度要慢得多。

A 依据　消失　就　之上　　B 根据　消亡　则　之下
C 据说　死亡　会　一下　　D 获悉　丢失　将　起来

66. 美国《大众科学》杂志评出最________人类生存的七种食物。排名第一的是豆类，甘蓝、香瓜、浆果、大麦、海藻和鱼紧随其后。地球上________还有这七种食物，人类就能生存________。当然，前提是物种失衡不会________整个环境崩溃。

A 合适　只有　下来　致使　　B 适应　仅仅　起来　以致
C 适合　只要　下去　导致　　D 符合　如果　继续　出现

67. 孩子离家前，妈妈一遍又一遍地________孩子，到国外以后，________给家里来个电话，________父母挂念，父母接到了电话，知道已安全到达，也就不________了。

A 叮嘱　马上　免得　担心　　B 嘱咐　赶忙　以免　操心
C 劝告　连忙　省得　惦记　　D 告诉　立刻　以便　放心

68. 来到天津北辰区爽口镇，走________王丽瑗的太阳村，所见实在让我大感意外。我________中的太阳村是高楼大厦、红墙琉璃，是鲜花绿草、窗明几净，甚至还有一点点热闹喧嚣；而王丽瑗的太阳村________于________中显出几分荒凉和破败。

A 到　心目　并　平静　　B 进　想象　却　宁静
C 来　想法　可　寂静　　D 去　意念　倒　安静

69. 大半辈子______钻研光纤技术、被世人称为“光纤之父”、________2009年诺贝尔物理学奖的科学家高锟，对于过去的成果，几乎忘得________。对于他来说，许多事情都可能成为过眼烟云，但唯有和妻子半个世纪________相濡以沫的感情，无法从他的记忆中抹掉。

A 投身于　取得　干干净净　以后　　B 忙碌于　得到　一光二净　以前
C 致力于　获得　一干二净　以来　　D 努力于　接受　干净干净　以往

70. 农民工进城打工，________了农民的收入，________了脱贫致富奔小康的步伐。中国的问题是农民问题，________没有农民的小康，________就不会有全体中国人的小康；没有农村的稳定，也就没有全国的稳定。

A 增强　加大　要是　那　　B 增大　加速　假如　还
C 提高　快点　假使　都　　D 增加　加快　如果　也

第三部分

第71—80题：选句填空。

71—75.

爱人持一张200元卡购物，共花费201.5元。爱人拿出1元5角给了收银员，然后拎着东西回家了。到家后发现，那200元的购物卡没有支付。

周末，我受邀去一个作文培训班上课。课间，我把200元购物卡的故事讲给学生听，组织大家讨论：（71）________。

学生们顿时沸沸扬扬地争论起来，是否偿还，（72）________。

一方说，诚信是人的美德，不给卡，就缺乏诚信。另一方则反驳说，那家超市是黑店，不知道坑害了多少消费者，不偿还购物卡，权当对他们进行一次惩罚。

几十个孩子争论不休，最后，我用一句话就确定了最终答案。我对学生们讲了两个观点：第一，200元重要呢，还是人的诚信品德重要？第二，超市态度好不好与我是不是有诚信，是两个范畴的问题。宰客或服务态度恶劣，那是他的过错；不还购物卡，是我的过错。我们不能因为他有错，就丧失自己的诚信品德。

我告诉学生们，（73）________，这是本能。老师和你们的爸爸妈妈都是成年人了，但依然会有贪图小便宜的心理，因此，主张不还卡的同学，也没有必要多么自责。今天，我讲述这个故事，是想说，（74）________。写作文，只有品德高尚了，心地善良了，（75）________。

其实，那天下午爱人就把200元购物卡还给了超市。

诚信的品德，就是在人的趋利性和良心之间不断挣扎着，最终趋向于正直和善良。诚信之可贵，雅洁如莲，出淤泥而不染，处污浊而独芳，经秽气而艳亮。

A 文如其人
B 各执一词
C 人都有趋利性
D 立意才会深刻
E 卡该不该还给超市

76—80.

燕子去了，有再来的时候；杨柳枯了，有再青的时候；桃花谢了，有再开的时候。但是，聪明的，你告诉我，(76)________？——是有人偷了他们罢：那是谁？又藏在何处呢？是他们自己逃走了罢，现在又到了哪里呢？

我不知道他们给了我多少日子；但我的手确乎是渐渐空虚了。在默默里算着，八千多个日子已经从我手中溜去；像针尖上一滴水滴在大海里，我的日子滴在时间的河流里，没有声音，也没有影子。我不禁头涔涔而泪潸潸了。

去的尽管去了，来的尽管来着；去来的中间，又怎样地匆匆呢？早上我起来的时候，小屋里射进两三方斜斜的太阳。太阳他有脚啊，轻轻悄悄地挪移了；(77)________。于是——洗手的时候，日子从水盆里过去；吃饭的时候，日子从饭碗里过去；默默时，便从凝然的双眼前过去。(78)________，伸出手遮挽时，他又从遮挽着的手边过去；天黑时，我躺在床上，他便伶伶俐俐地从我身上跨过，从我脚边飞去了。(79)________，这算又溜走了一日。我掩着面叹息，但是新来的日子的影儿又开始在叹息里闪过了。

在逃去如飞的日子里，在千门万户的世界里的我能做些什么呢？只有徘徊罢了，只有匆匆罢了；在八千多日的匆匆里，除徘徊外，又剩些什么呢？过去的日子如轻烟，被微风吹散了，如薄雾，被初阳蒸融了；我留着些什么痕迹呢？我何曾留着像游丝样的痕迹呢？我赤裸裸来到这世界，转眼间也将赤裸裸的回去罢？但不能平的，(80)________？

A 我的日子为什么一去不复返呢
B 为什么偏要白白走这一遭啊
C 我觉察他去的匆匆了
D 我也茫茫然跟着旋转
E 等我睁开眼和太阳再见

第四部分

第81—100题：请选出正确答案。

81—84.

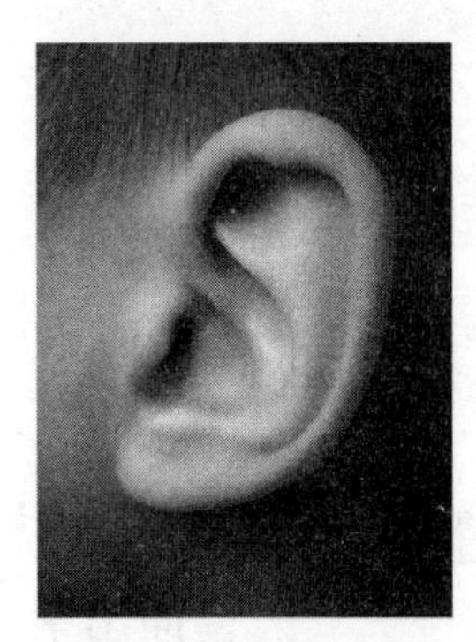

人们喜欢用“左耳进，右耳出”来形容不听话的人。最新的科学研究显示，这句话还真有一定的道理，如果希望别人更容易接受你所传达的信息或是下达的指令，最好对着他的右耳说话。

据英国媒体报道，这种现象被科学家称为“右耳优势”。右耳由左脑掌管，而左脑主要负责语言和逻辑思维，因此通过右耳传达的语言信息更容易被人接受。

意大利基耶提大学的科研小组进行了这项实验。研究小组在三家夜总会里调查了数百人的行为，观察他们如何在自然环境下倾听他人讲话以及接下来作何反应。研究人员一共向176人说出了索要雪茄烟的请求，结果发现，当对着人的右耳说出请求时，获得雪茄的几率明显高于对着左耳说出请求。

因此，意大利科学家得出的结论是，当进行语言交流时，存在着一种“右耳优势”，可以提高说话对象接受请求或者指令的意愿。

研究还显示，人类的左耳在接收诸如“我爱你”等甜言蜜语时比右耳来得敏锐，因此如果想对情人示爱，最好站在对方的左边。

81. 下列哪一项属于“左耳进，右耳出”？
 A 小张接到领导的指示后立即去执行
 B 老师嘱咐小强假期多看书，但他忘了
 C 妻子让丈夫做什么，丈夫偏不做
 D 朋友告诉小王1号来参加婚礼，小王听成了7号

82. 什么是“右耳优势”？
 A 人的左耳不太习惯接收命令
 B 人习惯用右耳接收信息或命令
 C 对着右耳下达命令更易被接受
 D 右耳更具优势，因右耳负责输出信息

83. 产生“右耳优势”的原因是什么？
 A 掌管右耳的左脑负责语言和逻辑思维
 B 右耳可提高听话人接受指令的意愿
 C 在自然环境下，右耳更敏感
 D 以上都正确

84. 根据本文，如果男性向女朋友求婚应该怎么做？
 A 先对着她的右耳说，然后再对着她的左耳说
 B 先对着她的左耳说，然后再对着她的右耳说
 C 对着她的右耳说
 D 对着她的左耳说

85—88.

微波炉为什么能加热食物呢？让我们从水说起。水分子是由一个氧原子、两个氢原子构成的，氧原子对电子的吸引力很强，所以水分子中的电子比较集中在氧原子那一头，相应的氢原子那头就少一些。整体来看，水分子就一头带着正电，另一头带着负电。在化学上，这样的分子就被叫做“极性分子”。

在通常的水里，水分子是杂乱无章地排列的，正电负电冲哪个方向的都有。当水处在电场中的时候，正电的那头就会转向电场的负极，而带负电那头会转向电场的正极，这就所谓的“异性相吸，同性相斥”。

如果是一个静止的电场，水分子们排好队也就安静下来了；如果电场在不停地转，那么水分子就会跟着转，试图和电场保持一个方向的队型；如果电场转得很快，那么水分子们也就转得很快——摩擦生热，水的温度就升高了。

电磁波就相当于这样一种旋转的电场。用在微波炉上的电磁波每秒钟要转 20 几亿圈，水分子们以这样的速度跟着转，自然也就“浑身发热”，温度在短时间内就急剧升高了。一旦微波停止，旋转电场消失，水分子们也就重新恢复了杂乱无章的状态。在这个过程中，水分子本身并没有被微波改变。

不仅是水，其他极性分子也都可以被微波加热。通常的食物中都含有水和其他极性分子，所以在微波作用下可以被迅速加热。而非极性的分子，比如空气以及某些容器，就不会被加热。我们平常热完食物后觉得容器也热了，实际上往往容器是被高温的食物给“烫”热的。

85. 关于水分子，下列哪一项不正确？

A 是由两个氢原子和一个氧原子构成　**B** 属于极性分子
C 其中的氧原子对电的吸引力强　**D** 电场中的水分子杂乱无章

86. 微波炉的热量是怎么产生的？

A 直接用电加热　**B** 电场旋转带动水分子旋转，摩擦生热
C 杂乱无章的水分子产生的热量　**D** 以上都不对

87. 微波炉中的电磁波有什么作用？

A 保温
B 产生极性分子
C 自身旋转带动极性分子旋转从而产生热量
D 使水分子能迅速恢复到杂乱无章的状态

88. 为什么某些容器不能被微波炉加热？

A 这些容器是非极性的分子　**B** 这些容器是极性分子
C 这些容器可以被食物烫热　**D** 这些容器不能被食物烫热

89—92.

俗话说“病从口入”，因此很多人都特别注意口腔卫生，每天及时刷牙，觉得这

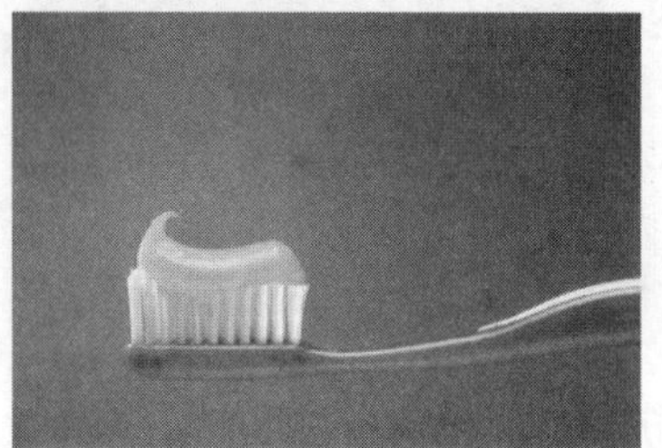

样就能把好第一道关。但6月23日的一家新闻网站报道指出，牙刷并非你想的那么干净。

牙科医师经过化验发现，使用了3周的牙刷，细菌数量高达百万，等于超过9杯抹布水的细菌量，以及29个一元硬币的细菌量，是马桶水细菌含量的80倍！如果你的口腔恰恰有伤口，这些细菌就极易引发口腔疾病。即便没有创口，大量细菌附着在牙齿上，并在咀嚼中与食物充分混合，就会进入体内，等于喝了9杯脏水。

牙科医师建议，如果浴室潮湿，牙刷要放在浴室外的干燥处；如果浴室干燥，就把牙刷放在柜子里，千万别放在洗手池上或离马桶近的地方，并且牙刷头要冲上放，以免细菌粘附。

另外，牙科医师指出，每天刷牙3次的人，应每月换一次牙刷；患有牙龈炎等口腔疾病的人，最好3周换一次牙刷；倘若患上感冒和其他传染性疾病，等病好后，就应该换个新牙刷。

平时还要注意牙刷的清洁和消毒。专家提示，在用新牙刷前，先放在热水中烫烫，既能软化刷毛，又能杀菌。每次刷完牙后，要将牙刷在流水下冲洗，只在杯子里涮是无法清洁干净的。使用牙刷7天后，就该用干净的白色棉线清洁一下刷毛底部。每隔15天，要用对人体无害的消毒液给牙刷消一次毒。

89. 文中的“病从口入”是什么意思？

A 口腔疾病非常麻烦，应注意保持口腔清洁
B 应该养成科学合理的刷牙习惯
C 很多疾病会通过口腔传染，应该注意口腔及饮食卫生
D 牙刷能传染疾病，应该保持牙刷清洁

90. 牙刷应该放在什么地方？

A 干燥的浴室里　　**B** 潮湿的浴室里
C 洗手池上　　**D** 不干燥也不潮湿的柜子里

91. 什么时候应该换牙刷？

A 月初　　**B** 每星期一
C 牙龈炎痊愈以后　　**D** 传染性疾病痊愈以后

92. 关于牙刷的清洁和消毒，下列哪一项正确？

A 每次刷完牙后用热水烫一下牙刷　　**B** 用对人体无害的消毒液给牙刷消毒
C 刷完牙后在杯子里把牙刷清洗干净　　**D** 每隔15天清洁一下刷毛底部

93—96.

美国乔治亚州的神经科学家把大鼠分为两组：一组喂高果糖饲料，另一组喂含同样能量的玉米淀粉饲料。然后，科学家们对大鼠进行训练，把它们放进水池，让它们在各种提示下学会找到水池中的一个水下平台。两组大鼠都很快找到了那个平台，然后停在那里休息。这说明，它们具有很好的学习能力。

两天之后，研究者把水下平台撤掉，但各种提示不变，看看大鼠们现在是否还记得那个地方。结果发现，喂玉米淀粉的那一组老鼠还记得平台的位置，它们总是向那里游去。而喂果糖的那一组老鼠好像根本不记得那里有个平台的事。

研究者分析说，这是因为高果糖大鼠存在胰岛素抵抗的缘故。此前已经有研究发现，在胰岛素抵抗的仓鼠当中，大脑的海马区域功能受到了损害，而这个海马区域正好是负责学习和记忆的部位。那么，如果经常摄入会降低胰岛素敏感度的食物，比如高果糖食物，就会损害动物的学习记忆功能。

在食品当中，果糖的主要来源就是清凉饮料，因为它们往往用高果葡萄糖浆来调味。果糖在低温下甜度会增加，它会给人以清凉愉悦的美感。

很多人以为，果糖不会明显升高血糖，是一种优点，甚至推荐糖尿病人吃富含果糖的食物。但这是一种已经过时的观念。近年来的研究证明，果糖的麻烦很多。它不受胰岛素水平的影响，绕开了食欲控制的机制，不能带来明显的饱腹感，很容易让人吃得过量。尽管不升高血糖，却会进入肝脏直接合成脂肪。如果摄入过多果糖的话，可能会引起胰岛素敏感性下降，并导致脂肪肝的发生。

所以，那些冰过之后喝起来很爽的清凉饮料，千万不要一瓶又一瓶地放心享用。因为或许就在你的畅饮之中，大脑的记忆力正在悄悄地下降。

93. 在实验中，两组大鼠迅速地找到了水下的平台，这说明什么？

A 果糖饲料更适合大鼠生长　　**B** 果糖饲料和玉米淀粉均适合大鼠生长

C 大鼠的学习能力很强　　**D** 玉米淀粉更适合大鼠生长

94. 为什么有一组大鼠忘记了水里的平台？

A 体内的胰岛素降低了学习能力

B 体内的胰岛素消除了大脑中的记忆

C 摄入的淀粉损害了大脑海马区域的功能

D 摄入的果糖损害了大脑中负责记忆的区域

95. 为什么喝清凉饮料时人们会有愉悦感？

A 人们心情比较好　　**B** 清凉饮料温度比较低

C 饮料中的果糖在低温下变得更甜　　**D** 葡萄糖浆可以让人快乐

96. 经常饮用高果糖饮料会给人们带来什么影响？

A 丧失记忆力　　**B** 记忆力减退　　**C** 提高记忆力　　**D** 降低人体温度

97—100.

豚草是一种世界性的杂草。它与其他植物争水、争肥、争阳光的能力特别强。豚草消耗水分和肥料的能力大于农田作物、谷类植物的两倍以上，因此它可使许多经济作物和粮食作物减产，甚至颗粒无收。前苏联和美国等国家都已经饱尝了豚草危害之苦。在中国，豚草也侵入了管理不善的农田、果园、苗圃和风景旅游区。

豚草的花粉能诱发枯草热病和支气管哮喘，严重危害人类的健康。据国外有关资料介绍，1 立方米空气中如果存在 30—50 粒豚草花粉，就能诱发花粉病。豚草花粉已使美、苏、英、日等国的上千万人患染枯草热病、过敏性哮喘，病情严重到几乎危及性命。据有关调查报告介绍，南京市的哮喘病人中，60%以上是由豚草花引起的。

豚草作为一种恶性杂草，还表现为生命力强，繁殖量多。一株豚草能结籽数千粒，并借助风、人、畜、鸟和水流到处传播；折断的豚草，其根茬会长出更多的新枝。

识别豚草并不难。它是一年生草本植物，高 45—150 厘米，个别可达 250 厘米，全株表面布满糙毛。茎呈淡黄色或褐紫色，多分枝。植物上部叶互生，下部叶对生，叶表面深绿色，叶片呈羽状全裂形。豚草的成熟植株雄雌花同株，雄头状花序排成穗形总状花序，位于植株顶端，雌头状花序位于植株侧面的上位叶腋。

消灭豚草的方法主要有以下几种：首先，到每年的 5 月底到 6 月中旬，在豚草未开花前，将它连根拔掉，然后晒干烧掉。此法简单易行，最彻底有效。此外，如果发现大面积豚草，可用化学除草剂 10%草甘膦，其杀死率在 90%以上。另外，前苏联利用一种甲虫的专一食性来对付豚草，美国则用一种白锈菌来清除。上海市少年科技指导站引进的一种专食豚草叶片的甲虫——豚草条纹早虫也能成功地消灭豚草。

97. 关于豚草，下列选项中哪一项不正确？
A 它与其他植物争水、肥和阳光的能力特别强
B 它消耗水分和肥料的能力大于农田作物的两倍以上
C 它可使许多经济作物和粮食作物减产
D 只有前苏联、美国和中国有这种草

98. 1 立方米空气中最少存在多少粒豚草花粉就能诱发花粉病？
A 20　　**B** 30　　**C** 60　　**D** 80

99. 豚草籽不能借助下列哪种方式传播？
A 风、鸟　　**B** 水流　　**C** 人、畜　　**D** 折断的豚草

100. 消灭豚草最彻底有效的方法是什么？
A 在未开花前将它连根拔掉，再晒干烧掉　　**B** 用化学除草剂 10%草甘膦
C 引进豚草条纹早虫　　**D** 用一种白锈菌来清除

三、书 写

第 101 题：缩写。

(1) 仔细阅读下面这篇文章，时间为 10 分钟，阅读时不能抄写、记录。

(2) 10 分钟后，监考收回阅读材料，请你将这篇文章缩写成一篇短文，时间为 35 分钟。

(3) 标题自拟。只需复述文章内容，不需加入自己的观点。

(4) 字数为 400 字左右。

(5) 请把作文直接写在答题卡上。

城市里有一家小吃店，这里的饭菜非常好吃，小吃店的老板和老板娘非常热情。他们的脸上总是带着和善的笑容，看起来和亲人一样亲切，所以，虽然饭店很小，也总是有很多人来吃饭，小吃店的生意非常好。

一天中午，吃饭的高峰时间过去了，原本拥挤的小吃店，现在已经比较清净了。客人都已散去，只剩下老奶奶带着一个小男孩。

"牛肉汤饭一碗多少钱?"老奶奶谨慎地问道。"10 块钱一碗，请坐吧。"老板热情地招待着。

老奶奶坐下来拿出钱袋数了数钱，犹豫了一下，最后还是叫了一碗牛肉汤饭。热气腾腾的汤饭端上来了，奶奶将碗推到孙子面前，小男孩吞了吞口水，望着奶奶说："奶奶，您真的吃过中午饭了吗?"

"当然了。"奶奶含着一块免费赠送的咸萝卜慢慢咀嚼着。小男孩大口大口地吃着，好像这就是世界上最好吃的东西了。一会儿工夫，小男孩就把一碗饭吃光了，连同汤碗里的汤和免费赠送的小菜也都吃得干干净净。当老奶奶认真地数着钱袋里的零钱准备付账时，善良的老板走到两个人面前说："老太太，恭喜您，您是我们今天的第 100 位客人，所以今天的饭免费。"

一个多月之后的某一天，那个小男孩又出现了。这次他并没有进饭店吃饭，而是蹲在小吃店对面，像在数着什么东西。他一直蹲着，一直数着，使得无意间望向窗外的老板吓了一大跳。原来小男孩找来了很多小石子，每看到一个客人走进店里，就把小石子放进他画的圆圈里，但是午餐时间都快过去了，小石子却连 50 个都不到。老板终于明白了小男孩的来意，于是打电话给所有的老顾客："很忙吗? 没什么事，来我这儿吃碗汤饭吧，今天我请客。"

打了很多很多个电话之后，客人开始一个接一个地到来。“81、82、83……”小男孩数得越来越快了。终于，当第99个小石子被放进圆圈里时，小男孩匆忙地拉着奶奶的手进了小吃店。“奶奶，这次您也来尝尝这里的牛肉汤饭吧。”小男孩有些得意地说。真正成为第100个客人的奶奶，也要了一碗热腾腾的牛肉汤饭。而小男孩就像之前奶奶一样，含了块咸萝卜在口中咀嚼着。“也送一碗给那个小男孩吧。”老板娘不忍心地说。“那小男孩现在正在学习不吃东西也能饱的方法呢！让他也感受一下奶奶的方法吧。再说，我们不应该破坏孩子对奶奶的回报。”老板回答。吃得津津有味的奶奶一直叫孙子跟他一起吃，没想到小男孩却拍拍他的小肚子，对奶奶说：“不用了，我很饱，奶奶您看……”

新汉语水平考试

HSK（六级）模拟试卷 4

注　意

一、HSK（六级）分三部分：

　　1. 听力（50 题，约 35 分钟）

　　2. 阅读（50 题，45 分钟）

　　3. 书写（1 题，45 分钟）

二、答案先写在试卷上，最后 10 分钟再写在答题卡上。

三、全部考试约 140 分钟（含考生填写个人信息时间 5 分钟）。

一、听 力

第一部分

第1—15题：请选出与所听内容一致的一项。

1. **A** 司机害怕他哥哥
   B 司机没看到绿灯
   C 哥哥经常闯红灯
   D 乘客害怕司机

2. **A** 笼子的门忘了关
   B 袋鼠很紧张
   C 笼子不够高
   D 管理员在闲聊

3. **A** 丈夫对妻子忍无可忍
   B 妻子气坏了
   C 猫迷路了
   D 猫比丈夫先回家

4. **A** 山羊失去了午餐
   B 狮子失去了午餐
   C 白鹤帮助了山羊
   D 狮子向白鹤求救

5. **A** 病毒导致疾病
   B 人类基因来自病毒
   C 病毒来自人类祖先
   D 人类祖先来自病毒

6. **A** 有钱人想用马换南瓜
   B 国王认为南瓜不珍贵
   C 国王不喜欢马
   D 知道农民故事的人很多

7. **A** 朋友36岁
   B 他36岁
   C 朋友想学医
   D 他没有学医

8. **A** 熊想要吃掉猎人
   B 熊躲进了山洞
   C 猎人不老实
   D 山洞里有两头熊

9. **A** 医生拔牙非常快
   B 医生想要慢慢拔牙
   C 病人想要慢慢拔牙
   D 病人不想拔牙

10. **A** 海鞘的颜色像花朵
    B 海鞘的颜色像蝌蚪
    C 海鞘会吃掉蝌蚪
    D 海鞘会吃掉自己的大脑

11. **A** 人类曾经灭绝
    B 地球很不安全
    C 黑猩猩濒临灭绝
    D 早期研究有危险

12. **A** 土拨鼠头脑发达
    B 土拨鼠善于交谈
    C 土拨鼠是最高级的动物
    D 土拨鼠四肢发达

13. **A** 鱼只有 3 秒钟的记忆
B 鱼的记忆力超过人类
C 鱼能够学习
D 鱼会欺骗人类

14. **A** 草莓螃蟹宽 25 厘米
B 草莓螃蟹喜欢吃草莓
C 草莓螃蟹背上有红点
D 草莓螃蟹长得像草莓

15. **A** 夫妻俩有说有笑
B 服务员躲起来了
C 妻子看见了丈夫
D 丈夫消失了

第二部分

第16—30题：请选出正确答案。

16. A 18世纪90年代
    B 19世纪90年代
    C 20世纪90年代
    D 21世纪90年代

17. A 开放性、自发性、共存性
    B 开放性、自由性、共享性
    C 开发性、自在性、共享性
    D 开发性、自由性、共同性

18. A 可以替代社会文化
    B 比社会文化形式多样
    C 与社会文化一样
    D 是社会文化的组成部分

19. A 17.2%
    B 35.2%
    C 50%
    D 多于50%

20. A 网络得到了普及
    B 青少年正处在成长时期
    C 青少年上网人数多
    D 学校要求青少年上网

21. A 吃的食物太多和习惯不好
    B 精神状态不好和坐的方式不好
    C 心理状态不好和站立习惯不好
    D 精神状态不好和习惯不好

22. A 起步阶段
    B 发展阶段
    C 成熟阶段
    D 快速发展阶段

23. A 中国
    B 印度
    C 马来西亚
    D 印度尼西亚

24. A 10年
    B 11年
    C 12年
    D 21年

25. A 姿态、认识、呼吸
    B 姿势、意识、呼气
    C 态势、认识、呼气
    D 姿势、意识、呼吸

26. A 3岁
    B 5岁
    C 9岁
    D 15岁

27. A 父母的要求
    B 自己的爱好
    C 强身健体
    D 治疗疾病

28. **A** 功夫套路
B 少林功夫
C 太极拳
D 少林鹰拳

29. **A** 辅导班
B 活动小组
C 社团
D 社会组织

30. **A** 学习有了进步
B 锻炼了毅力
C 学会了坚持
D 明白了人生哲理

第三部分

第31—50题：请选出正确答案。

31. A 比赛一起喝
    B 画蛇
    C 让年纪大的喝
    D 谁也不喝

32. A 给蛇添颜色
    B 给蛇添眼睛
    C 给蛇添脚
    D 把酒喝了

33. A 做事时不要等别人
    B 不对的事情一定不要做
    C 什么事情都要做
    D 不要做没必要的事

34. A 没有危险
    B 缺乏食物
    C 从地球消失
    D 数目增多

35. A 500只
    B 50只
    C 54只
    D 5只

36. A 食物的减少
    B 瘟疫的传播
    C 人类的捕杀
    D 生存环境被破坏

37. A 什么也不做
    B 把动物吃掉
    C 保护自然环境
    D 破坏自然环境

38. A 谈恋爱的人
    B 年轻人
    C 老人
    D 小孩子

39. A 红茶
    B 玫瑰茶
    C 茉莉花茶
    D 桂花茶

40. A 什么人都可以
    B 年纪大的人
    C 一定岁数的人
    D 结了婚的人

41. A 红茶
    B 玫瑰茶
    C 茉莉花茶
    D 桂花茶

42. A 找手机信号
    B 躲避雷电
    C 接收雷电
    D 发电

43. **A** 没有什么用
B 测风力大小
C 使楼房免受雷击
D 在高处收集雷电

44. **A** 很安全
B 很危险
C 没关系
D 无所谓

45. **A** 中国香港
B 中国台湾
C 中国北京
D 中国上海

46. **A** 天才
B 周东
C 周董
D 阿杰

47. **A** 我们的秘密
B 没有什么秘密
C 不能说的秘密
D 谁都有秘密

48. **A** 不一定
B 不知道
C 会
D 不会

49. **A** 什么也没做
B 表演了
C 逃跑了
D 作准备

50. **A** 只要能赚钱就好
B 不会就跑
C 要有真本领
D 听别人的话

二、阅 读

第一部分

第 51—60 题：请选出有语病的一项。

51. **A** 拍这个短片完全出于一种兴趣，不过是想留下点儿东西作为纪念而已。
    B 在某些缺水的特殊环境中，水对于人生命的重要性会超过食物。
    C 我抱着无所谓的态度，所以比赛过程中很轻松，发挥得也不错。
    D 电脑毕竟是由人类发明创造的，它必然在许多方面远远不及人脑。

52. **A** 从此，惭愧的蝙蝠便躲在山洞或角落里，只在傍晚或深夜才敢露面。
    B 既然是亲生兄弟，为什么其中一个锦衣玉食却另一个自甘贫贱呢?
    C 凭着自己出色的智慧和独特的推销策略，他迅速成长为保险业内的巨头。
    D 他一个劲儿向我保证，以后一定好好保护我，不再让我受欺负。

53. **A** 一切有利于提高人民生活水平的事情，都要鼓励大家去积极探索。
    B 难道十几年建立起来的这份友谊，还不如这七千块钱?
    C 中学时他的成绩就不好，大学时就更比别人很差了，甚至没能按时毕业。
    D 作为炙手可热的明星企业家，他不可避免地成为众多青年的偶像。

54. **A** 打断别人的话，不仅容易作出错误的决定，还会使人觉得不被尊重。
    B 不结果的苹果树得意地说：“多亏了我明智的选择，才保全了性命。”
    C 综合国力竞争说到底是人才竞争，有了人才优势，就有了竞争优势。
    D 不管是给农作物施肥还是“追求”绿色食品，都是顺着历史潮流的。

55. **A** 亲眼目睹了母亲的痛苦经历后，我发誓要为她而变成靠得住。
    B 她虽年老体衰，但仍为儿孙们不辞辛苦地劳碌着。
    C 网络使人与人之间距离更近，沟通更方便。
    D 生老病死是一种自然现象，由不得人，你千万别哭坏了身子。

56. **A** 叶子和果实都是暗绿色，既不华贵也不气派，更谈不上漂亮。
    B 从这次比赛所反映出来的实力看，俄罗斯队明显在美国队之下。
    C 他从舷窗上看到妻子还站在风中向自己挥手，不禁潸然泪下。
    D 通过一个个通俗易懂的小故事，他灌输了我们传统的儒家思想。

57. **A** 你这种行为纯粹是损人而又不利己，必须马上克制。
B 以情景喜剧见长的演员英达将出演上海金融大亨“高先生”。
C 学习新知识后应注意及时复习，趁未遗忘之前进行巩固。
D 事实说明，环境污染从开始到造成危害，往往有一个过程。

58. **A** 生命是短暂的，人哪能随随便便地浪费自己宝贵的时间呢？
B 人家毕竟久经沙场，这点儿小场面还是见过的。
C 太在意别人对你的议论就等于是给自己制造麻烦。
D 这孩子动不动就吃饭，以至于身体变得越来越胖了。

59. **A** 我非要好好教训你不可，免得你明天干出更不像话的事来！
B 经理今天的确冤枉张明了，他其实是为堵车而迟到的。
C 他才 20 岁，但才干已不亚于古往今来任何一个杰出的君主。
D 情绪反映出人在吃、穿、住等方面的需要是否得到了满足。

60. **A** 枯燥的生活已经远去，代之而来的是五光十色的现代生活。
B 由于高校连续扩招，春运期间运输学生的压力明显大于往年。
C 如果不加以控制人口，就会严重影响社会经济的顺利发展。
D 有关人士希望把世界遗产教育纳入中学教学课程之中。

第二部分

第61—70题：选词填空。

61. 兔子的耳朵________，而且能向四面转动，听觉特别________，一有风吹草动，它就立即躲避起来。兔子嗅觉________警犬，它能靠嗅觉判断周围有无别的动物；母兔还靠嗅觉________自己的子女。

A 又大又长　灵敏　不亚于　分辨　**B** 既大又长　灵活　不次于　区分
C 也大也长　灵便　不低于　分别　**D** 既大且长　灵通　不差于　辨别

62. 做一件事情，光提出来不行，________坚决______有始无终、________、前紧后松、虎头蛇尾和图虚名、图形式、做表面文章、________花架子的坏作风，一抓到底，抓出成效。

A 应该　去掉　浅尝辄止　设　**B** 必需　扔掉　中途停顿　搞
C 需要　放弃　走走停停　搭　**D** 必须　摒弃　半途而废　摆

63. 记者见到大熊猫"华美"时，它正靠坐在墙角，老练地把出生26天的宝宝轻轻________在怀中，右手拿着________的竹笋，________地享受着"月子"中的美味和做母亲的快乐。那两个________的双胞胎小宝宝，老大体重已达875克，老二也有770克。

A 抱　鲜艳　津津乐道　可爱　**B** 搂　鲜嫩　津津有味　活泼
C 放　鲜美　兴致勃勃　快乐　**D** 贴　嫩绿　兴高采烈　快活

64. 这部小说语言运用________恰到好处，情节曲折动人，使读者不忍释卷，________审美的愉悦与激动中，不知不觉地产生共鸣和感应，________地使自己的精神得以________，这样自然地完成了使整个民族走向真、善、美的神圣责任。

A 地　在　有意无意　提高　**B** 的　打　自然而然　升级
C 得　从　潜移默化　升华　**D** 了　自　不由自主　上升

65. 在女企业家中，领导中小企业的________大多数。与男性________，女性花钱更为仔细，________积累资金，有爱心，但管理却很________。

A 占　相比　精打细算　严格　**B** 居　比较　精益求精　严明
C 是　比起来　一毛不拔　严谨　**D** 有　对比　勤俭节约　严密

66. ________，中国在航天技术的一些重要领域已________世界先进行列，取得了________的成就。21 世纪，中国将从本国国情出发，继续推进航天事业的发展，______和平利用外层空间和人类的文明进步作出应有的贡献。

A 如今　站在　举世闻名　给　　**B** 迄今　跻身　举世瞩目　为
C 今天　居于　前所未有　对　　**D** 现在　排列　闻名于世　为了

67. 父亲生前很________晚辈，但对晚辈的要求十分严格，他时常教育孩子不得________，自己也________，吃、用都十分朴素、节俭，一套生活用品用了很长时间都不让更换。他对自己及家人的要求到了几近苛刻的程度，但对支援、兴办学校，千百万钱财也不________。

A 心疼　大手大脚　以身示范　小气
B 关爱　浪费钱财　遵纪守法　心疼
C 疼爱　铺张浪费　以身作则　吝惜
D 关心　大吃大喝　安分守己　珍惜

68. 冯其庸________，在中小学开设________古典文学课程是很有必要的，但这种教学不应是布道式的，________要________，并更多地激发学生兴趣，引导学生自学，如多读一些像《红楼梦》这样的古典名著。

A 以为　优异　并　由浅入深　　**B** 觉得　优美　还　由易到难
C 想　　优良　也　由简到繁　　**D** 认为　优秀　而　循序渐进

69. 美学是一门最大众化的科学，________它同每一个人都有着不可分割的联系。无论在日常生活________在学习和工作中，人们________不在接触或美或丑的事物，思考着有关美与丑的问题，________这种思考可能还缺乏理论深度，可是人们确实离不开它。

A 因为　还是　无时无刻　尽管　　**B** 因此　或者　每时每刻　虽然
C 由于　或许　时时刻刻　即使　　**D** 而且　就是　随时随地　即便

70. 今天，钱学森的________塑像________在中科大图书馆前面的小树林里，他身________中山装，左手叉腰，右手指向侧面，就像是在授课。________、姿势都与钱老当年一模一样。

A 一位　矗立　穿　神情　　**B** 一尊　坐落　着　神态
C 一座　挺立　披　精神　　**D** 一个　摆放　套　态度

第三部分

第 71—80 题：选句填空。

71—75.

明媚、灿烂的冬阳温和地沐浴着大地万物。但在距地面 1100 米的空中，一架飞机的左右两侧引擎突然冒起了滚滚浓烟。一场不幸的空难事故眼看就要发生。

机长迅速向机场报告说："发生两次与鸟相撞事故，要求返回机场。"而当时机场空中交通管理指示人员却指示：飞往新泽西州泰特波罗机场迫降。

有着 29 年飞行经验的机长深知，此时难以驾驭的飞机犹如没头苍蝇，如果飞往指示的机场迫降，很可能半途坠落，(71)________。即使能够幸运地迫降，失去平衡的机身如果机翼先着地，(72)________。而能够将损失降到最小的唯一办法，就是让飞机在附近的哈得孙河道上降落。

可是，飞机双引擎失灵，调转航道飞行，(73)________。角度稍一偏差，便会令机翼折断，(74)________……为此，5 名机组人员之间的意见也发生了分歧。生死关头，机长萨伦伯格经过短暂的思考、分析后，果断坚持说："迫降哈得孙河!"

飞机在机长的指挥下，小心翼翼地、缓缓地向哈得孙河河面滑翔。机舱内的每一颗心，都提到了嗓子眼……不一会儿，(75)________，溅起浪花一片。但飞机姿态平稳，只听见"哗啦"一声，飞机以小角度降落在哈得孙河的水面上。机身完好无损地漂浮着，一边在水面上打转，一边顺着水流往前漂。同时，机身两侧的门全都打开了，这给救援工作赢得了宝贵的时间。最后，机上 150 名乘客和 5 名机组人员全部获救，只有一名乘客有轻微的骨折。这次紧急降落演绎了空难史上无人遇难的完美神话。

A 机毁人亡
B 机身栽入河底
C 也容易起火爆炸
D 同样面临着巨大的危险
E 飞机与水面猛烈撞击

76—80.

海啸是一种具有强大破坏力的海浪。当海底发生地震时，震波的动力会引起海水剧烈的起伏，(76)________，并向前推进，将沿海地带一一淹没，这种灾害称为海啸。

海啸在许多西方语言中称为“tsunami”，该词源自日语“津波”，即“港边的波浪”(“津”即“港”)。这也显示出日本是一个经常遭受海啸袭击的国家。因“tsunami”的字面表达不出海啸应有的意思，故在科学研究的领域中，称这种灾害普遍使用“tidal wave”一词。目前，人类对地震、火山、海啸等突如其来的灾变，只能通过观察、预测来预防或减少它们所造成的损失，(77)________。

海啸通常由震源在海底50千米以内、里氏地震规模6.5级以上的海底地震引起。海啸波长比海洋的最大深度还要大，在海底附近传播也不受多大阻滞，不管海洋深度如何，波都可以传播过去。海啸在海洋的传播速度大约每小时500到1000公里，而相邻两个浪头的距离也可能远达500到650公里。当海啸波进入大陆架后，由于深度变浅，波高会突然增大。这种波浪运动所卷起的海涛，波高可达数十米，(78)________。由地震引起的波动与海面上的海浪不同，一般海浪只在一定深度的水层波动，而地震所引起的水体波动是从海面到海底整个水层的起伏。此外，海底火山爆发、土崩及人为的水底核爆也会造成海啸。甚至陨石撞击也会造成海啸，(79)________。而且陨石造成的海啸在任何水域都有可能发生，(80)________。不过陨石造成的海啸可能上千年才会发生一次。

A “水墙”可达百尺
B 不一定出现在地震带
C 并形成“水墙”
D 但不能阻止它们的发生
E 形成强大的波浪

第四部分

第81—100题：请选出正确答案。

81—84.

小李和小王在大海上漂泊，想找一块生存的地方。他们找到了一座无人的荒岛，岛上虫蛇遍地，处处隐藏着危机，条件十分恶劣。

小李说："我就在这里了。这地方现在虽然差一点，但将来会是个好地方。"而小王则不满意，于是他继续漂泊。最后，他终于找到了一座鲜花盛开的小岛。岛上已有人家，他们是18世纪海盗的后代，几代人努力把小岛建成了一座花园。他便留在这里打工，很快就富裕起来，过得很快活。

过了很多很多年，一个偶然的机会，财大气粗的小王经过那座他曾经放弃的荒岛时，决定去拜访老友。岛上的一切使他怀疑走错了地方：高大的房屋，整齐的田地，健壮的青年，活泼的孩子……

老友小李因劳累而过早衰老，但精神仍然很好。尤其当说起变荒岛为乐园的经历时，更是精神焕发。最后老友指着整个岛说："这一切都是我的双手干出来的，这是我的小岛。"那个曾错过这里的小王，什么话也说不出来。

是的，生活就是这样：有些人即使再辛苦、再穷困，但他奋斗了，他是生活的主人；有些人即使再舒适、再富有，但他缺少艰难的创造和奋力的拼搏，他始终自豪不起来。

81. 小王去的那个鲜花盛开的小岛上的居民是什么人？

A 海盗　　**B** 海盗后代　　**C** 当地人　　**D** 富人

82. 下面哪一项不是小王当时放弃荒岛的原因？

A 岛上没有人　　**B** 岛上条件十分恶劣
C 他想去寻找海盗的后代　　**D** 他想去寻找条件好的地方

83. 下面哪一项不是小王后来在小李的小岛上看到的？

A 漂亮的花园　　**B** 整齐的田地　　**C** 健壮的青年　　**D** 高大的房屋

84. 小李为什么说"这是我的小岛"？

A 岛上没有别人　　**B** 荒岛变成了乐园
C 岛上的一切都是他自己干出来的　　**D** 他当时离开了荒岛

85—88.

黄河是中国的第二大河。它发源于巴颜喀拉山北坡，一路东流，经青海、四川、甘肃、宁夏、内蒙古、陕西、山西、河南、山东九个省区，流入大海，全长5464公里，流域面积75万多平方公里。它像一条金色的巨龙，横卧在中国北部辽阔的大地上。

黄河孕育了中华民族灿烂的文化，是古代文明的发源地之一。在古代，黄河流域的自然环境非常好。那时，这里的气候温暖湿润，土地肥沃，到处是青山绿野，植物种类繁多，为原始人类的生存提供了有利的条件。从河南渑池仰韶村、西安半坡村等地发掘的古文化遗址中，可以见到大约5000年前即新石器时代中期的人们使用的简单的农具、木制结构的房屋，还有各式各样的陶器，这种文化被称为"仰韶文化"。

商代以后，黄河流域成为中国最早被开发的地区，经济发达，人口增长较快，政治、文化也比较先进。因此，黄河流域成为中华民族成长的摇篮。传说中华民族的祖先黄帝出生在黄河中游，后来建立夏、商、周王朝的都是他的后代。他们自称"华"（或"夏"），生活在中原地区。人们认为"中原"位于四个方向的中间，所以后世称中国为"中华"。中国历史上七大古都中的安阳、西安、洛阳和开封，都在黄河流域。黄河不愧是中华民族的摇篮、中国文化的发源地。

85. 黄河不经过哪个省区？

A 甘肃省　**B** 陕西省　**C** 河南省　**D** 辽宁省

86. 下面哪一项不是黄河流域成为中华民族成长摇篮的原因？

A 经济发达　**B** 人口增长较快

C 自然环境非常好　**D** 政治、文化比较先进

87. 对"中华"这个名称的由来理解正确的一项是：

A 黄帝后代发展到整个中国　**B** 黄河在很多古代都城的中间

C 黄帝出生在黄河中游　**D** 黄帝的后代自称"华"或"夏"

88. 下面哪一项是正确的？

A 黄河是古代文明的唯一发源地

B 仰韶文化是5000年前被发现的

C 黄河位于中国东部地区

D 黄河流域为原始人的生存提供了有利条件

89—92.

目前，随着人们审美能力的提高，穿高跟鞋的女性越来越多，几乎没有哪位女性没有高跟鞋的。穿上高跟鞋，女性看起来又高又苗条，而且很时尚，整个人看起来也比较有精神，因此，高跟鞋的鞋跟也越来越高。但是，长期穿高跟鞋对女性健康极为不利。

穿着高跟鞋走路会使身体重心向前倾斜，为了适应这一变化，人会自然地弯腰来平衡，这样长时间地持续下去，就会使脊柱的位置发生改变，使腰部神经受到压迫，穿高跟鞋的人会因此而感觉腰疼。同时，穿高跟鞋走路一般下半身肌肉长时间处于一种过度紧张状态，容易引起局部酸痛无力，这时极易发生扭伤，严重的甚至会造成内外踝骨骨折。另外，鞋跟高使脚掌和脚跟离地的距离不同，脚掌承受的压力很大，很多女性也因此出现脚掌磨损严重，甚至起泡等情况。

为避免高跟鞋对人体带来的伤害，专家建议：高跟鞋不宜每天穿；鞋跟高度最好不要超过 3.8 厘米；尽量选用鞋跟比较宽大的高跟鞋，使压力能够平均分布；穿高跟鞋出门前，最好先试着走一段时间，使脚适应鞋跟；不要穿高跟鞋长时间走路或者走不好走的路，以免受伤。

89. 女性喜欢穿高跟鞋的原因中不包括哪一项？

A 看起来很健康　　**B** 看起来很时尚
C 看起来很有精神　　**D** 看起来又高又苗条

90. 下列哪一项不是女性因穿高跟鞋而腰疼的原因？

A 腰部神经受到压迫
B 会使身体重心前倾，必须弯腰来平衡
C 长时间持续弯腰会使脊柱位置改变
D 脚掌磨损、起泡

91. 女性穿高跟鞋可能引发的疾病不包括哪一项？

A 极易发生扭伤，甚至内外踝骨骨折　　**B** 精神过度紧张引起头疼
C 脚掌磨损严重，甚至起泡　　**D** 下半身肌肉局部酸痛无力

92. 为避免高跟鞋对人体带来的伤害，下列哪种做法不对？

A 鞋跟高度最好不要超过 3.8 厘米　　**B** 尽量选用鞋跟比较宽大的高跟鞋
C 每天都坚持穿高跟鞋　　**D** 不穿高跟鞋走长路或者不好的路

93—96.

人们把南极叫做“暴风雪之家”。狂风的直接后果是极度的寒冷。1960年8月24日，前苏联人在他们设在东南极中心地区的东方站里，观测到了–88.3℃的极低温度。而在1983年7月21日，在东方站又记录到了–89.6℃的低温；同年7月，新西兰人在他们的万达站也记录到了同样的温度。这还不是最低温度。据说，1967年初，挪威人在极点站曾经记录到–94.5℃的最低温度。在这样的气温之中，一杯热水泼到空中落下来就变成了冰雹。在这种条件之下，人类的生存将会受到多大的威胁和考验就可想而知了。

南极的气候不仅表现在狂风和严寒上，也表现在它的变幻莫测上。例如，1970年，六架美国海军的运输机满载着准备越冬的人员和物资，在南极上空飞行。当第六架飞机只剩下最后40分钟的航程时，突然刮起了特大的暴风，结果，巨大的C–130运输机被狂风吹得飘飘摇摇，失去了控制，撞坏了着陆架。值得庆幸的是，机上八名人员全部脱险。在南极的活动中，像这样的例子有很多。

对于一般人来说，南极的气候确实令人害怕。然而气象学家们却是喜出望外。因为他们终于找到了南极这个最理想的实验室，科学家们希望从这里找出一把解开全球性气候变化之谜的钥匙。

93. 1980年以来，人们在南极记录到的最低气温是：

A –88.3℃　**B** –89.6℃　**C** –94.5℃　**D** –90.5℃

94. 哪一项不是南极气候的特点？

A 刮狂风　**B** 极度寒冷　**C** 下冰雹　**D** 变幻莫测

95. 什么是导致C–130运输机失控的原因？

A 暴雪　**B** 冰雹　**C** 严寒　**D** 狂风

96. 文中提到多少个国家的人曾到南极活动？

A 3个　**B** 4个　**C** 5个　**D** 6个

97—100.

花香有各种各样的作用。

花朵为了引诱昆虫前来授粉，不仅呈现出各种艳丽夺目的色彩，还会散发出各种迷人的花香。正所谓“蜂争粉蕊蝶分香”，就是说花香能引来蜜蜂和蝴蝶竞相采蜜。这个时候，花粉就会黏附在昆虫的身上，随着昆虫的飞行迁移而四处落户安家了。因此，花香的作用之一是传宗接代。

花朵带有香味是因为它们的内部都有一个专门制造香味的“工厂”——油细胞。这个“工厂”里的产品就是令人心醉的芳香油。这种芳香油除了散发香味、吸引昆虫传粉之外，它的蒸气还可以减少花瓣中水分的蒸发，形成一层“保护衣”，使植物免受白天强烈的日晒和夜晚寒气的侵袭。

花香除了有益于其自身的生长繁殖，对人类也有很多的益处。香气能刺激人的呼吸中枢，从而促进人体吸进氧气，排出二氧化碳，使大脑供氧充足，这时人们能够保持较长时间的旺盛精力；此外，香味的信息能够深刻地留在人的记忆中，刺激嗅觉，增强人们的记忆力。

利用花香来保健和防病，在中国有着悠久的历史。古代医圣华佗曾用丁香等材料制成小巧玲珑的香囊，悬挂在室内，用以防治肺结核、吐泻等疾病。古代民间把金银花放入枕内，用来祛头痛、降血压，同时还能起到消炎止咳的作用。

不同的花香，能引起人们不同的感受。比如桂花的香味使人疲劳顿消，菊花的香味使人思维清晰。不过，事情都是一分为二的。有些花香也会给人带来副作用。如百合、兰花的浓香，会引起眩晕和瞬时的迟钝。

97. 本文第一段中的“蜂争粉蕊蝶分香”是什么意思？

A 花朵有很多色彩　　**B** 花朵有香味

C 花香能引来蜜蜂和蝴蝶采蜜　　**D** 蜜蜂和蝴蝶经常争夺花香

98. 花朵为什么会有香味？

A 它要传宗接代　　**B** 它要生长繁殖

C 它有油细胞　　**D** 它有“保护衣”

99. 下列哪一项不是花香对人类的益处？

A 使人们保持旺盛的精力　　**B** 增强记忆力

C 保健和预防疾病　　**D** 有益于生长繁殖

100. 下列哪一项是金银花花香的作用？

A 防治肺结核　　**B** 消炎止咳

C 使人思维清晰　　**D** 引起眩晕和瞬时的迟钝

三、书 写

第 101 题：缩写。

(1) 仔细阅读下面这篇文章，时间为 10 分钟，阅读时不能抄写、记录。

(2) 10 分钟后，监考收回阅读材料，请你将这篇文章缩写成一篇短文，时间为 35 分钟。

(3) 标题自拟。只需复述文章内容，不需加入自己的观点。

(4) 字数为 400 字左右。

(5) 请把作文直接写在答题卡上。

一场车祸破坏了一个幸福的家庭。妈妈躺在医院里，硬撑了整整两天。爸爸想把女儿接过来，妈妈挣扎着说不要。她流着泪说："别吓坏了她。"

刚满一周岁的女儿还在乡下奶奶家等着妈妈来接她回家。可是爸爸却告诉女儿，妈妈出差了，很长时间都不会回来。从此，爸爸为女儿讲故事、洗衣服、做饭、买玩具、去幼儿园接送，带她到动物园……爸爸努力让女儿忘掉妈妈，努力让她的童年充满阳光，可是怎么能呢？安静的时候，女儿还是会问："妈妈什么时候回来？"

不断有人给爸爸介绍女朋友。出于礼貌，爸爸只匆匆见上一面，就再也不联系了。在一个和平常一样平淡的早晨，在穿衣镜里，他发现自己竟然有了白发。这时的爸爸不过 30 岁。他知道女儿在想妈妈。他也知道，女儿的记忆里，妈妈的影子很模糊。一岁的年纪，能留下多少完整的记忆呢？她想妈妈，她羡慕别的孩子有妈妈。她知道，自己应该也有一位妈妈。"妈妈去很远很远的地方了，那是地图上找不到的地方，也许，她很快就会回来。"爸爸这样说，奶奶这样说，邻居这样说，幼儿园阿姨这样说。

终于，妈妈的姐姐从很遥远的地方来了。她劝爸爸再娶一位妻子，她说，你和孩子不可能永远这样下去。找个人一起过日子吧。照顾好孩子，也不能永远欺骗女儿啊。那时女儿已经 6 岁了。后来爸爸真的遇上一位好女人。但他不敢想象，当多年的谎言被揭穿的时候，女儿脆弱幼小的心灵将会是怎样的痛苦。那就再等两年吧，等女儿大些，他想把所有的一切都告诉她。两年后的一天，爸爸笑着对女儿说，妈妈就要回来了。女儿愣了，似乎不敢相信爸爸的话。爸爸说："妈妈瘦了，你还能想起妈妈的样子吗？"女儿歪着脑袋想了好久，摇摇头。爸爸轻轻地笑了，有些心痛，也有些欣慰，她毕竟还是个孩子。一个女人拖着个行李箱进了屋子，冲着正在玩儿的孩子张开双臂，招呼她过来。女儿愣着呆在原地，表情竟然有些拘谨。男人说："不认识妈妈了吗？"女儿仍然不肯向前。男人说："快叫妈妈呀！"女儿冲上前去叫一声"妈妈"，扑在女人的怀里。男人看到，那一刻，女人的眼睛里饱含着泪花。吃过午饭，女人随女儿去她的房间。女人说："我给你讲个故事吧。"女儿说："我知道你不是妈妈，你是她的朋友吧？"女人一愣。"妈妈她已经死了。"女儿认真地说，"我是听奶奶说的，前些天奶奶和爷爷说的，我都听到了。只有爷爷、奶奶、我和你知道，妈妈死了，妈妈在我一岁的时候就死了，她回不来了。可是爸爸还以为她在很远的地方出差呢。如果你能对我好，能对爸爸好，我同意你做我的妈妈。"女儿拉过女人的手，勾起她的小指说："这是我们之间的秘密，千万不能让爸爸知道，如果他知道了，会很伤心的。"

新汉语水平考试

HSK（六级）模拟试卷 5

注　意

一、HSK（六级）分三部分：

1. 听力（50题，约35分钟）

2. 阅读（50题，45分钟）

3. 书写（1题，45分钟）

二、**答案先写在试卷上，最后10分钟再写在答题卡上。**

三、全部考试约140分钟（含考生填写个人信息时间5分钟）。

一、听 力

第一部分

第1—15题：请选出与所听内容一致的一项。

1. **A** 老板两天没上班
   B 职员从窗口掉下去了
   C 老板很惊讶
   D 职员三天没上班

2. **A** 水滴鱼生活在海底
   B 水滴鱼令人郁闷
   C 科学家过度捕捞
   D 科学家很郁闷

3. **A** 帽子可以代替大脑
   B 大脑可以代替天线
   C 大脑可以成为网络
   D 网络可与大脑连接

4. **A** 这种青蛙能够与人们交流
   B 这种青蛙听不到超声波
   C 这种青蛙的耳朵很特殊
   D 这种青蛙有助于环保

5. **A** 冰虫生活在外星球
   B 冰虫很完美
   C 冰虫喜欢吃冰块
   D 冰虫又细又小

6. **A** 这只大象经常偷东西
   B 大家很喜欢这只大象
   C 这只大象很容易生气
   D 这只大象喜欢称赞人类

7. **A** 这只狗认识字
   B 主人找不到车站
   C 这只狗自己乘车回了家
   D 主人找不到家

8. **A** 变色龙生气时是黄色
   B 变色龙大多数时候是蓝色
   C 变色龙高兴时红白相间
   D 变色龙郁闷时是绿色

9. **A** 杜鹃鸟善于偷蛋
   B 杜鹃鸟伪装成其他鸟
   C 杜鹃鸟拒绝警告
   D 杜鹃鸟不抚养儿女

10. **A** 虾虎鱼太瘦会被赶走
    B 虾虎鱼会努力节食
    C 虾虎鱼节食意味着死亡
    D 虾虎鱼容易变胖

11. **A** 蛇可以两周不吃饭
    B 蛇在绝食期间停止生长
    C 蛇在饥饿时消化心脏
    D 蛇头变宽提供能量

12. **A** 这只小猫有两只耳朵听不见
    B 这只小猫污染环境
    C 这只小猫的六只耳朵都能听见
    D 这只小猫有四只耳朵听不见

13. **A** 这只鹦鹉会计算数字
B 这只鹦鹉只有 5 岁
C 这只鹦鹉比 31 岁的人还聪明
D 这只鹦鹉会简单的对话

14. **A** 白色星比黄色星温度高
B 红色星温度最高
C 蓝色星温度最低
D 颜色决定星星的温度

15. **A** 三个人比赛谁更大方
B 三个人都默不作声
C 冠军是男的
D 冠军不善于说话

第二部分

第16—30题：请选出正确答案。

16. A 乐观开朗的性格
    B 顽强的毅力
    C 对舞蹈的热爱
    D 家人的鼓励

17. A 创立一个正规的残疾人表演团队
    B 创立一个青少年舞蹈队
    C 创立一个舞蹈老师表演团队
    D 举办一场晚会

18. A 偶然想到的
    B 以前早就创作好的
    C 找人替她创作的
    D 医院里的志愿者创作的

19. A 五六个
    B 五六十个
    C 二十个
    D 二十五六个

20. A 失去了双腿
    B 不了解残疾人群体
    C 没有人关心
    D 不去关心别人

21. A 2007年1月
    B 2007年12月
    C 2008年1月
    D 2008年12月

22. A 进行亲善访问
    B 参加加冕仪式
    C 访问很多国家
    D 以上都正确

23. A 因为工作时间紧、强度大
    B 因为要周游世界
    C 因为要援建桥梁、房屋
    D 因为要去一些贫困的地方

24. A 练体育的经历
    B 学习舞蹈的经历
    C 做世界小姐的经历
    D 做模特儿的经历

25. A 成长经历
    B 生活小细节
    C 减肥经验
    D 美容护肤的经验

26. A 因为钻石代表婚姻
    B 因为钻石昂贵
    C 因为公司的推广
    D 因为婚姻不幸福

27. A 因为钻石是最贵的
    B 因为钻石最不容易被破坏
    C 因为公司做的广告
    D 因为钻石用于装饰

28. **A** 美国
B 巴西
C 印度
D 中国

29. **A** 钢片
B 锯片
C 刀
D 钻石粉

30. **A** 一种理想的切割模式
B 8 个面
C 8 颗心
D 一把箭穿过一颗心

第三部分

第31—50题：请选出正确答案。

31. **A** 放羊
    B 讲笑话
    C 说谎
    D 和村里人玩儿

32. **A** 相信他能够救自己
    B 大家不再相信他了
    C 都在忙自己的事情
    D 相信他很勇敢

33. **A** 人多力量大
    B 做人要勇敢
    C 不能总开玩笑
    D 做人要诚实

34. **A** 赚钱
    B 娱乐
    C 宣传
    D 服务

35. **A** 旅行者
    B 参观者
    C 观光者
    D 游览者

36. **A** 短裤
    B 装束
    C 背包
    D 相机

37. **A** 美丽的景色
    B 游玩的快乐
    C 爽快的消费
    D 往往无所收获

38. **A** 张郃
    B 许攸
    C 高览
    D 袁谭

39. **A** 认为他们不会攻打自己
    B 根本没把他们放在眼里
    C 曹军的伪装骗过了袁军
    D 夜太黑了，不敢出击

40. **A** 袁绍、袁谭
    B 张郃、高览
    C 淳于琼
    D 许攸

41. **A** 权力
    B 尊贵
    C 幸福
    D 财富

42. **A** 漂亮
    B 名贵
    C 最硬
    D 有金光

43. **A** 极其稀少
B 比较丰富
C 比较少
D 特别多

44. **A** 石头
B 碳
C 玻璃
D 晶体

45. **A** 第一代
B 第二代
C 第三代
D 第四代

46. **A** 操作简易，价格便宜
B 可进行思维、学习、记忆等工作
C 有几个柜子那么大
D 小型化、微型化、低功耗等

47. **A** 20 世纪 70 年代
B 20 世纪 80 年代
C 20 世纪 90 年代
D 进入 21 世纪

48. **A** 强调天人合一的理念
B 突出特点鲜明的个性
C 强调保护动物
D 强调以人为本

49. **A** 身体
B 脸部
C 衣着
D 头饰

50. **A** 4 个
B 5 个
C 6 个
D 7 个

二、阅 读

第一部分

第 51—60 题：请选出有语病的一项。

51. **A** 遇到一位会说中国话的希腊人，难免会感到惊讶。
B 他的个子大概一米八左右，长得很身强力壮的。
C 北京人艺的《茶馆》是中国戏剧史上的经典之作。
D 了解中国最好的办法就是到中国去，亲眼看一看中国的实际情况。

52. **A** 听说我最喜欢的歌星要来这儿办演唱会，我非常高兴了。
B 要不是我硬下一条心，根本就辞不了职，更来不了北京。
C 哪怕只有一线希望，你们也要尽百分之百的努力。
D 完成这项工作，最起码需要三个月，甚至更长时间。

53. **A** 我不顾父母的强烈反对，偷偷地报考了美术专业。
B 我这样做，并不代表我是一个胸无大志的人。
C 父母绝不会同意我这样做，因为我成长在一个传统的家庭。
D 由于最近工作太紧张，不能及时跟您联系，请原谅一下。

54. **A** 身体健康了，精神也好多了，脾气也变得乐观了。
B 不管作怎样的推论，理发师所说的话都是自相矛盾的。
C 我们平时所说的盲肠炎，实际上大多是阑尾炎。
D 谁知敏感的它真的就此不吃不喝，很快就病死了。

55. **A** 她明白人生无法十全十美的道理，对淡泊的生活也能坦然地接受了。
B 假如我这次真的失败了，那将会是一败涂地。
C 我深深地了解了时间就是财富、财富就是时间的道理。
D 他没有上满一年学，取得今天的成绩完全靠勤奋刻苦的自学。

56. **A** 小王后来结识了一位浙江女孩，并很快与之成为恋人。
B 汪老师平时总是尽量关心一个一个学生，虽然这样做要花费大量的心血。
C 我没来北京前，曾在一家省电视台做过一段时间的娱乐节目主持人。
D 既然是前人没做过的，就需要一种勇敢的开拓精神大胆地试、大胆地闯。

57. **A** “他真是一个大好人!”熟悉他的人，无论男女老少，都异口同声地这么说。

B 老百姓自觉节能的种种做法与政府的鼓励和宣传是分不开的。

C 我之所以觉得这儿不陌生反而这么暖和，都是因为这些可爱的孩子们。

D 小学时我的学习成绩就不好，上中学以后整天玩儿游戏，学习成绩就更差了。

58. **A** 他们的突然逝去带给亲人的必定是无数的眼泪和无限的悲苦。

B 北京对我的吸引力，与我对地方戏的热爱不相上下。

C 洪堡出身于贵族家庭，从小对大自然充满离奇古怪的幻想。

D 他的心情舒畅极了，觉得连空气也都那么清新、爽快。

59. **A** 由于经不住突然打击，她原本身板硬朗的父亲过早地离开了人世。

B 她躺在床上，心里七上八下的，竟然睡着了。

C 少年儿童的眼睛和其他器官一样，非常娇嫩，尚未发育完善。

D 固然危机处理重要，但防患于未然永远是重中之重。

60. **A** 他们说不能签，因为签了就意味姚明再也不能回中国打球了。

B 要想在生存中求发展，一切都得靠自己，想成功谈何容易。

C 这些著作对中西天文学的异同得失有着十分深入、中肯的评价。

D 一个旨在寻求规模化使用淡化海水的项目组日前在北京正式成立。

第二部分

第61—70题：选词填空。

61. 微波炉不能用来加热鸡蛋，这________是一个常识。鸡蛋爆炸的原因有点儿类似于水的暴沸。因为鸡蛋内部过热，压力很大，________受到外界的干扰，压力________会释放出来，________鸡蛋就爆炸了。

A 大概　一旦　便　于是　　**B** 也许　如果　还　那么
C 可能　万一　才　因此　　**D** 大约　要是　要　然后

62. 任何一个好的教育方法都不可能适用于________的学生。无数教师的成功经验告诉我们，教师要教育好学生，必须起________作用。同时必须关心学生，热爱学生，________取得学生的信任。________，教师要下工夫研究每个学生的心理特点，讲究教育方法，坚持“一把钥匙开一把锁”。

A 一律　模范　就能　归根结底　　**B** 都　带头　都能　一句话
C 所有　表率　才能　总而言之　　**D** 一切　先进　会能　说到底

63. ________目前的情况来看，甲型H1N1的________主要在于其传播速度非常快。香港大学著名流行病专家管轶教授认为，甲型H1N1的传播速度甚至要快________SARS。但来自美国疾病控制中心的统计显示，甲流的致死率尚________普通的季节性流感。

A 从　危险　于　不如　　**B** 就　危害　过　不及
C 据　威胁　比　不比　　**D** 以　害处　自　不像

64. 我继续到北海公园给人画肖像，奇怪的是，自刘斌走后，我的“生意”不但________因他的离去而变好，________却________地越变越糟。找我画肖像的人越来越少，________到后来在那儿待一整天也不见一个主顾。

A 非　反过来　不知不觉　乃至　　**B** 是　反对　千奇百怪　以致
C 不　相反　不明不白　以至　　**D** 没　反而　莫名其妙　甚至

65. 豆浆中________丰富的植物蛋白、不饱和脂肪酸、卵磷脂、维生素B_1和B_2、烟酸、铁、钙________物质，素有“植物牛奶”之称。________，对于小宝宝来说，豆浆却不能代替牛奶。因为豆浆中的一些胀气因子，________不溶性纤维素等物质，一岁半以下的儿童由于肠胃功能尚未发育完全，喝后很容易出现腹泻或腹胀。

A 拥有　什么的　然而　就是　　**B** 含有　等　但是　即
C 富有　等等　不过　如　　**D** 具有　之类　可是　像

66. 创造一个________的环境，让孩子讲出自己所有的想法，甚至包括对你的不满，会促使他________你当成一个值得信赖的朋友。这是________最重要的沟通能力。尤其是孩子进入青春期以后，________他们感到说出实话总是不能得到你的理解，就很容易走上危险的道路。

A 宽松　把　一种　如果　　B 宽容　使　一项　倘若
C 舒服　被　一个　要是　　D 快乐　让　一件　假如

67. 空气是大自然________人类的无价之宝。人类和其他生物一刻________离不开它。一个成人每天需要呼吸新鲜空气两万多次，吸入的空气量为15—20公斤，________每天所食食物和饮水量的10倍以上。如果我们生活在烟雾________的环境之中，空气中的有毒物质就会进入人体内，危害我们的健康。

A 赠送　都　等于　充满　　B 赐予　也　相当于　弥漫
C 给予　又　近似于　洋溢　　D 恩赐　却　类似于　缭绕

68. 作为农村精神家园的农村文化，________对农村社会成员的思想观念、道德情操产生了潜移默化的影响，________使得单调缓慢的乡村生活产生了趣味和意义，使农民的精神世界________了充实和提升，农村文化在建设新农村中________着重要的作用。

A 非但　还　取得　发扬　　B 虽然　但是　得以　起到
C 不仅　而且　得到　发挥　　D 不但　并且　获得　表现

69. 知识与教育有着密切的联系。________，教育是知识筛选、传播、积累和发展的重要途径；________，知识是教育的重要内容和载体，离开了知识，教育就无法实现。________，每个历史时期的知识形态必然会影响到那一时期的教育形态，每一阶段的知识转型________必然会影响到那一阶段的教育活动。

A 一边　一边　所以　就　　B 或者　或者　因而　才
C 一来　二来　因为　都　　D 一方面　另一方面　因此　也

70. 1980年，艾德加________提倡相互信任、互助友爱的思想，提出了“时间货币”的概念。这是世界上最早的________“时间银行”相关的概念。今天，我们所说的“时间银行”、“时间储蓄”等均________“时间货币”的概念衍生________来。

A 本着　与　由　而　　B 根据　同　从　并
C 鉴于　跟　自　才　　D 凭借　和　打　出

第三部分

第71—80题：选句填空。

71—75.

一位富翁在非洲狩猎，经过三个昼夜的周旋，一匹狼成了他的猎物。在向导准备剥下狼皮时，富翁制止了他，问："你认为这匹狼还能活吗？"向导点点头。富翁打开随身携带的通信设备，让停在营地的直升机立即起飞。他想救活这匹狼。直升机载着受了重伤的狼飞走了，飞向500公里外的一家医院。(71)________。

这已不是他第一次来这里狩猎，可是从来没像这一次给他如此大的触动。过去，他曾捕获过无数的猎物，斑马、小牛、羚羊、鬣狗甚至狮子，这些猎物在营地大多被当做美餐，当天分而食之，然而这匹狼却让他产生了"让它继续活着"的念头。狩猎时，这匹狼被他追到一个近似于"丁"字的岔道上，正前方是迎面包抄过来的向导，他也端着一把枪，狼夹在中间。在这种情况下，狼本来可以选择从岔道逃掉，可是它没有那么做。(72)________：狼为什么不选择岔道，而是迎着向导的枪口扑过去，准备夺路而逃？难道那条岔道比向导的枪口更危险吗？狼在夺路时被捕获，它的臀部中了弹。

面对富翁的迷惑，向导说："埃托沙的狼是一种很聪明的动物，它们知道只要夺路逃跑，(73)________，而选择没有猎枪的岔道，(74)________。因为那条看似平坦的路上必有陷阱，这是它们在长期与猎人周旋中悟出的道理。"(75)________。

据说，那匹狼最后救治成功，如今在纳米比亚埃托禁猎公园里生活，所有的生活费用都由那位富翁提供，因为富翁感激它告诉他这样一个道理：在这个互相竞争的社会里，真正的陷阱会伪装成机会，真正的机会也会伪装成陷阱。

A 富翁疑惑不解
B 富翁非常震惊
C 富翁陷入了沉思
D 必定死路一条
E 就有生的希望

76—80.

50 岁的美国女人露丝·凯瑟太太喜欢笑。

她讲话的时候，哪怕只是一句简单的“对”，(76)________。即使作为一个单亲妈妈，独自把三个孩子抚养成人，(77)________。在她的眼中，周围的世界也总是这样的表情，两只眼睛，还有一道弯弯上扬的嘴角。

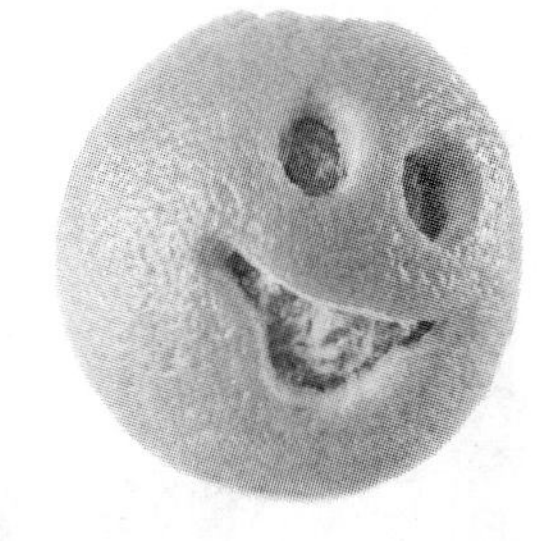

她身上总是带着照相机，(78)________。有的笑脸只是三根意大利通心粉，还有的是路旁大树树干上的两个小洞和边上垂下的一条藤茎。有的是一个发了霉的、烂掉的部分像咧开嘴大笑的西红柿，甚至就连出门吃饭，也没忘了打包带回来一片面包，把面包片上面的笑脸拍下来。她曾经一天拍下过 500 张笑脸。

还是个小孩子的时候，露丝就发现：地毯在笑! 在她眼中，地毯上的花纹、大门合叶上的螺丝，还有砖墙上苔藓的缝隙，都组成了一张笑脸。

去年年初，(79)________，那是小镇上的一片篱笆，交错的树枝拼成了一张微笑的脸孔。当她乐呵呵地把拍下的照片传到网上时，很快吸引了一群年轻人的加入。

现在，这个名叫“自然的笑脸”的网络群组已经有来自各国的 2000 多名成员，而他们上传的几千张照片中，手提包、大白菜、草莓，都纷纷对着镜头展开了“笑脸”。

拍摄笑脸悄悄改变了露丝的生活。今年 6 月，(80)________，她的新郎正是在拍摄笑脸照片的过程中认识的。

“我知道，这不是什么高雅的艺术，但它能够让更多的人快乐起来，这就足够了。”露丝这样说。

A 她也总是保持着微笑
B 她再一次步入婚姻殿堂
C 嘴角也会不自觉地上扬
D 她拍下了一张笑脸的照片
E 她寻找无处不在的“笑脸”

第四部分

第81—100题：请选出正确答案。

81—84.

感恩节前夕，美国芝加哥的一家报纸编辑部向一位小学女教师约稿，希望得到一些家境贫寒的孩子画的图画，图画的内容是孩子们想感谢的东西。

孩子们高兴地在白纸上画起来。女教师猜想这些贫民区的孩子们想要感谢的东西是很少的，可能大多数孩子会画上餐桌上的火鸡或冰淇淋等。

当小道格拉斯交上他的画时，她吃了一惊，他画的是一只手。

是谁的手？这个抽象的表现使她迷惑不解。孩子们也纷纷猜测。一个说："这准是上帝的手。"另一个说："是农夫的手，因为农夫喂了火鸡。"

女教师走到小道格拉斯桌前，弯腰低头问他：" 能告诉我你画的是谁的手吗？"

"这是你的手，老师。"孩子小声答道。

她回想起来了，放学后，她常常拉着他黏乎乎的小手，送这个孩子走一段。他家里很穷，父亲常常喝酒，母亲体弱多病，没有工作，小道格拉斯破旧的衣服总是脏兮兮的。当然，她也常拉别的孩子的手。可老师的这只手对小道格拉斯却有着非凡的意义，他要感谢这只手。

我们每个人都有要感谢的，感谢别人物质上的给予，或者精神上的支持，比如得到了自信和机会。对于很多给予者来说，也许，这种给予是微不足道的，可它的作用却难以估计。因此，我们每个人都应尽自己的所能，给予别人。

81. 小道格拉斯在白纸上画了什么？
   A 餐桌上的火鸡　**B** 农夫的手　**C** 老师的手　**D** 上帝的手

82. 下列选项中哪一项是不正确的？
   A 小道格拉斯家境贫寒　**B** 他的父亲经常喝酒，没有工作
   C 他的母亲体弱多病　**D** 小道格拉斯的衣服又破又脏

83. 小道格拉斯为什么要感谢那只手？
   A 因为农夫要用那只手喂火鸡　**B** 因为那是上帝的手
   C 因为妈妈用那只手帮他洗衣服　**D** 因为老师用那只手拉着他回家

84. 女教师拉小道格拉斯的手，是因为她觉得：
   A 他家境贫寒　**B** 他无人疼爱，太可怜了
   C 对他应和对别的孩子一样　**D** 他需要她特别的关爱

85—88.

太空垃圾，主要由滞留在太空的废弃卫星和火箭残体（又称空间碎片）构成，还包括天然流星体。它们不仅对地面的人类造成危害，还威胁到在太空中飞行的航天器的安全。

有没有办法清除掉太空垃圾呢？经过多年的研究探索，科学家们已经找出了一些清除太空垃圾的方法。

美国航空航天局正在试验一种“激光扫帚”，它主要针对直径 1—10 厘米的太空垃圾。“激光扫帚”锁定某个太空垃圾目标后，将发出一束激光，照射在太空垃圾背离地球的一端，使之部分升华为气体，就像喷气式飞机的原理一样，利用气体的反作用力推动太空垃圾朝地球的方向运动，最终使其进入大气层，与大气层产生强烈摩擦而燃烧自毁。

英国科学家发明了一种专门清理大型太空垃圾的人造“自杀卫星”。这种自杀式卫星体积只有足球那么大，重 6 公斤，制造和发射的全部费用不到 100 万美元。它配备 4 台小型摄像机，能十分容易地发现太空垃圾。它一旦侦察到太空垃圾，便依附在垃圾上，使其速度降低，最后进入大气层，与太空垃圾同归于尽。

目前，人们把上述这类工具形象地统称为“太空清洁工”。虽然这类工具多数还处于试验阶段，但相信随着技术的进步和环保意识的提高，在不久的将来，太空垃圾问题将逐步得到缓解。

85. 下面哪一项不属于太空垃圾？

A 滞留在太空的废弃卫星　　**B** 空间碎片

C 在太空中飞行的航天器　　**D** 天然流星体

86. 关于太空垃圾，下列哪一项是错误的？

A 主要由废弃卫星、火箭残体、天然流星体构成

B 危害到人类和在太空中飞行的航天器

C “激光扫帚”可以清理所有太空垃圾

D 清扫太空垃圾的工具被称为“太空清洁工”

87. 关于“激光扫帚”的工作原理，哪一项不正确？

A 锁定直径小于 10 厘米的太空垃圾目标　　**B** 能照射到太空垃圾背离地球的一端

C 推动太空垃圾朝地球相反的方向运动　　**D** 促使太空垃圾燃烧自毁

88. 关于人造“自杀卫星”，哪一项是错误的？

A 用来清理大型太空垃圾　　**B** 体积很小，只有足球那么大

C 配备了摄像机，容易寻找太空垃圾　　**D** 能够依附在太空垃圾上，降低速度

89—92.

提起泡沫塑料，我们大概都不陌生，它有些像我们常说的海绵，但比海绵结实多了，可以用它搓澡、擦地板，特别耐用。

泡沫塑料有很多种，有一种泡沫塑料可以用来做衣服。用于衣着的主要是聚氨基甲酸一类，它是好几种化学原料通过化学反应生成的。它相当于软木的十分之一那样轻，又像海绵那样软。它的弹性很大，一块跟普通桌子差不多大的泡沫塑料就能承受 40 吨的压力。40 吨有多重呢？假如一个学生体重 40 公斤，它就能承受 1000 个同学的重量。去掉压力后，泡沫塑料又能很快恢复原有的厚度。

泡沫塑料内部充满了气孔，所以透气性好，又耐洗易干，即使气温升到 200℃，或是降低到-32℃时，它也不会变，还是保持着良好的柔软性。

泡沫塑料最大的特点就是保暖。50 克泡沫塑料相当于 550 克羊毛的保暖效果，这是因为泡沫塑料内的无数气孔能容纳大量的空气，而空气是不易导热的。织物纤维中的空气越多，导热性就越差。空气是热胀冷缩的，用泡沫塑料做衣服的里层，只要人体有一点儿热量，泡沫塑料内的空气就会膨胀；空气的压力使泡沫塑料伸展开来，挤住了透气孔，空气对流量减少，增强了衣服的保暖能力。所以用它做飞行服、航海服或冬装是再合适不过了。同时，它还可以取代棉、麻、毛、丝等天然纤维，材料来源广泛，成本低廉，又好洗又好干。到时候，服装家庭就又添一个新成员了。

89. 关于泡沫塑料的优点，哪一项是错误的？

A 结实　　**B** 耐用性差　　**C** 柔软性好　　**D** 弹性大

90. 泡沫塑料做的衣服为什么能保暖？

A 内有大量能容纳空气的气孔

B 吸收了人体的热量后里面的空气膨胀

C 在空气的压力下它伸展开来，挤住了透气孔，使空气对流量减少，进而保暖

D 由于 A、B、C 三个原因

91. 关于泡沫塑料做的衣服，哪一项是正确的？

A 像海绵一样柔软，能经受任何温度的变化

B 和羊毛的保暖效果一样好

C 材料是从天然物质中提取出来的

D 保暖性能好，成本低廉，好洗好干

92. 与海绵相比，泡沫塑料有哪些特点？

A 没有海绵软　　**B** 比海绵结实

C 像海绵一样有透气孔，保暖效果差不多　　**D** 弹性没有海绵好

93—96.

城市是人类文明的结晶。美国现代哲学家路易斯·芒福德说过：“城市是一种特殊的构造，这种构造致密而紧凑，专门用来流传人类文明的成果。”西方诸多文字中的“文明”一词，都源自拉丁文的“civitas”（意为“城市”），这并非偶然。城市兼收并蓄、包罗万象、不断更新的特性，促进了人类社会秩序的完善。

1800 年，全球仅有 2%的人口居住在城市；到了 1950 年，这个数字迅速攀升到了 29%；而到了 2000 年，世界上大约有一半的人口迁入了城市。根据联合国的预测，到 2010 年，全世界的城市人口将占总人口的 55%。

不可否认的是，在城市飞速发展的今天，人们的城市生活也越来越面临一系列挑战：高密度的城市生活模式不免引发空间冲突、文化摩擦、资源短缺和环境污染。如果不加控制，城市的无序扩展会加剧这些问题，最终侵蚀城市的活力，影响城市生活的质量。

联合国人居组织 1996 年发布的《伊斯坦布尔宣言》强调：“我们的城市必须成为人类能够过上有尊严的、健康、安全、幸福和充满希望的美满生活的地方。”而城市面临的种种挑战的发端，不论是拥挤、污染、犯罪还是冲突，根源都在于城市化进程中人与自然、人与人、精神与物质之间各种关系的失谐。长期的失谐，必然导致城市生活质量的倒退乃至文明的倒退。

根据上述情况，2010 年上海世博会以“和谐城市”为理念，确立了“城市，让生活更美好”的核心主题。

93. 下面哪一项不是城市的特点？

A 构造致密而紧凑　　**B** 城市兼收并蓄、包罗万象

C 不断更新的特性　　**D** 不吸收外来的或新出现的事物

94. 关于全球居住在城市的人口，下面哪一项是正确的？

A 1950 年比 1800 年增加了 29%

B 1950 年比 1800 年增加了 27%

C 2000 年大约有 29%的人口迁入城市

D 到 2010 年城市人口将超过总人口的 55%

95. 根据短文，哪些不是今天城市人生活面临的挑战？

A 居住拥挤　　**B** 资源短缺　　**C** 儿童入学　　**D** 环境污染

96. 城市面临的种种挑战的根源是什么？

A 人与自然之间关系失谐　　**B** 人与人之间关系失谐

C 精神与物质之间关系失谐　　**D** 以上三种

97—100.

朋友，你挑食吗？也许是因为食物不香，也许是因为肚子很饱，也许是因为饭菜没有很好的色泽。但不论是什么样的理由，挑食都不是好习惯。请不要挑食，因为每种食物中都有人体不可缺少的营养。

人体所需的营养大致可分为五类：维生素、蛋白质、脂肪、碳水化合物和矿物质。维生素在过去叫做维他命，顾名思义，就是维持生命的元素。维生素的种类很多，已知的有 20 余种，包括维生素 A、B、C、D、K 等。每个人需要的维生素量很小，但它对人体却发挥着不可取代的作用。人体一旦缺乏维生素，生长发育就要受到影响，有时还会引起一些疾病。例如缺乏维生素 A，会引起儿童发育不良、夜盲症、皮肤粗糙等，这时就要补充一些动物肝脏、鱼类、玉米、萝卜等；缺乏维生素 B，就会患脚气病、神经炎、糙皮病等，可吃豆类、蔬菜、肉类；还有我们常说的维生素 C，缺少它会得坏血病，抵抗力也会下降，患维生素 C 缺乏症的人应多吃蔬菜和水果；缺乏维生素 D 会引起佝偻病、软骨病，应多吃鱼类、蛋类和肉类；还有维生素 K，缺乏它会导致出血现象，这时就应多吃绿色蔬菜。

蛋白质是构成人体细胞的基本物质，我们的生长发育、组织更新及提供能量，都少不了它。蛋白质主要来源于鱼类、牛奶、肉类、干果仁、豆类等。

脂肪也是为人体提供能量的物质，一般来说，脂肪只贮存在体内，主要来源于油、蛋、鱼、肉、奶、豆类、芝麻等。

能为人体提供能量的还有碳水化合物，人体活动所需的能量主要来源于它，它还是构成细胞的一部分。含碳水化合物较多的食物有面食、米饭、马铃薯和糖等。

矿物质在人体内的含量不多，但也很重要，常见的如钙、锌、铁、镁、磷等。这些都是不可缺少的，其中钙、镁、磷是骨骼和牙齿的主要成分。矿物质主要存在于奶类、蛋类、肉类、鱼类、蟹类等中。

总之，人体需要上述多种营养。这些营养都要从食物中摄取。所以你要使自己身体健康，就听听我的忠告：

朋友，别挑食！

97. 为什么不要挑食？

A 食物不香　　**B** 肚子很饱

C 饭菜色泽不好　　**D** 每种食物中都有人体不可缺少的营养

98. 根据本文，下面哪一项可能是因为缺乏维生素引起的疾病？

A 皮肤粗糙　　**B** 肥胖病　　**C** 心脏病　　**D** 肺结核

99. 下列哪种食物是蛋白质的来源之一？

A 蔬菜　　**B** 水果　　**C** 干果仁　　**D** 马铃薯

100. 根据本文，下列哪一项不是人体所需的营养？

A 维生素 A　　**B** 蛋白质　　**C** 尼古丁　　**D** 钙

三、书 写

第 101 题：缩写。

（1）仔细阅读下面这篇文章，时间为 10 分钟，阅读时不能抄写、记录。

（2）10 分钟后，监考收回阅读材料，请你将这篇文章缩写成一篇短文，时间为 35 分钟。

（3）标题自拟。只需复述文章内容，不需加入自己的观点。

（4）字数为 400 字左右。

（5）请把作文直接写在答题卡上。

我曾经是个很自卑的人，即使现在，我还觉得我很多地方不如别人。

小时候，我长到 10 岁才从外婆家回到城里上学。回城之后，我的衣服和鞋子常被城里的孩子们笑话，我的口音也被他们模仿，当老师问我问题，我用外婆的家乡话回答时，全场哄堂大笑。

自卑的情绪渐渐生长起来。我不再和别人说话，成绩不断地下降，我只盼望快点儿离开学校，快点儿离开这个让我感觉到自卑的地方。

后来我勉强考上一个三流中学。那个中学有好多官宦子弟和有钱人家的孩子，他们整天在说自己吃的是外国巧克力，穿的衣服是名牌。我每天发呆，不知道日子如何结束，于是在本子上写写画画，看看天，数数蚂蚁。

后来的一天，我写的日记被语文老师发现了，我画的插图让美术老师看到了。

语文老师表扬了我写的日记，这无意的夸奖让我很温暖；美术老师让我给班里的板报画插图。虽然我仍然寡言，但我意识到，我原来是一个重要的角色。

从那以后，我开始努力学习。这个三流的中学，每年考入重点高中的人不会超过五个。那年，只考上五个；而我，是这五个人中分数最高的一个。

全市最好的学生都在这里，第一次摸底考试，班里 55 名学生，我排第 50 位。我哭了。我来自最差的中学，我英语口语的发音那么蹩脚，我的一切都那么落伍。那些从重点中学考上来的学生常常说起他们学校的实验室、图书馆，对于我而言，那些实验室、图书馆根本没有存在过。

但我想，我们现在都在一个学校！

别人都睡后，我打开手电筒学习。早晨，我比别人早起一个小时，来到黑乎乎的教室点上蜡烛学习。到期末的时候，我的成绩是班里最好的。

可我仍然觉得好多地方不如别人。我依然沉默，把大部分时间都交给了书。整个高中时期，我读完了图书馆里所有的世界名著。在高二下半年，我拿起了笔。

我写了一篇青涩的小说，投给了当时的《河北文学》。两个月之后，我接到了用稿通知。当时学校还没有人发表过文章。

这些是最大的力量，何必用语言？

上了大学，我仍然自卑。

有一次我不小心碰碎了一个上海女孩子的香水，她嚷着："你赔得起吗？这是香奈尔啊！"

我开始疯狂地写稿子，泡在图书馆。到毕业的时候，我已经出了自己的第一本书。

但我仍然自卑，我觉得很多地方不如别人，我不如A聪明，不如B睿智，不如C有才，不如D美貌如花……

那天，在电视上我看到了对邓亚萍的访问。她说："我不如别人，我自卑，所以，我不停地努力。当年从郑州到国家队的时候，没有一个人肯定我，他们全说一米五的我打球不会打到如何。为了证明给他们看，我快发疯了，每天都比别人刻苦。我知道我的个子不如别人，别人允许有失败的机会，我没有，我只能赢，所以我打球凶狠，那是逼出来的。后来我成功了，别人又说我没有大脑，只会打球，于是我发疯地学习，英语从不认识字母到熟练地和外国人对话。我不比别人聪明，我还自卑，但一旦设定了目标，我绝不轻易放弃！什么都不用解释，用胜利说明一切！"

我一阵哽咽，多少年来，我不也是如此？

感谢我的自卑，它让我越挫越勇，让我永远觉得不如别人，让我不敢停步，让我在人生的路上，一路坚强！

新汉语水平考试

HSK（六级）模拟试卷 *6*

注　意

一、HSK（六级）分三部分：

1. 听力（50 题，约 35 分钟）

2. 阅读（50 题，45 分钟）

3. 书写（1 题，45 分钟）

二、**答案先写在试卷上，最后 10 分钟再写在答题卡上。**

三、全部考试约 140 分钟（含考生填写个人信息时间 5 分钟）。

一、听　力

第一部分

第1—15题：请选出与所听内容一致的一项。

1. A 孕妇藏了气球
   B 孕妇没有藏气球
   C 气球在孕妇肚里
   D 小孩子迷路了

2. A 女生跑了一天
   B 女生不喜欢小王
   C 小王想追求女生
   D 小王很关心女生

3. A 我们相信所说的话
   B 语言没有作用
   C 肢体语言不重要
   D 肢体语言很真实

4. A 宝宝不懂干净和脏
   B 宝宝很乖
   C 妈妈很高兴
   D 抹布能擦碗

5. A 小王已经复习好了
   B 小王不想参加考试
   C 小王喜欢看电视
   D 小王成绩不好

6. A 小明帮助了客人
   B 小明没有帮上客人的忙
   C 客人很高兴
   D 客人的椅子坏了

7. A 司机不会开车
   B 车站很远
   C 司机很累
   D 老太太很啰唆

8. A 小明今年8岁了
   B 小明比朋友大
   C 小明忘记了自己的年龄
   D 朋友和小明一样大

9. A 农夫的运气不好
   B 爸爸也在偷苹果
   C 孩子很高兴
   D 爸爸很高兴

10. A 学生想帮助别人
    B 慈善家很有钱
    C 学生想当有钱人
    D 老师喜欢慈善家

11. A 污染的空气通过呼吸排出体外
    B 大气污染对身体有危害
    C 大气污染对身体没影响
    D 污染物使我们不能呼吸

12. A 妈妈的记忆力不好
    B 妈妈弄丢了雨伞
    C 爸爸没有忘记雨伞
    D 爸爸拿回了别人的雨伞

13. **A** 黑色素可以使头发变黑
B 黑色素可以使头发变多
C 年轻人头发很多
D 年轻人头发是黑色的

14. **A** 南郭先生胸有成竹
B 南郭先生冒充会吹竽
C 南郭先生很诚实
D 南郭先生很幽默

15. **A** 小张结婚了
B 小张不打算结婚
C 小张还没有结婚
D 小张不爱他女朋友

第二部分

第16—30题：请选出正确答案。

16. A 活跃
 B 可爱
 C 幽默
 D 合群

17. A 初一、高一、高二
 B 初二、高一、高二
 C 初一、高二、高三
 D 初二、高二、高三

18. A 孩子性格懒惰
 B 家长教育不好
 C 没有好的生活习惯
 D 上课时间安排不好

19. A 喜欢交朋友
 B 希望给别人留下好印象
 C 与老师保持距离
 D 经常接触新鲜事物

20. A 认真学习
 B 锻炼身体
 C 多参加兴趣活动
 D 注意全面发展

21. A 汉族
 B 满族
 C 回族
 D 藏族

22. A 学生
 B 明星
 C 职员
 D 太太

23. A 北京
 B 广州
 C 深圳
 D 上海

24. A 1926年
 B 1927年
 C 1928年
 D 1929年

25. A 欧洲
 B 美洲
 C 亚洲
 D 欧美

26. A 民间手工生态保护
 B 民间文化生态保护
 C 民间手工文化生态保护
 D 民间手工艺术生态保护

27. A 专家们讨论决定的
 B 民间艺术研究的结果
 C 文化保护的要求
 D 百姓生活的需要

28. **A** 进行文化科学研究
B 更好地发展传统文化
C 全面地保护民间文化
D 保护民间文化的生态环境

29. **A** 民间文化
B 民族文化
C 现代文化
D 现代文明

30. **A** 通过专家的努力
B 通过基础教育
C 增强保护意识
D 多学习民间艺术

第三部分

第31—50题：请选出正确答案。

31. A 羽毛
B 头
C 翅膀
D 尾巴

32. A 不友好
B 十分嫉妒
C 认为他们是坏人
D 不喜欢鲜艳的颜色

33. A 猎人
B 少男少女
C 捕鸟人
D 罗网

34. A 物极必反
B 小心谨慎
C 骄傲使人落后
D 不要过分追求外表美

35. A 没有人的灵敏
B 和人的差不多
C 和人的一样好
D 比人的灵敏

36. A 蛇
B 老鼠
C 水母
D 鱼

37. A 20次
B 20次以上
C 20次以下
D 以上都对

38. A 兴奋
B 逃跑
C 跳跃
D 害怕

39. A 3—6天
B 4—6天
C 3—4天
D 4—5天

40. A 鼻涕较少见，几乎不打喷嚏
B 鼻涕较多，还打喷嚏
C 鼻涕较多，不打喷嚏
D 鼻涕较少，打喷嚏严重

41. A 严重头疼，扁桃体不肿
B 轻微头疼，扁桃体会肿
C 严重头疼，扁桃体会肿
D 轻微的全身性肌肉酸痛

42. A 急速发烧，急速全身性肌肉酸痛
B 严重头痛
C 逐渐发烧，轻微肌肉酸痛
D 几乎不打喷嚏

43. **A** 15 万以上
B 15 亿以上
C 13 万以上
D 13 亿以上

44. **A** 球迷遍布中国大陆及港澳台地区
B 球迷覆盖整个亚洲
C 球迷覆盖休斯顿
D 球迷遍及世界各地

45. **A** 友好
B 勇敢
C 善良
D 谦虚

46. **A** 喜爱姚明
B 喜欢汉语
C 喜欢中餐
D 喜欢中国文化

47. **A** 线
B 蛇
C 巨龙
D 彩虹

48. **A** 防止风沙侵袭
B 形成壮美的景观
C 自卫御敌
D 攻打别国

49. **A** 秦国
B 魏国
C 齐国
D 楚国

50. **A** 秦始皇
B 中山王
C 燕王
D 赵王

二、阅 读

第一部分

第 51—60 题：请选出有语病的一项。

51. **A** 还记得小时候跟我爸爸一起去欧洲各国旅游过一次。
B 正因为如此，无论晴天还是雨天，老太太总是不开心。
C 虽说我是在北京长大的，可是北京话说得也不太好。
D 与小王的相识过程，说起来还真挺有意思的。

52. **A** 任何事物都可以从多个角度去看，为什么总要跟自己过不去呢？
B 它大约 4000 万年前才开始出现，越来越成长，现在还在慢慢长大。
C 如果你遇见一个女孩对你说这样的话，请你一定不要耻笑她。
D 我们做家长的，不妨让孩子吃点儿苦，有“台阶”让他自己爬。

53. **A** 我对中国方言的了解也许不太全面，可是我想谈谈方言的感想。
B 对我来说，生活中除了唱歌我找不到任何乐趣，唱歌就是我的生活。
C 妈妈知道我怕冷，每次坐车，总是体贴地帮我关掉头顶的空调。
D 一个周末的早晨，从噩梦中醒来的他，仍然有些沮丧和不安。

54. **A** 年轻人果然如同咖啡店老板所预料的一样，顺利地成为了一名推销员。
B 一个浑身上下散发着人情味的人，必然会得到更广泛的尊重和支持。
C “追星族”蜂拥而至，不少明星本人也赶来参加自己的“怀旧”之旅。
D 1919 年法国就宣布法律，把原来的 10 小时工作制改为 8 小时工作制。

55. **A** 美国有一种喷雾清洁剂名叫“处方 409”，深受家庭主妇的喜爱。
B 盛田昭夫不由得心花怒放，他告诉对方，他需要一天时间考虑。
C 随着交通的日益便利，这里的经济也渐渐变得活泼起来。
D 几年下来，鱼丸日产量提高了很多，但还是满足不了市场的需求。

56. **A** 你把考取清华当做目标，我把它当做实现目标的一个机会、一个步骤。
B 有时我会在温泉住上一天，好好泡个澡解乏，还可吃到美味佳肴。
C 服务水平的高低，在每一顿饭后马上就会得到顾客的评价。
D 我们企业必须做到最好，才有可能活下去，否则就会在竞争中被挤垮。

57. **A** 在走投无路的情况下，他想起了自己跟父亲学的裁缝手艺。
B 他自从发表处女作后便一发不可收拾，被人称为“写作狂才”。
C 他穿着这双鞋跑前跑后，为拍出好片子立下了汗马功劳。
D 课外阅读可以让人学到很多新知识，这样，它能让人开阔视野。

58. **A** 从那件事之后，柴可夫斯基和这位年轻人就成了忘年之交。
B 在参观这家工厂的过程中，我们看到了很多好玩儿的、好奇的东西。
C 只有这样，别人在和你交往的时候，才能感到自己受到了尊重。
D 她当然很想学好数学，但无奈天生对数字感到恐惧。

59. **A** 毕业后他们一起来到这个陌生的小城打拼，生活得都不太理想。
B 我将喜欢放在心底，因为我知道有很多比这个重要得多的事。
C 我为这次冒险而感到兴奋，这兴奋是从束缚摆脱出来的那种感觉。
D 我喜欢别人说我长得像齐秦，因为我特别喜欢他的歌。

60. **A** 如果你在一个陌生的地方迷路了，最好的办法就是当地人打听。
B 他不善于与别人交流和讨论，而喜欢一个人默默地想。
C 友情在一些人心目中所占的分量，似乎比我所想的要多许多倍。
D 无论两个人怎样要好，彼此之间那点儿应有的尊敬总是不可少的。

第二部分

第61—70题：选词填空。

61. 他＿＿＿＿地向我介绍文集所用的纸张、编辑美工所画的版式等，我＿＿＿＿，频频点头应和，我觉得他不是在谈一本书的装帧印刷技术或艺术，＿＿＿在与一位慈爱的母亲谈论她心爱的孩子，融融的爱意迎面扑来，我＿＿＿陶醉其中。

A 详细　似懂非懂　而是　不由得
B 仔细　像懂不懂　或是　禁不住
C 小心　似明非明　就是　自然而然
D 细心　似对非对　还是　不由自主

62. 由于＿＿＿＿一部分农民是文盲和半文盲，学习科学知识比较困难，对一些科学知识掌握不多，所以许多农业实用技术＿＿＿＿起来难度很大，有一些农村＿＿＿＿有资源优势却得不到转化，有产品却迟迟不能进入市场。扶贫最＿＿＿＿的是尽快帮农民提高自身能力。

A 很多　推行　明白　主要　　B 相当　推广　明明　关键
C 多数　推动　明显　重要　　D 不少　推出　明确　核心

63. 在设计本届奥运会会徽和火炬的＿＿＿，设计者＿＿＿地从橄榄树身上找到了灵感。此外，组织者日前宣布，他们计划在马拉松比赛道路两旁移种几万棵橄榄树，形成＿＿＿独特的“绿色长廊”，为运动员＿＿＿阳光。

A 之时　不谋而合　一条　遮蔽　　B 时间　心照不宣　一片　遮盖
C 时　异口同声　一排　遮掩　　D 时候　不约而同　一道　遮挡

64. 于2003年6月在96岁高龄去世的凯瑟琳·赫本，生前一直＿＿＿＿地收藏有关自己演艺＿＿＿＿的各种纪念物，但她对自己获得的最高荣誉的＿＿＿＿——四个奥斯卡金像却满不在乎，把它们放到了碗橱不显眼的＿＿＿＿。

A 小心谨慎　经历　表示　地点　　B 仔仔细细　生活　证明　地位
C 小心翼翼　生涯　象征　位置　　D 全心全意　生命　标志　地方

65. 文化部副部长陈晓光对本届艺术节＿＿＿＿高度评价。他说，本届艺术节全面________了新世纪初中国舞台艺术________的喜人景象，集中检阅了文艺事业蓬勃发展的丰硕________。

A 给予　展出　蓬蓬勃勃　成绩　　B 予以　展示　欣欣向荣　成果
C 给出　展览　百花齐放　成就　　D 作出　展现　兴旺发达　结果

66. 连续9个月来，临床医师、科研人员和疫苗生产企业________，通力合作，克服了生理、心理和技术上面临的多重挑战，________着可能被感染的危险，在封闭的生物安全实验室内加班加点，________病人样品，分离培养病毒，建立动物模型，确立生产工艺和质量控制标准，________完成了SARS疫苗的临床前研究。

A 全力以赴　冒　采集　终于　　B 前仆后继　带　收集　毕竟
C 艰苦奋斗　顶　采取　终究　　D 集中精力　扛　采摘　到底

67. 几百年来，我们已______了丰富的植棉经验，这正是我们的地区______，我们________丢掉自己的长处而________地跟着在别人后面瞎跑呢？

A 总结　优点　何苦　模糊　　B 取得　长处　何尝　糊涂
C 获得　好处　何须　迷糊　　D 积累　优势　何必　盲目

68. 这座大城市里人才济济，比较理想的工作，竞争都十分________。如果没有点儿________，随时都有被“________”的危险，________得人不得不多读书，多学知识，多掌握一门本事。

A 猛烈　本领　卷铺盖　使　　B 壮烈　本钱　开夜车　催
C 激烈　本事　炒鱿鱼　逼　　D 厉害　能力　炒冷饭　弄

69. 骑车环游地球的旅途，__________风雨兼程。虽然遇到的困难和挫折远远________预料，但一路上的快乐和欣喜________多于痛苦和失意。我可以________地说，此行的目标已经实现。

A 可言　超过　终于　骄傲　　B 可谓　超出　终究　自豪
C 可想　大于　最终　无愧　　D 可能　多于　到底　佩服

70. 老师的________刚落，华罗庚的________就脱口而出，老师______点头称赞他的运算能力。可惜因为家庭经济困难，华罗庚不得不退学去______店员，一边工作，一边自学。

A 话语　答复　一连　搞　　B 声音　回答　连续　任
C 说话　答应　一直　干　　D 话音　答案　连连　当

第三部分

第71—80题：选句填空。

71—75.

最初，男孩和女孩分分秒秒都在感受着恋爱的甜蜜和幸福。

后来，女孩渐渐疏远了男孩。女孩结婚了，去了她梦中的巴黎。分手的时候，她说，我们都必须正视现实，婚姻对女人来说是第二次投胎，我必须抓牢一切机会，你太穷，我难以想象我们结合在一起的日子……后来男孩卖过报纸，干过临时工，做过小买卖，每一项工作他都努力去做。许多年过去了，在朋友们的帮助和他自己的努力下，（71）________。他有钱了，可是他心里还是念念不忘女孩。

有一天下着雨，男孩从他的黑色奥迪车里看到一对老人在前面慢慢地走。男孩认出那是女孩的父母，于是他决定跟着他们。他要让他们知道他不再是穷光蛋，（72）________。男孩一路开慢车跟着他们。雨不停地下着，尽管这对老人打着伞，但还是被斜雨淋湿了。到了目的地，（73）________，这是一处公墓。（74）________，墓碑的瓷像中女孩正对着他甜甜地笑。

女孩的父母告诉男孩，女孩没有去巴黎，女孩患的是癌症，她去了天堂。女孩希望男孩能出人头地，能有一个温暖的家，所以女孩才做出这样的举动。她说她了解男孩，认为他一定会成功。（75）________，在女孩的墓前，泪流满面。清明节的雨不知道停，把男孩淋了个透。男孩想起了许多年前女孩纯真的笑脸，心开始一滴滴往下淌血。

A 男孩跪下去
B 男孩惊呆了
C 他看到了女孩
D 他成了年轻的大老板
E 他终于有了自己的公司

76—80.

夏天，在树林边，常常会看到许多大大小小的蚂蚁爬来爬去，搬运着昆虫残体、泥土……有时它们相遇以后，成群地咬杀起来，争斗得十分激烈。

为什么蚂蚁会打仗呢？有的昆虫学家认为，（76）________，因而用种内斗争理论来解释。但较多的昆虫学家认为，（77）________。

为了证明这个现象，他们做了以下实验：把不同窝的蚂蚁放在一起，它们的触角一碰，就咬杀起来；相反，把同窝蚂蚁放在一起，它们相遇以后，不但不打不咬，还会互相喂食。

昆虫学家对以上事实这样解释：不同窝的蚂蚁，身上都有一种特殊的“窝味”。这种“窝味”又因窝的建筑材料、储藏的食物和本身分泌物的不同而不同。每一只蚂蚁都有辨别“窝味”的本领。一旦发现某只蚂蚁不是自己家里的成员，（78）________。有趣的是，用水洗掉正在咬杀争斗的蚂蚁身上的“窝味”，再把它们放在一起，它们相遇后，（79）________。如果在一只蚂蚁身上洒些香料，它就不能回窝，同窝的蚂蚁将误认它是敌害而把它驱赶出来。

也有人认为，蚂蚁成群打仗咬杀，（80）________。特别是不同群蚁相遇时，立刻会发生战斗。单只的蚂蚁相遇，咬杀争斗的机会就少了。

A 这是一种化学强制反应
B 与群体大小有直接关系
C 就安然无事地各自走开
D 主要是争夺食物引起的
E 就立刻咬杀争斗起来

第四部分

第81—100题：请选出正确答案。

81—84.

有一家老式旅馆，餐厅很窄小，里面只有一张餐桌，所有就餐的客人都坐在一起，彼此陌生，都觉得不知所措。

突然，一位先生拿起放在面前的盐罐，微笑着递给右边的女士："我觉得青豆有些淡，您或者您右边的客人需要盐吗？"女士愣了一下，但马上露出笑容，向他轻声道谢。她给自己的青豆加完盐后，便把盐罐传给了下一位客人。不知什么时候，胡椒罐和糖罐也加入了"公关"行列，餐厅里的气氛渐渐活跃起来。饭还没吃完，全桌人已经像朋友一样谈笑风生了，他们中间的冰层被一只盐罐轻而易举地打破了。

第二天分手的时候，他们热情地互相道别，这时，有人说："其实昨天的青豆一点儿也不淡。"大家会心地笑了。

有人曾慨叹人与人之间的隔膜太厚，其实，这隔膜很脆弱，一个微笑、一只盐罐就能打破它。

81. 陌生人在同一张餐桌上就餐，感觉怎么样？

A 很紧张　　**B** 和平时一样
C 很放松　　**D** 很尴尬

82. 那位先生为什么把盐罐递给旁边的女士？

A 他觉得青豆有些淡　　**B** 他觉得其他人一定也觉得青豆淡
C 他想活跃气氛　　**D** 他认识旁边的女士

83. "胡椒罐和糖罐也加入了'公关'行列"是什么意思？

A 大家喜欢胡椒罐和糖罐
B 有的客人可能喜欢胡椒或糖的味道
C 餐厅的食物需要加胡椒和糖来调味
D 胡椒和糖成为活跃餐厅气氛的工具

84. 根据本文，下面哪一项是正确的？

A 青豆确实很淡
B 那位先生喜欢吃咸一点儿的青豆
C 其实青豆一点儿都不淡
D 青豆里加上调料味道会更好

85—88.

几周以来，埃米尔·雅恩克满脑子都只在盘算一个问题。他正在筹划一次人生中的大行动：5 分钟内得手，至少 100 万马克。

抢劫的前一天晚上，他心满意足地躺在床上，又重新检查了一遍自己的计划。

第二天早上 11 点，埃米尔·雅恩克出门。他正要去火车总站——他已在前天晚上托运了一只箱子过来，这是为那笔巨额现钞准备的。埃米尔从保管箱里取出箱子后，便往停车场方向走去。他来来回回反复打量着停放在那儿的每一辆汽车，考虑再三后终于选定了其中一辆深蓝色的“欧宝上将”。

又过了一刻钟，他顺利到达目的地。他拿出一条工装裤穿上，一个时髦小伙子立即变成了一副机械工的模样。一切就绪，估计不会出什么差错了。

埃米尔看了看表，12 点 20 分。运钞车此刻肯定已经在路上了。他好比一支即将离弦的弓箭正蓄势待发，可就在这当口，距离他两个车位的前方，一辆绿色的小型福特货运车突然开动了，真见鬼！但愿它赶紧开走，他心里诅咒着。

埃米尔越来越焦躁不安。从市中心开来的运钞车已经到了，但那辆绿色的货运车正慢腾腾地往停车场的出口方向移动。突然。司机迅速发动汽车，但随即又立刻刹住，这时，运钞车司机只得停下车。埃米尔看到，那司机摇下车窗，冲着绿色货运车的司机破口大骂，随后响起了枪声。福特货运车里跳下两名男子，他们把运钞车司机和副手拖出车外，关进货运车厢，接着，只见两辆车同时开走了。

85. 埃米尔·雅恩克想要做什么事？

A 旅行	**B** 赚一笔大钱
C 去火车站见朋友	**D** 抢运钞车

86. 埃米尔·雅恩克准备了多长时间？

A 五分钟	**B** 两小时	**C** 两天	**D** 几周

87. 是谁抢了运钞车？

A 一个时髦的小伙子	**B** 一个机械工
C 埃米尔·雅恩克	**D** 另外两名男子

88. 谁在停车场破口大骂？

A 埃米尔·雅恩克	**B** 运钞车司机
C 绿色货运车的司机	**D** 机械工

89—92.

琳达是一位酒吧老板。为了提高酒水的销售量，她决定让一部分老顾客——其中大部分是失业酒鬼——享受先喝酒后付款的优惠。她把每个顾客的消费金额都记在账单上。消息传开以后，来琳达酒吧喝酒的人剧增。由于顾客不必马上付款，琳达把卖出最多的饮料悄悄提升了价格。她的营业额像滚雪球一样成倍激增。

当地银行的客户服务顾问认为这些账单是宝贵的未来资产，于是就增加了琳达的贷款金额，并且把酒鬼的账单作为贷款担保。

在银行总部，精明的银行家们把这些顾客资产，也就是酒鬼的账单，转化成了三种有价证券，在市场上广泛流通。

没有人知道这些有价证券是什么意思，安全性有多高。不过随着它们价格的不断攀升，这些有价证券变成了热卖点。

一天，银行的风险投资顾问认为琳达的酒吧应该偿还贷款了。可是失业的酒鬼们根本没法结账，导致琳达无法履行还款义务，进而宣布破产。

其中两种证券的价格立刻下跌95%，另一种证券还算稳定，下跌80%时就原地踏步。与此同时，那些慷慨供应琳达酒吧的代理商的货款也该支付了。于是他们的处境变得和琳达差不多。其中，葡萄酒供应商破了产，啤酒供应商被同行兼并。银行寻求政府的帮助，每天聆听来自政治团体切磋出来的“好主意”。至于那些资产漏洞，只好通过对不喝啤酒的人征税来填补……

89. 为提高酒水的销售量，琳达决定怎么做？

A 将所有酒水都涨价　　**B** 降价，招揽更多的顾客
C 让部分顾客先喝酒后付款　　**D** 让部分老顾客免费喝酒

90. 下面哪一项不属于酒吧营业额激增的原因？

A 失业酒鬼可以先喝酒后付款　　**B** 来酒吧喝酒的人剧增
C 卖得最多的饮料涨价了　　**D** 银行增加了琳达的贷款金额

91. 琳达破产的直接原因是：

A 无法偿还银行的贷款　　**B** 部分老顾客享受了先喝酒后付款的优惠
C 啤酒供应商被同行兼并　　**D** 葡萄酒供应商破产了

92. 三种有价证券为什么变成了热卖点？

A 精明的银行家把账单转化成了三种有价证券
B 没有人知道这些有价证券是什么意思
C 有价证券的安全性很高
D 有价证券的价格不断攀升

93—96.

传统上日本人见面问候，互不接触身体，也没有握手的习惯，而大多以鞠躬的形式表达问候，即“先礼后语”。

鞠躬时男性的双手一般放在两侧裤线的位置或大腿前。女性的双手则一定要放在大腿前。在日本，低头具有“缩小”自己，敬仰、尊重对方的含义。一般来讲，面对长辈或上司时，要主动鞠躬，而对自己家人或是朋友时，微微鞠躬即可。

鞠躬所持续的时间也很重要。一般年轻者、身份低者和女性要先向长者、身份高者及男性鞠躬。同时，鞠躬持续的时间一般要长于长者、身份高者及男性，有时交际的双方都想在鞠躬时间上超过对方，以表示敬意。在不明确对方身份的情况下，为了不失礼，最好的办法就是鞠躬，这样可以使自己表现得谦逊一些。

日本人在鞠躬的角度上十分讲究，这与对方的年龄、身份、性别以及对对方的尊敬程度有关。一般来说，鞠躬的角度越大，所表示的尊敬程度越深。鞠躬时身体的角度一般为 10—15 度左右，最深为 90 度。例如，5 度的鞠躬表示“你好”等较为简单的问候和打招呼；15 度的鞠躬则表示“早上好”、“您好”等性质的问候、打招呼以及对十分亲密的人表示同情、理解等亲切之意；30 度的鞠躬则表示比较正式的打招呼以及对长辈、客人、年长者、老师等的问候，还有对人有所求等含义；45 度的鞠躬则表示非常正式的打招呼以及对长辈、客人、年长者、老师等的比较正式的问候，有时表示对自己过失的歉意或承认错误等意义。

93. 根据上文，与日本人初次见面应怎样问候？

A 握手　　**B** 拥抱　　**C** 鞠躬　　**D** 点头

94. 有关鞠躬，不正确的说法是：

A 男性的双手一定要放在两侧裤线位置
B 女性的双手一定要放在大腿前
C 面对长辈或上司时要主动鞠躬
D 鞠躬角度越大表示的尊敬程度越深

95. 在不明确对方身份的情况下，哪种做法是不合适的？

A 主动鞠躬　　**B** 鞠躬的角度最好是 30 度
C 鞠躬的时间最好长于对方　　**D** 如果对方是女性，应后于对方鞠躬

96. 第一次去日本人朋友家里做客时，鞠躬的角度为多少比较合适？

A 5 度左右　　**B** 15 度左右
C 30 度左右　　**D** 90 度左右

97—100.

荷兰鼠是一种漂亮的小动物。它四肢灵活，行动敏捷。玲珑的小面孔上，嵌着一对乌黑发亮的圆眼睛。身上黑、棕、白三种颜色的毛，光滑得好像在油桶中浸过，摸上去舒服极了。它没有尾巴，远远望去，好似一只上了色的兔子，胖乎乎的，特别可爱。我家的这只荷兰鼠是我舅舅家的哥哥在去年国庆节时买来送我的，我非常喜欢它，给它取名叫托尼。

托尼最喜欢吃绿色的菜叶，有时还会吃嫩绿的青草以及水果皮、萝卜、面包、馒头等食物。吃东西时，它总会先用一只前爪按住食物，然后再三两口快速吃完。咀嚼的时候，它的嗓子里还不时发出一阵阵的咕噜声。每次吃完后，它还会满意地用爪子抹抹嘴，顺便洗洗脸，再梳理一下自己身上的毛，一副很爱干净的样子。

托尼的家是一个蓝色的小铁笼子，它经常会用嘴巴巧妙地将笼门拱开，把小脑袋探出来向外瞧，一双亮晶晶的黑眼睛转来转去。它似乎对自己的家和眼前的生活非常留恋和满意，所以我从来不担心它会突然逃出笼子。

托尼睡觉的时候会趴在那里，眼睛紧闭着，头枕在两只前爪上，像个可爱的小孩子似的。

我们每次赶托尼出来"遛达"的时候，妈妈都会说托尼是"鼠性难改"，因为它总是喜欢往角落里钻。不过，它有时候也会在宽敞的空地上跑来跑去。我常常把手指伸进笼子，开始时它还以为是食物而咬伤我；后来我们熟悉了，它就只会用软软湿湿的舌头舔我了。

托尼还有个特殊的习惯，就是每当有人打开冰箱门的时候，它的嘴里就会发出尖利的"吱吱"的叫声，好像在说："我饿了，我饿了，给我吃青菜吧!"妈妈告诉我，这是条件反射，因为托尼的食物大都是从冰箱里取出来的。

97. 下列哪一项是荷兰鼠的特点？

A 行动缓慢　　**B** 有很长的尾巴　　**C** 是一种兔子　　**D** 皮毛很光滑

98. 荷兰鼠最爱吃的食物是什么？

A 绿色的菜叶　　**B** 嫩绿的青草　　**C** 水果皮　　**D** 面包、馒头

99. 妈妈为什么说托尼"鼠性难改"？

A 它是老鼠　　**B** 它总是跑来跑去　　**C** 它总往角落里钻　　**D** 它咬伤了我

100. 为什么每当有人打开冰箱门，托尼就会叫？

A 它的食物大都放在冰箱里　　**B** 它喜欢叫

C 它饿了　　**D** 它喜欢冰箱

三、书 写

第 101 题：缩写。

(1) 仔细阅读下面这篇文章，时间为 10 分钟，阅读时不能抄写、记录。

(2) 10 分钟后，监考收回阅读材料，请你将这篇文章缩写成一篇短文，时间为 35 分钟。

(3) 标题自拟。只需复述文章内容，不需加入自己的观点。

(4) 字数为 400 字左右。

(5) 请把作文直接写在答题卡上。

人上了年纪，对自己的生日，多怀有一种恐惧，比如他的母亲。他买了礼物，买了菜，把母亲的生日过得简单而又隆重。吹蜡烛时，母亲总会一本正经地将她的心愿说出来。她说："我希望从明天开始，时间就不再往前走了，而是完全静止下来。"她的话把大家逗得哈哈大笑。

母亲 75 周岁，假如时间真的静止下来，那么她将会永远 75 周岁。75 周岁并不年轻，可那是她可以选择的最年轻的年纪。

他有三个远嫁他乡的姐姐，他是母亲唯一的儿子，却是令母亲最放心不下的孩子。毕业后，他就没有过一天安稳的日子。他在美食街烤过羊肉串，在夜市上摆过杂货摊，在商业街开过音像店，甚至有过短暂的出国打工的经历。他没有攒下一分钱，反而时时惹祸，让母亲操心。母亲说："如果我永远 75 岁，就可以永远照顾你，就能给你洗衣做饭；如果眼不瞎耳不聋，还能看看你的样子听听你的声音。你说我怎么能对你放心？你这样没个正经生活。"

原来母亲希望自己永远 75 岁，全是为了他。她的话让他眼圈通红，好久说不出一句话。"没个正经生活"也非他所愿。生活中受到挫折和磨难，有时候，并不全都是他的过错。

可是今年他不可能给他的母亲过生日了。因为他闯了祸，被判刑 15 年。谁也不知道他是怎么想的。也许他只为多赚一点儿钱。他替别人讨债。第一次，赔着笑脸过去，人家并不搭理他。第二次，他就揣了一把刀子。他把刀子拍到办公桌上，然后坐在旁边若无其事地抽烟。一会儿三个年轻人冲进来，每个人的手里都提着木棍。他站起来，抓起刀子，没等三个年轻人靠前，就把那个欠钱的老板捅了。

入狱前，他的朋友见过他。他坐在那里，捂着脸，始终不肯说一句话。后来他哭起来，一开始只是抽泣，后来变成号啕大哭。他朋友只听见他说："妈……" 今年他的母亲 76 周岁。半年前他就开始策划如何给母亲祝寿。他说今年得换换方式，让母亲过一个与众不同的快乐生日。可是母亲注定不会快乐，因为他在狱中。

母亲生日那天，他的朋友买了礼物，买了菜，买了蛋糕，去了他家。"我想过 91 岁的生日。" 他白发苍苍的母亲说。她 76 岁，现在满脑子里想的全都是 91 岁以后的事情。她必须挺到 91 岁。为了 15 年后，她甚至忽略了现在。她还说："如果真能活到那个时候，我希望自己还能照顾他，还能给他洗衣做饭；我希望那时候耳不聋眼不瞎，还能看到他的样子听到他的声音。"

他的朋友流下泪来，为了一个母亲这样令人悲伤的心愿。

新汉语水平考试

HSK（六级）模拟试卷 7

注　意

一、HSK（六级）分三部分：

1. 听力（50题，约35分钟）
2. 阅读（50题，45分钟）
3. 书写（1题，45分钟）

二、**答案先写在试卷上，最后10分钟再写在答题卡上。**

三、全部考试约140分钟（含考生填写个人信息时间5分钟）。

一、听 力

第一部分

第 1—15 题：请选出与所听内容一致的一项。

1. **A** 父亲想扔垃圾
   B 父亲没看过今天的报纸
   C 父亲看过今天的报纸
   D 儿子看过今天的报纸

2. **A** 明明把火柴用光了
   B 火柴很贵
   C 火柴很多
   D 妈妈很高兴

3. **A** 亡羊补牢
   B 力不从心
   C 掩耳盗铃
   D 一叶障目

4. **A** 现在丈夫不爱妻子
   B 现在丈夫身体不好
   C 当年丈夫身体很好
   D 当年丈夫追过妻子

5. **A** 草不能飞
   B 有的草能飞
   C 草都能飞
   D 干旱时草不能飞

6. **A** 主人家很穷
   B 小偷很穷
   C 主人很善良
   D 主人要出门

7. **A** 弟弟 8 岁，小莉 16 岁
   B 弟弟 8 岁，小莉 12 岁
   C 弟弟 8 岁，小莉 8 岁
   D 弟弟 8 岁，小莉 32 岁

8. **A** 小强很懂事
   B 小强的同学很爱哭
   C 小强的弟弟很爱哭
   D 小强的弟弟很伤心

9. **A** 爷爷很操心
   B 爸爸很操心
   C 儿子很操心
   D 儿子很聪明

10. **A** 小女孩怕麻烦
    B 小女孩认为孕妇怕麻烦
    C 孕妇怕麻烦
    D 孕妇很聪明

11. **A** 小明把电视机弄坏了
    B 电视机零件多了
    C 电视机零件少了
    D 电视机还可以用

12. **A** 小明赢了
    B 小明游得很快
    C 小军赢了
    D 小军游得很慢

13. **A** 盐对健康没有好处
B 应该多吃盐
C 只能吃 6 克盐
D 不能吃太多的盐

14. **A** 盲人只摸到大象的一部分
B 盲人知道了大象的样子
C 盲人不能摸大象
D 大象太大了

15. **A** 爸爸的名字叫淘气
B 儿子的名字叫淘气
C 儿子很淘气
D 爸爸小时候很淘气

第二部分

第16—30题：请选出正确答案。

16. **A** 1981年
B 1983年
C 2003年
D 2007年

17. **A** 广告
B 产品的发展
C 消费者的印象
D 产品的使用体验

18. **A** 1981年
B 1997年
C 1998年
D 2007年

19. **A** 知名度
B 美誉度
C 转换率
D “品牌漏斗”理论

20. **A** 买一件产品还会买更多产品
B 只买这一品牌的产品
C 不买这一品牌的产品
D 知道这一品牌

21. **A** 喜悦
B 感慨
C 成长
D 成年

22. **A** 观众的支持
B 栏目有很多同事
C 观众喜欢主持人
D 工作人员做得好

23. **A** 庞大的财富
B 名誉地位
C 一个电视节目
D 庞大的观众群体

24. **A** 金钱
B 时间
C 真正去生活的机会
D 学习的机会

25. **A** 调查
B 平衡
C 正义
D 非黑即白

26. **A** 做节目
B 出国
C 做演员
D 去法国

27. **A** 写一部新的长篇小说
B 拍纪录片
C 出版《生死疲劳》
D 以上都正确

28. **A** 今年年初
B 明年年初
C 今年年底
D 明年年底

29. **A** 1923 年
B 1986 年
C 2003 年
D 2009 年

30. **A** 很年轻
B 符合时代要求
C 是一座纪念碑式的作品
D 和过去的电影一样

第三部分

第31—50题：请选出正确答案。

31. A 促进睡眠
B 促进消化
C 让人疲劳
D 美容养颜

32. A 美国
B 中国
C 日本
D 法国

33. A 美国
B 中国
C 日本
D 法国

34. A 3个
B 4个
C 5个
D 6个

35. A 年轻者
B 中年人
C 小孩子
D 中学生

36. A 武功厉害的女性
B 武功厉害的男性
C 跳舞厉害的女性
D 跳舞厉害的男性

37. A 老生
B 老旦
C 小生
D 花旦

38. A 越来越难
B 越来越高
C 越来越低
D 越来越大

39. A 电话和手机
B 电话和电视
C 电脑和网络
D 手机和电视

40. A 让别人使用电脑
B 学习使用电脑
C 让我打游戏
D 让我学习

41. A 时尚小孩
B 时尚老奶奶
C 时尚老太太
D 时尚老头儿

42. A 矿泉水
B 饮料和啤酒
C 葡萄酒
D 不知道

43. **A** 不一定
B 能
C 不能
D 不知道

44. **A** 头发
B 大脑
C 衣服
D 没有影响

45. **A** 往外跑
B 待在里面
C 打电话
D 打开窗户

46. **A** 玻璃窗户下面
B 镜子下面
C 屋中的角落
D 电视机旁边

47. **A** 进电梯
B 走楼梯
C 在办公桌下躲着
D 跳窗户

48. **A** 去姑姑家玩儿
B 去河里洗澡
C 去找小朋友玩儿
D 去外婆家送米

49. **A** 在河边待着
B 过了河
C 跑回了家
D 什么也没做

50. **A** 不要听别人的意见
B 要自己去尝试
C 不要自己不尝试
D 要听妈妈的话

二、阅 读

第一部分

第 51—60 题：请选出有语病的一项。

51. **A** 我们要用诚意去对待朋友，但不要依赖朋友，更不要苛求朋友。
    B 我们从没有像其他同学那样，会时不时地有些矛盾和摩擦。
    C 他死后也没有什么丰厚的遗产，家人的生活顿时变得窘迫起来。
    D 去年那个公司的经理因受贿而抓起来了，于是公司就倒闭了。

52. **A** 他之所以选择隐居生活，是因为他受不了个人隐私生活遭到破坏。
    B 我曾在一所美术学院两年学过，所以我对广告设计很熟悉。
    C 想到这次将是他最后一次参加新年庆祝会，大家心里不免有些失落。
    D 如果你找到了能改变你一生的朋友，也就等于找到了自己的贵人。

53. **A** 正是这并不崇高的动机，却造就了人类历史上第一部成文的宪法。
    B 许多艺术家的作品很漂亮，并且是为了让这个世界更漂亮而做的。
    C 我曾经好心地把这位大老板的经验和做法推荐到另一位老板。
    D 中国的孩子在家里吃饭时，大都能感受到最好的食物总是先给他们吃。

54. **A** 我是一个豁达开朗、爱说爱笑、有强烈负责感的人。
    B 毕竟考试只是一两天的事，而念书却是三四年的事。
    C 换个方式来说，经济条件是必要的，而文化理想才是重要的。
    D 在武汉，这样温暖的天气要等到 4 月，可见我们生存的环境有多么不同。

55. **A** 写作就像漂流一样，就是文字和艺术的冒险。
    B 我的心被一种全新的力量鼓舞着，仿佛看见了美好的未来。
    C 这位经理人去年回京，到原来所在的公司而任设计室主任。
    D 我握着那半块橡皮，眼泪在眼眶里直打转。

56. **A** 我没有理由不再刻苦学习，没有理由辜负她的一片好心。
    B 刚毕业时，由于缺乏工作经验，我根本就基层管理工作摸不着门。
    C 尽管我没有考上理想中的大学，但我毕竟成功地跳出了“农门”。
    D 她这里的书非常全，而且哪方面的都有，因此来租书买书的人很多。

57. **A** 她要靠当家教和给别人家打扫卫生才能勉强维持正常的生活。
B 没有想到我们可以做这么多事，在巨大的压力之下我们到底成功了。
C 千万不要到最后才发现自己浪费了太多的时间和精力，并因此而自责。
D 中国的医学界也要吸引国外先进的生产及管理方式，才能进步得更快。

58. **A** 当那个歌手决定要放弃学业去流浪时，她也铁了心要追随他。
B 这时候的学校静悄悄的，高考迫在眉睫，每个人都紧张起来了。
C 那时广东电视台正在需要一位普通话主持人，他们相中了程前。
D 你非要这么认为我也没办法，就当我看走了眼，居然将你当朋友。

59. **A** 那个时候冷清得很不得了，哪知才十几年就变得这么热闹了。
B 她很认真，虽然知道临阵磨枪没什么用，但总比自暴自弃的好。
C 那种成长像是在心里忽然打开的花，寂静而又柔美。
D 我发现了玉梅在体育方面的长处，就鼓励她加入了校田径队。

60. **A** 十多年后，我与孩子们有机会于同学会中再次相遇。
B 他说她妈妈宁愿去穷乡僻壤教那些陌生的孩子，也不要自己的亲儿子。
C 每次路过仁慧寺时，我都会进去为他们烧上一柱香。
D 关于我们公司给你们厂投资那件事，我们晚上边谈边吃吧。

第二部分

第61—70题：选词填空。

61. 一般说来，一个人兴趣越＿＿＿＿，读的书越多，他的视野就越＿＿＿＿，也就越能＿＿＿＿自己的才干。社会在不断进步，科技在飞速发展，我们只有通过有选择地读书来不断＿＿＿＿自己的知识面，才能适应这个日新月异的社会。

A 广阔　宽广　增大　扩展　　**B** 广泛　开阔　增长　扩大
C 广大　辽阔　加强　扩充　　**D** 广博　宽阔　增多　扩张

62. 在唐朝，中秋节还被称为“端正月”。关于中秋节的＿＿＿＿，大致有三种说法。中国非常重视非物质文化遗产的＿＿＿＿。2006年5月20日，经国务院＿＿＿＿，该节日被＿＿＿＿第一批国家级非物质文化遗产名录。

A 来源　保卫　答应　加进　　**B** 诞生　保管　允许　进入
C 源头　保存　准许　加入　　**D** 起源　保护　批准　列入

63. 一个人＿＿＿＿在尊重他人的前提下，＿＿＿＿会被他人尊重，人与人之间的和谐关系，也只有在这种互相尊重的＿＿＿＿中，才能逐步＿＿＿＿起来。

A 因为　所以　经过　树立　　**B** 只有　才　过程　建立
C 只要　就　程序　成立　　**D** 之所以　是因为　进程　建成

64. 如今打火机慢慢＿＿＿＿成一种新型的广告媒体，＿＿＿＿的厂家都乐于采用，尤其是烟酒类的商品，更是把打火机作为一种＿＿＿＿的促销伴侣。因其投资少，效果持久，对象群明确，＿＿＿＿类同的企业如饮料公司、宾馆、酒家等多把它作为一种宣传媒体。

A 演绎　精干　合意　故此　　**B** 演化　机灵　梦想　因而
C 演变　精明　理想　所以　　**D** 变化　聪明　满意　因此

65. 有关部门要加强对卫生工作的＿＿＿＿，促使消费者牢固＿＿＿＿讲卫生、爱清洁的观念。如发现餐饮部门使用的餐具有不卫生的现象，要有意识地向饭店方面提出来，或向卫生监督部门举报。应教育店主＿＿＿＿卫生意识，比如妥善保管好筷子，＿＿＿＿受到污染。

A 宣讲　建树　加大　防止　　**B** 宣传　树立　增强　以防
C 散布　确立　加重　以免　　**D** 传播　建立　增加　免得

66. 一个人________不懂得正确的意见只能是对于实际事物的客观全面的反映，________坚持要按自己的主观片面的想法办事，那么，________他有善良的动机，________还是会犯或大或小的错误。

A 因为　所以　尽管　可　　　**B** 由于　因此　即使　也
C 不但　而且　虽然　却　　　**D** 如果　而　　即使　也

67. 历史生动地告诉我们，人类社会的现代化进程是由科学技术的革命性进步________的，科学________是现代化的发动机。16 世纪近代科学的________以及随之而来的工业革命，引发了社会生产方式与人类生活方式的巨大________。

A 引发　进步　诞生　变革　　　**B** 引起　前进　诞辰　变化
C 开发　发展　产生　变动　　　**D** 引来　向前　出生　变换

68. 科幻作品为我们打开了________窗户。阅读科幻作品，________新奇而神秘的世界，可以拓宽我们的视野，________我们的想象力，培养我们探究事物、________生活的兴趣和信心。

A 一面　领会　激励　创新　　　**B** 一扇　领略　激发　创造
C 一个　领悟　激勉　制造　　　**D** 一对　领受　启发　缔造

69. 我们知道，美国的人体器官移植技术是很________的，但令人________的是，能供给的器官太少，与需求极不成________。例如，美国每年等待心脏移植的人有近 5 万，可一年至多只有 2200 人可以等来换心的机会；因为没有心脏________，每年至少有多达两万人在等待中终难圆生命之梦，抱憾而去。

A 一流　忧虑　几率　源头　　　**B** 领先　焦躁　比重　由来
C 先进　焦虑　比例　来源　　　**D** 进步　焦急　正比　来头

70. 有些摄影爱好者不________地打基础，不________地学习摄影知识，基本功这一关尚未过，还没有掌握一定的摄影理论知识，便懵懵懂懂地开始了摄影创作；有些摄影爱好者在摄影创作中不________科学的创作方法，只是________地强调“多拍”，甚至放弃必要的休息时间去搞创作，结果好作品没拍出来，却先搞垮了自己的身体。

A 扎扎实实　循序渐进　讲究　一味
B 踏踏实实　循环反复　讲求　一再
C 结结实实　由浅入深　重视　一心
D 稳稳当当　反反复复　注意　一直

第三部分

第71—80题：选句填空。

71—75.

在梵文里，“avatar”一词具有“经过深思熟虑并且出于特殊目的而从较高境界降临”的含义。通俗地说，（71）________。在《阿凡达》一片中，这个词除了人族化身为纳维人这一直译之外，似乎还有另一层含义，（72）________。导演卡梅隆在其原有的意义上赋予了这个英文单词很多项新的附加含义。这，就是创作。

“能量在世间万物中流动着，我们的能量都是借来的，迟早是要还的。”生命的意义就是这么简单，但是生命却因此而变得不孤单。卡梅隆将所有的生命编织成了一个巨大的互联网，人人身上都有一根“光纤”，随时都可以接入“网络”。这样的想象力，（73）________。这，就是创作。

图腾向来都代表着不可侵犯却真实存在的自然力，只不过在大多数的文化作品中，导演都把图腾用一种非常神秘的形式表达出来。片中，纳维人的图腾是一种可以听到、看到甚至直接召唤到的圣母爱娃。卡梅隆的自创式直观表达，（74）________。这，就是创作。

“和而不同”这个词是在2009年才加入到我的词汇库里的，也才让我真正领会到了对人们自控与包容的呼唤。《阿凡达》也是如此，只不过一向喜欢外露的西方人在这方面反倒显得非常含蓄，（75）________才能恍然大悟，原来折衷与中庸之道并不是东方文化的专利，卡梅隆也悟透了“和而不同”的重要性。这一切的一切，就是创作。

A 就是天神下凡
B 揭示出自然力的伟大
C 需要我们沉静下来慢慢回味
D 激发了人们对生命间互通的渴望
E 就是讽刺人类的自命不凡和自以为是

76—80.

雾凇是学名，现代人对这一自然景观有许多更为形象的叫法，如“冰花”、“傲霜花”、“琼花”、“雪柳”等。

中国四大自然奇观之一的吉林雾凇与其他三处最大的不同之处在于其不可预知性。雾凇来时，（76）________；雾凇去时，（77）________，真正是说来就来，说走就走，（78）________。雾凇性情如此，难免有人偶遇之下陶醉其中，而有人苦盼数日难觅芳踪。

远远望去，（79）________，与天上的蓝天白云相接，让人分不清天地的界限。忽然，几个红的蓝的颜色从树丛里冒了出来，好像不小心滴在宣纸上的几点颜料，在白茫茫的背景下格外显眼。原来是踏雪寻凇的一群年轻人，穿着厚厚的羽绒服在树林里追逐打闹。这片童话般的银色世界让人摒弃最烦心的杂念，满脑子只是“玩”、“美”这些最简单纯朴的字眼。

近距离看去，（80）________。可谁能想到它的降临要经历比雪复杂百倍的物理变化呢？那种厚度达到四五十毫米的雾凇是最罕见的一个品种，要具备足够的低温和充分的水汽这两个极为苛刻且互相矛盾的自然条件才能形成，而且轻微的温度和风力变化都会给它带来致命的影响。了解到这一点，你还会觉得游人有意、雾凇无情吗？

A 一派天地使者的凛凛之气
B 一排排杨柳的树冠似烟似雾
C 枝丫间的雾凇仿佛洁白的雪花
D 转瞬即逝，犹如昙花一现般让人叹惋
E 出其不意，犹如蓬莱仙境般让人陶醉

第四部分

第 81—100 题：请选出正确答案。

81—84.

彩票最早出现在 2000 多年前的古罗马。在罗马帝国时期，国王利用节日和举行大型活动的时机，开展彩票活动，目的是调动人民的积极性，增加节日气氛，为国庆筹集资金。据记载，1530 年在意大利诞生了全球第一个公开发行彩票的机构，运作下来获利很多。1566 年，英国女王伊丽莎白一世曾批准发行彩票，为的是筹款修建港口和弥补其他公用。美国在 1776 年建国后的几年里，国会也曾发行四种彩票来筹集资金，用于社会公共事业发展，资助建立了哈佛、耶鲁等好几所大学。

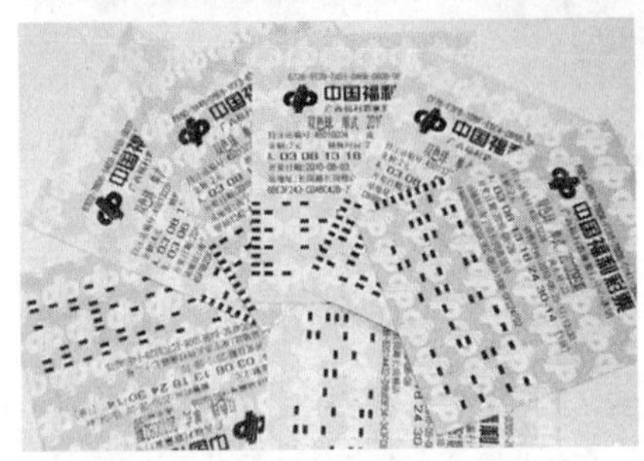

组织卖彩票的目的是为了筹集资金，但是买彩票的目的可能就多种多样了，但是大多数人都是出于希望“天上掉馅饼”的目的。正是因为人们有这样的心理，彩票活动才能长期地进行下去。随着彩票事业的发展，彩票的种类越来越多，主要分为以下几种：

传统型：传统型彩票有着悠久的历史，票面上有事先印制的号码，一般是 5 至 7 位数字，购买者购买后要等待公开摇奖的结果，才能知道自己是否中奖。

即开型：彩票票面上的号码或图案被一层特殊涂膜覆盖，购买者购买后揭开或刮开覆盖物，马上就可以对照销售现场的兑奖公告判断自己是否中奖。

乐透型：是可以由彩民自主选号的彩票，代表着目前世界彩票业的主流。

电脑型：采用计算机网络系统发行销售，定期开奖。

81. 古罗马最早发行彩票的目的不包括哪一项？

A 增加节日气氛 **B** 为国庆筹集资金
C 举行大型活动 **D** 调动人民积极性

82. 关于美国的彩票，正确的是哪一项？

A 1776 年开始发行 **B** 曾发行四种彩票来筹集资金
C 发行彩票是用于修建港口 **D** 为建立哈佛、耶鲁大学而发行

83. 大多数人买彩票的目的是什么？

A 买很多馅饼 **B** 不用努力就可能得到很多钱
C 帮助国家筹集资金 **D** 让彩票活动长期维持下去

84. 关于不同类型的彩票，描述不正确的是哪一项？

A 传统型彩票票面数字是 5 位数或 7 位数
B 即开型彩票可以现场兑奖
C 乐透型彩票可由彩民自主选号
D 电脑型彩票是采用电脑网络系统发行销售的

85—88.

电脑业几乎没有人不认识比尔·盖茨，他被认为是电脑天才，同时在他身上我们也印证了那句话——“英雄出少年”。他非常年轻的时候就涉足电脑软件行业，而且很快就已经小有名气了。他是第一个提醒人们重视软件非法复制的程序员，他希望电脑软件能够广泛地被使用，形成统一的标准。另一方面，他又不希望自己的软件成为免费的午餐，他很想在软件开发这一领域有所作为，最后我们就看到了“微软帝国”的建立。

工业社会在其商业发展阶段，只要控制了产品，就可以拥有财富；在工业资本发展阶段，只有控制了资本才可以拥有财富；而在信息资本发展阶段，只有具有掌握人才的能力，才能拥有财富。实际上，盖茨最让人佩服的地方既不在于他的技术，也不在于他的市场运作能力，更不在于他逐渐积累的雄厚的资金基础，而是他善于吸引和凝聚众多人才的能力，就连盖茨本人也常常感慨：“和一群天才们一起工作是多么有趣的一件事啊！”

盖茨对企业的管理理念是“让员工和公司一起致富”。微软公司的工资水平其实并不是很高，但他会给员工丰厚的本公司的股票收益，这样，员工就能够把自己和公司连为一体，能动性和主动性自然而然就发挥出来了。世界富翁排行榜上总是以微软人最为耀眼，微软也以百万富翁多而闻名。微软吸引、使用、培养和保留人才的做法值得认真研究，盖茨的企业管理方法也值得学习。

85. 电脑业几乎没有人不认识比尔·盖茨不是因为下列哪一项？

A 他是个电脑天才
B 他是第一个提醒人们重视软件非法复制的程序员
C 因为他当时年龄小，所以在电脑业有名气
D 他创建了“微软帝国”

86. 在信息资本发展阶段，拥有财富的关键是什么？

A 控制产品　　**B** 控制资本
C 掌握人才　　**D** 控制信息

87. 盖茨最让人佩服的地方在哪里？

A 他的技术　　**B** 他善于吸引人才的能力
C 他雄厚的资金基础　　**D** 他的市场运作能力

88. 盖茨对企业的管理理念是什么？

A 给员工发更多的工资　　**B** 让员工和公司一起致富
C 鼓励员工炒股以获得收益　　**D** 雇佣富翁作为企业员工

89—92.

中国的饮食一向以丰富多彩闻名，但是很多人可能还不知道，中国的饮食文化中上菜也是很有讲究的。首先从上菜的位置上来看，如果主人和客人一起吃饭，一般上菜和撤菜不能在主人之间或者主要的客人之间以及主人和客人之间进行，一般要从随从人员之间上菜。从上菜的程序来说，标准的中餐，不论何种风味，上菜的顺序大体相同，但各大菜系之间也略有不同。总的原则是：先冷后热，先炒后烧，先咸后甜，先清淡，后味浓。一般的程序是冷盘、热炒、大菜、汤菜、主食、水果。冷盘要在开宴前5—10分钟上好，客人吃去三分之二以后才上热菜。上汤表示菜已经上齐了，有的地方还会再上一道点心或者一道菜。广东菜的上菜顺序是冷盘、汤、热炒、大菜、青菜、点心、炒饭、水果，上青菜则表示菜已经全部上齐了。所有食物都应从客人的左边用右手送上，所有的饮料应从客人的右边用右手送上，所有用过的餐具应从客人的右边撤下，如果有需要撤下的盘子，应先撤盘，后上菜。如果要给大家分餐，要按照先主要客人后主人，先女士后男士，或按顺时针的方向依次分餐。另外，上菜时，要考虑到各地的风俗习惯，比如鱼头应该对着主人，如果菜是鸡的话，不能上鸡头，等等。

89. 按照中国上菜的习惯，可以从什么位置上菜？

A 主人之间　　**B** 主要的客人和主人之间

C 客人和客人之间　　**D** 随从人员之间

90. 下列选项不符合中国上菜程序总原则的是哪一项？

A 先冷后热　　**B** 先浓后淡

C 先炒后烧　　**D** 先咸后甜

91. 吃粤菜时，上哪种菜时就表示菜已经上齐了？

A 炒饭　　**B** 水果

C 青菜　　**D** 汤

92. 给吃饭的人分餐时，顺序不符合中国人习惯的是哪一项？

A 主要的客人—主人　　**B** 女士—男士

C 按顺时针的方向　　**D** 主人—客人

93—96.

科学家们发现，地球上最古老的生命形式已有35亿年，这是对澳大利亚采集的细菌化石进行研究后发现的。生命是在与各种严峻恶劣的环境顽强搏斗中延续、发展的，许多奇异的生命现象简直令人难以置信。

在零下252℃的低温下，氦气已经变成液体，可是有的细菌还能活下来。英国博物馆有两只蜗牛被牢固地粘在木板上做标本，经过了4年，没吃一点儿东西，没喝一滴水，却安然无恙。1952年，辽东半岛上的新金县从泥炭土层中挖掘出在地层中沉睡了1000多年的古莲子。经过北京植物园园艺家的精心培育，这些古莲子终于发芽长叶，开出了清香美丽的荷花。日本大贺两千年前的莲花种，经人工种植，也开出了美丽的花朵。两国古莲花的杂交也绽出了新花蕾，被誉为"中日友谊莲"。

比这些还奇异的生命现象还有：巴黎郊区采石工人从100万年前形成的石灰岩中发现了4只活蛤蟆；墨西哥的一个石油矿中曾发现过一只青蛙，竟然已休眠了200万年之久，挖出两天后才死。

考察、研究生命的奇异现象，对探索物种起源、生物进化、人类的益寿延年等都有着十分重要的意义。

93. 文中介绍的奇异的生命现象中，有几项发生在中国？

A 没有　　**B** 一项　　**C** 三项　　**D** 四项

94. 文中介绍的下列生物，哪个活的时间最长？

A 蛤蟆　　**B** 荷花　　**C** 蜗牛　　**D** 青蛙

95. 奇异的生命现象令人难以置信的原因不包括哪一项？

A 生活在严峻恶劣的环境中　　**B** 长期不吃不喝

C 休眠时间太长　　**D** 竟然没人发现它们

96. 下列哪一项不是考察、研究生命奇异现象的重要意义？

A 探索物种起源　　**B** 研究生物进化

C 计算生物年龄　　**D** 研究人类的益寿延年

97—100.

我是一只小蜜蜂。我们蜜蜂是过群体生活的。在一个蜂群中有三种蜂：一只蜂王、少数雄蜂和几千到几万只工蜂。我就是这千万只工蜂之一。

我的母亲就是蜂王，它的身体很大，几乎丧失了飞行能力。但没有关系，它有千千万万个儿女，我们可以供养它。在我的家族中，只有蜂王可以产卵，它一昼夜能为我们生下 1.5 万到 2 万个兄弟。蜂王的寿命大约是三年到五年，是家族里活得最久的。

在蜂群中还有一种蜂叫雄蜂，它和我们大不相同。它身体粗壮，翅也长。它的责任就是和蜂王交尾。交尾之后，它也就一命呜呼了。要说家族中数量最多、职责最大的，还是我们工蜂。我们是蜂群的主要成员，工作也最繁重：采集花粉、花蜜，酿制我们的"口粮"，哺育我们的弟弟们，喂养我们的母亲，修造我们的房子，保护家园，调节室内温度和湿度……别看工作这么多，我们的身体其实是非常弱小的，我们的寿命也只有 6 个月，就像天空的流星一样—— 一闪即逝，仅有一点儿时间去闪耀自己的光辉。

我们蜜蜂是自然界里最勤劳的了。开花时节，我们忙得忘记早晚，有时还趁着月色采花酿蜜。蜜是很难酿的，我们要酿一公斤蜜，必须在 100 万朵花上采集原料。如果我们的蜂巢与采蜜的花丛距离一公里半，那么我们采一公斤蜜就得飞上 45 万公里，差不多等于绕地球赤道飞行 11 圈。看样子，我们的功业并不次于"阿波罗号"呢! 虽然我们采蜜难，但每年一窝蜂都能采几十斤蜜。在广东的同族们一年四季都不闲着。如果动物世界也有颁奖的话，那么我们蜜蜂一定能获得"最热爱劳动奖章"。

97. 一个蜂群中数量最少的是哪种蜂？

A 蜂王　　**B** 雄蜂　　**C** 工蜂　　**D** 蜜蜂

98. 蜂群中哪种蜂的工作最繁重？

A 母蜂　　**B** 雄蜂　　**C** 蜂王　　**D** 工蜂

99. 雄蜂的责任是什么？

A 寻找食物　　**B** 和蜂王交尾　　**C** 保护蜂王　　**D** 采集花粉

100. 工蜂的寿命是多长？

A 3 年到 5 年　　**B** 1 年　　**C** 6 个月　　**D** 不一定

三、书 写

第 101 题：缩写。

(1) 仔细阅读下面这篇文章，时间为 10 分钟，阅读时不能抄写、记录。

(2) 10 分钟后，监考收回阅读材料，请你将这篇文章缩写成一篇短文，时间为 35 分钟。

(3) 标题自拟。只需复述文章内容，不需加入自己的观点。

(4) 字数为 400 字左右。

(5) 请把作文直接写在答题卡上。

麦当劳是大型的连锁快餐店，同时也是世界上最大的快餐集团，从 1955 年在美国开设第一家麦当劳餐厅直到现在，麦当劳餐厅遍布全世界六大洲百余个国家，已经拥有 31000 多家连锁店。主要销售汉堡包、薯条、炸鸡、汽水、冰品、沙拉、水果等快餐产品。在很多国家，麦当劳代表着一种美国式的生活方式。世界各地的麦当劳一般会按照当地人的口味进行适当的调整。在中国，麦当劳已经开设了 500 多家餐厅，成为中国人熟知的世界快餐品牌之一。

为了能始终能受到广大消费者的欢迎，麦当劳对自身的要求也是非常严格的。他们从各个不同的角度来不断提升标准，确保自己的产品始终能够得到消费者的认可。首先，麦当劳公司通过技术转移来确保食品和其他产品符合麦当劳严格的质量标准。当麦当劳 1990 年在中国开设第一家餐厅时，麦当劳的供应商早在 1983 年就已经在中国开始投资兴建工厂、开发农场，为麦当劳半成品的生产与加工作准备，所有工厂与农场都具有先进的生产技术。至今麦当劳的供应商已在中国各地区先后建立了 50 多家规模很大的养殖及食品加工厂，生产优质的肉类、蔬菜类等原材料。现在麦当劳有 95%的原材料从当地采购，其中牛肉饼已是 100%在本土生产加工。所有麦当劳食品在送到顾客手中之前，都必须经过一系列严格、周密的产品保证系统的认证，单是牛肉饼从生产加工至出售到顾客手中就必须经过 40 多次的严格质量检查。其次，快捷和可靠的服务是麦当劳的标志，每一位员工都以达到“百分之百顾客满意”为基本原则，在麦当劳，只要是顾客提出的合理要求，不管是不是属于员工的服务范围，每一位员工都会尽可能地给予满足。在得到帮助的同时，顾客也能体会到麦当劳员工的微笑，这是很多人喜欢去麦当劳吃饭的一个很重要的理由。第三，卫生保障是麦当劳决不放松的要求。不管是对食品本身的卫生要求，还是对吃饭环境的卫生要求，麦当劳都决不放松。从厨房到餐厅门前的人行道甚至是卫生间，处处都体现了麦当劳对清洁卫生的重视。顾客在麦当劳一定会享受到干净、舒适、愉快的用餐环境。第四，物有所值是麦当劳对顾客的承诺。价格合理、营养丰富，这就是全世界接近 4000 万位顾客天天光临麦当劳的原因所在。在这里，你不仅可以吃到传统的汉堡，还可以吃到有自己国家风味的汉堡和其他食物。就是在这里，不管是在纽约、香港还是北京，只要你光顾麦当劳，就可以吃到同样新鲜美味的食品，享受到同样快捷友善的服务，感受到同样的整齐清洁，并且体验到真正的物有所值。

新汉语水平考试

HSK（六级）模拟试卷 *8*

注　意

一、HSK（六级）分三部分：

1. 听力（50题，约35分钟）

2. 阅读（50题，45分钟）

3. 书写（1题，45分钟）

二、**答案先写在试卷上，最后10分钟再写在答题卡上。**

三、全部考试约140分钟（含考生填写个人信息时间5分钟）。

一、听 力

第一部分

第1—15题：请选出与所听内容一致的一项。

1. A 全球变暖没有好处
   B 全球变暖带来两方面影响
   C 全球变暖减少了疾病传播
   D 全球变暖影响微小

2. A 维生素A不影响视力
   B 维生素A只影响视力
   C 维生素A不是人体必需的
   D 缺乏维生素A会影响食欲

3. A 西红柿炒鸡蛋不受欢迎
   B 西红柿能改善记忆
   C 鸡蛋能保护心脏
   D 西红柿炒鸡蛋很常见

4. A 意大利人不爱咖啡
   B 咖啡馆里有很多花儿
   C 正宗的意大利咖啡不加牛奶
   D 站着喝咖啡需另外付费

5. A 同学们不喜欢他
   B 他比父母高
   C 他已经停止生长
   D 他15岁小学毕业

6. A 压力增强记忆力
   B 记忆力持续3到5年
   C 压力对记忆力不好
   D 过多记忆损害健康

7. A 数学神童非常聪明
   B 数学神童没有被录取
   C 数学神童没参加入学考试
   D 数学神童来自美国

8. A 孩子挨打时会更快乐
   B 父母打孩子很快乐
   C 挨打才能成为好学生
   D 挨过打的孩子更可能成功

9. A 茶杯猪很有人气
   B 茶杯猪样子像茶杯
   C 茶杯猪长得像小猫
   D 茶杯猪比较温顺

10. A 比目鱼视力不好
    B 比目鱼不能改变颜色
    C 比目鱼善于伪装
    D 比目鱼帮助别人幸存

11. A 蛋糕用于比赛
    B 它是最贵的蛋糕
    C 准备工作用了15天
    D 它被完整地保存下来

12. A 妈妈去了厨房
    B 厨房没开灯
    C 儿子视力不好
    D 厨房没有灯

13. **A** 妻子和丈夫感情不好
B 妻子把存款藏起来了
C 丈夫把存款藏起来了
D 妻子不漂亮

14. **A** 朋友喜欢画家的画儿
B 画家的画儿很漂亮
C 画家喜欢粉刷墙壁
D 朋友觉得他的画儿不好看

15. **A** 第一个病毒是由两个人编写的
B 第一个病毒能够防止追踪
C 第一个病毒是第一个网络病毒
D 第一个病毒有害健康

第二部分

第 16—30 题：请选出正确答案。

16. A 设计专业教师
B 室内设计师
C 室外设计师
D 设计公司经理

17. A 经济性、文化性
B 经济性、民族性
C 科学性、经济性
D 科学性、民族性

18. A 设计师来自国内不同地区
B 深圳资金来源丰富，潜力很大
C 深圳的城市建设有很多的机会
D 在与香港设计师的合作中学到很多

19. A 设计师的灵感
B 民族建筑设计的符号
C 现代新技术的应用
D 新理念的组合方式

20. A 个性特点
B 文化特征
C 创新观念
D 民族特色

21. A 0.15%
B 1.5%
C 15%
D 150%

22. A 二氧化硫控制、饮用水安全
B 大气污染防治、农村水资源保护
C 空气质量改善、饮用水安全、重金属污染防治
D 大气污染防治、减少污染排放

23. A 农村饮用水
B 城市饮用水
C 郊区饮用水
D 城乡饮用水

24. A 造纸
B 钢铁
C 火电
D 建筑

25. A 维护生态环境安全
B 建设污水处理设施
C 加强地区防控
D 控制污染气体排放

26. A 2008 年 12 月 5 号
B 2008 年 12 月 15 号
C 2009 年 12 月 5 号
D 2009 年 12 月 15 号

27. A 帮别人拍照后发到网上
B 把自己的照片发到网上
C 拍胜利的表情发到网上
D 拍失败的表情发到网上

28. **A** 8 块
B 20 块
C 50 块
D 100 块

29. **A** 买衣服
B 过生日
C 送咖啡
D 品尝小吃

30. **A** 赚更多的钱
B 为了生存下去
C 可以帮更多的人做事情
D 感受每个人的不同生活

第三部分

第31—50题：请选出正确答案。

31. A 分散注意力
B 方便睡觉
C 集中注意力
D 没有作用

32. A 开车不出声音
B 开车唱熟悉的歌
C 都不危险
D 不能比较

33. A 容易困
B 集中注意力
C 分散注意力
D 不知道

34. A 无所谓
B 没有说
C 不适合
D 适合

35. A 网上购物网
B 咖啡厅
C 休息室
D 网络聊天室

36. A 难看的男孩子
B 漂亮的女孩子
C 难看的女孩子
D 漂亮的男孩子

37. A 毛毛虫
B 恐龙
C 青蛙
D 蜘蛛

38. A 火红色的星星文字
B 人们很难理解的文字
C 火星的文字
D 星星文字

39. A 有臭味
B 没有新鲜空气
C 有有毒气体
D 屋子很脏

40. A 训练味觉
B 提高精神
C 促进消化
D 呼吸困难

41. A 空气中包含的
B 装饰材料中的
C 外面传进来的
D 主人放进去的

42. A 关闭所有的门窗
B 保持室内的通风
C 保持人的数目
D 多放些涂料

43. **A** 四川
B 湖南
C 云南
D 广州

44. **A** 十大古城
B 四大古城
C 五大古城
D 六大古城

45. **A** 没有城墙
B 没有窗户
C 没有城楼
D 没有城门

46. **A** 有助于研究中国文化史
B 有助于了解现代中国
C 有助于了解中国人的饮食
D 有助于研究人的相貌

47. **A** 疾病
B 海啸
C 地震
D 火山爆发

48. **A** 王子港
B 太子港
C 珍珠港
D 海地

49. **A** 强烈的余震
B 强大的人流
C 道路的破坏
D 营救队伍人员不足

50. **A** 平静
B 混乱
C 战争
D 不知道

二、阅 读

第一部分

第51—60题：请选出有语病的一项。

51. **A** 他们望着天空努力眨着眼睛，看得出是在尽力忍住泪水。
B 我天生觉少，躺在那里翻来覆去简直活受罪。
C 妈妈没说过开卷有益之类的话，但她不禁止我看任何课外书。
D 门外闯进来个人，我猜猜他也就20来岁，但是来者不善。

52. **A** 谁都没注意到这么一个小东西正无声无息地跟在他们身后。
B 就在去年，他因为家里的特殊原因，无奈该公司辞职了。
C 门前的小路上绿树成荫，阳光跳跃其间，但我的心却是空落落的。
D 他眼里的泪没有流出来，却如瀑布般倾泻着，倒流进了心里。

53. **A** 会议终于结束了，电扇在巨大的轰鸣声中慢慢停息了下来。
B 当时的我心灰意冷，对教育反感至极，每天过着声色犬马的日子。
C 在那家国际性大公司里，我专门从事日本与亚洲之间的贸易工作。
D 他其他器官很正常，但就是左半边的身体失去了知觉。

54. **A** 令人意想不到的是，就是这次演讲让他从此声名鹊起。
B 一个俄国人曾向我大力推荐他所创立的积极心理治疗理论。
C 我对电脑技术很有兴趣，于是在网上查阅相关资料是常有的事。
D 语言的性别歧视现象，在各语种中都或多或少存在着。

55. **A** 随着文明程度的发展，大家会逐步改变这种生活习惯的。
B 为了赞扬他贡献科学，人们把这一定律命名为“阿基米德定律”。
C 对联得到迅速发展和普及，居功至伟者当属大明开国皇帝朱元璋。
D 对于语言规范，我们应该采取比较宽容的态度。

56. **A** 我在这儿一直待着的呀，怎么会变成你的地盘呢?
B “福”是人们孜孜以求、极其向往的人生目标。
C 她没有变得狂躁，而是以一种极其冷静的方式思考怎样处理这件事。
D 我不但没有崩溃，反而由此领悟了美感的重要意义。

57. **A** 我虽不那么心灵手巧，但如果猛烈地学习，一定能做出漂亮的服装。
B 听经济类的新闻对你来说将不再是一种折磨，而是人生的一大乐趣。
C 他们以几倍甚至十几倍的收益率创造着一个又一个资本界的神话。
D 谁不想进城工作呢？城里工资又高，生活条件又好。

58. **A** 作为历史的产物，汉字必然带有时代的烙印。
B 与其等待世界改善，不如先由内心开始，美化自己的人生。
C 古时候，有一种叫做“年”的怪兽，每到腊月三十便残害生灵。
D 我相信技术的发展会对世界产生很多现在无法预计影响。

59. **A** 他回到家乡后在自己的田地上，亲身参加劳动，做一些试验。
B 听到那首老歌，我觉得一刹那之间心情完全平静下来了。
C 孩子产生依赖性后，会常常把父母当成拐棍而难以自立。
D 那不是一些机器，简直就是科幻电影中的智能机器人。

60. **A** 打开锁闭很久的窗户，空气也带上了干净的温润的味道。
B 经过昨夜那场雨水的滋润，那树梅花应该开了。
C 孔老夫子的弟子从政治家、文学家、外交家到企业家，无所不包。
D 他一边卖花儿一边收集关于陶器，越到后来花在收集上的时间越多。

第二部分

第61—70题：选词填空。

61. 巴黎的卢浮宫博物馆________，不仅仅在于它展品的丰富与珍贵，更在于博物馆本身便是一座________的艺术建筑。据统计，卢浮宫博物馆________庭院在内占地19公顷，自东向西横卧在塞纳河的右岸，两侧的长度均为690米，整个建筑壮丽________。

A 老少皆知　优秀　囊括　雄壮　　B 举世闻名　卓越　包含　宏伟
C 举世瞩目　非凡　包罗　伟岸　　D 闻名天下　杰出　包括　雄伟

62. 爸爸________技术高明，还积极肯干。再难的活儿，________一到爸爸的手里，就能化难为易。________是别人不愿意干的活儿，他也从不________。

A 不仅　只要　即使　推辞　　B 不但　可能　既然　推让
C 既　只有　即便　推卸　　D 不光　唯有　就算是　推脱

63. 礼仪，作为在人类历史发展中逐渐形成并________下来的一种文化，________以某种精神的约束力________着每个人的行为。礼仪是人类________进步的重要标志，是适应时代发展、促进个人进步和成功的重要途径。

A 沉积　一直　控制　文化　　B 积累　依旧　制约　礼貌
C 沉淀　一贯　影响　文雅　　D 积淀　始终　支配　文明

64. 国际上对“文化”一词的定义不尽相同，已接近五百种。________，________不同意见的分歧有多大，有一点是大家都承认的事实，________文化有它的独立性，其自身的发展未必与政治、经济的发展同步，________不可能切合无间。

A 然而　即使　也　却　　B 不过　不管　即　更
C 但是　尽管　却　也　　D 可是　无论　但　还

65. 造纸术的发明对于人类文明的传播有________的作用，它使得文明的传播速度更________、传播成本更低廉，它________了纸质书的出现，所以说这是一项极其________的发明。

A 庞大　快速　促使　崇高　　B 巨大　快捷　促进　伟大
C 宏大　便捷　导致　高尚　　D 重大　方便　促成　了不起

66. 一个人的阅读量大，知识就会越来越________，素质也会随之提高，眼界就会更为开阔。________，写作也需要素材，只有多看书，多________身边的事，将书中所讲的东西与现实生活相________，写出的文章才是好的文章，才具有可读性。

A 富足　并且　留意　联络　　B 丰硕　而且　留神　关联
C 丰富　况且　留心　联系　　D 丰厚　尚且　关心　联合

67. 生命________运动，健康需要活动，除病健身的好方法之一，就是不断地活动。科学研究________，人体中的各部分机能，如果没有经常的活动，就无法________平衡，而这种平衡正是身体健康的________。

A 在于　表明　保持　保证　　B 决定于　表示　维持　保障
C 来源于　说明　坚持　保护　　D 取决于　表现　持续　屏障

68. 三峡工程规模浩大，________，任何一点儿________大意、________不周，都会给国家和人民带来巨大的难以补救的________。

A 备受关注　忽视　思索　损坏　　B 举世瞩目　疏忽　考虑　损失
C 举世闻名　忽略　思考　亏损　　D 享誉海外　疏漏　思虑　损害

69. 在这个竞争的社会里，我们肯定会________很多问题，________是生活上的，________工作上的。困难是________的，但是我们应该具有勇于战胜这些困难的决心。

A 面对　尽管　还　避免　　B 面临　无论　还是　难免
C 相遇　不管　或者　不免　　D 直面　不是　就是　未免

70. 情商________了一个人控制自己情绪、________外界压力、________心理平衡的能力。科学家们经过各种测验和考察，________了情商比智商对人更重要。

A 说明　经受　把持　验证　　B 反应　担当　掌握　验明
C 反响　承担　掌控　证实　　D 反映　承受　把握　证明

第三部分

第 71—80 题：选句填空。

71—75.

相信自己十分重要，你如果连自己都不相信，还能相信什么呢？

然而，(71)________。自信心是一种很大的力量。当自信的力量还没有达到能与恶习对抗，以及与命运对抗的程度时，只好自卑。

自卑，常常是自我保护的好方式，它会使心平静下来，也能免去很多的麻烦。但自卑总有一天会让你感到苦恼，因为内心深处的尊严从一开始就不与自卑妥协。当自卑与自尊在潜意识里打得不可开交的时候，人会突然变得无所适从，原来由自卑收拾的一小片田地变得十分狼藉。

与其用自卑保护自己，(72)________。自信是预先在心里塑造一个"新我"，然后观察"新我"的成长。而"新我"的每一点成长，又会反过来生成自信。

自信当然不是傲慢无礼。

在这个世界上，只有傻瓜才傲慢无礼。在任何富有成就感的事物当中，你都看不到傲慢无礼。麦子傲慢吗？河流与村庄傲慢吗？不。在一些优秀的人当中，你也看不到傲慢，孔子、林肯、爱因斯坦都因谦逊而可敬。

(73)________。相信自己是相信人的力量，包括相信自己具备人类应有的美德。

自信还是相信道德的力量。

最后，我还是要说"信心"这个词里面藏有禅机，(74)________。如果你相信自己的心，一切都会安稳下来。剩下的，是该做的事。

如此说，(75)________。

A 相信自己很难
B 人的一生其实很简单
C 自信就是相信自己
D 不如用自信来爱护自己
E 信心就是相信自己的心

76—80.

那时，离高考还有不到两个月时间，而那个沉溺于网络游戏的大男孩，已逃离学校整整 28 天。亲朋好友轮番上阵劝他回校，父母甚至以死相逼，(76)________。无奈之下他们找到了那位心理咨询师。

在约定的时间，男孩被家长一左一右“押”着走进了心理咨询师的工作室。一米八的个子，却不修边幅，一派邋蹋样子，进门就挑衅似的坐在她对面的沙发上，毫无顾忌地将两条长腿伸到地板中央。第一次见面，(77)________。

那一次会面，只有短短的一个小时。一个小时里，男孩的父母焦灼地在外面晃来晃去，他们只能隔着厚厚的玻璃门窗看到室内的人：心理咨询师极认真细致地做笔记，坐在沙发上的男孩则讲得眉飞色舞。咨询结束时，男孩彬彬有礼地同心理咨询师挥手告别：“老师，恐怕我以后再也不能来了，(78)________。”

那个男孩果真没有再来。几个月后，(79)________。

这是发生在著名女作家毕淑敏心理工作室里的一个小案例。事后，她的朋友及男孩的父母都倍感惊奇，迫切地想知道她是如何在那么短的一个小时里将一块顽石打动的。毕淑敏只微笑着说了一句：“那一天，我说得很少，孩子说得很多。其余的，无可奉告。”

在同孩子沟通的过程中，做父母师长的多用一下耳朵，少用一下嘴巴，(80)________，对那些被定性为“有问题”的孩子，也许就是一剂最好的良药。

A 我得回学校去抓紧复习
B 他就一副刀枪不入的样子
C 保持对孩子独立个体的尊重
D 他考上了一所理想的重点大学
E 仍不见丝毫效果

第四部分

第 81—100 题：请选出正确答案。

81—84.

朋友是我们生命中最宝贵的财富，不可或缺。美国《预防》杂志撰文说，每个女人一生都需要六种朋友，他们不仅可以陪伴你，还可以促进你的健康，这六种朋友分别是：终生的朋友、新朋友、健身朋友、心灵朋友、比你年轻的朋友、能引起你共鸣的朋友。

"积极的人应该多交朋友。"苏州荣格心理咨询中心高级督导王国荣对《生命时报》记者说。现代心理学研究认为，每个人都有三颗心：一颗智慧的心、一颗勇敢的心和一颗联络的心。联络的心就是指要善于交各种各样的朋友。"美国专家总结出来的六种朋友其实可以归纳为'三种'。"王国荣说。

第一种是"老"朋友，即永恒的朋友。美国心理学之父马斯洛曾经说过，自我意识强的人，拥有精粹而真挚的朋友，这也就是中国人常说的"人生得一知己足矣"。一个人真正的知己绝对不会太多，有一两个能够终身相伴，就很不错了。

第二种是"新"朋友，即阶段性的朋友。毕业、升学、工作、搬迁……随着生活内容的不断变化，我们会遇到不同的朋友，这些人就属于阶段性的朋友，友情可能会随着大家不在一起学习或工作而结束。这种朋友在生活中居多。

第三种是异性朋友。心理学研究发现，男人和女人拥有不同的思维模式，男性习惯线性思维，有深度但缺乏完整性；女性习惯圆形思维，有完整性但缺乏深度。因此无论男人还是女人，如果能有一个异性朋友，能时时弥补彼此思维的缺陷，那是最好不过的了。

81. 根据本文，女人不需要下列哪种朋友？
   A 一辈子的朋友　**B** 异性朋友　**C** 可以借钱的朋友　**D** 能引起共鸣的朋友

82. 文中提到的朋友对女人有什么益处？
   A 使她拥有勇敢的心　**B** 帮助她升学　**C** 使她拥有智慧的心　**D** 促进她身体健康

83. 文中第三段画线句子是什么意思？
   A 一辈子只有一个朋友就足够了　**B** 女人应该有一个好朋友
   C 精粹而真挚的朋友一个就足够了　**D** 女人应该有好多好朋友

84. 下列哪种朋友属于阶段性的朋友？
   A 小红跟同在一个公司的小李是好朋友，后来小王换工作了，跟小李就没有联系了
   B 小李是小红的小学同学，他们关系非常好。虽然分开几十年了，但他们还是保持联系，有困难互相帮助
   C 小李和小红是在健身房认识的，后来他们觉得对方都很好，就开始谈恋爱了
   D 小李是小红的爱人

85—88.

英国一项研究显示，女性很难长期保守秘密，她们往往在 48 小时内就将秘密泄露给他人。

研究人员通过对 3000 名 18 岁至 65 岁女性的调查发现，她们保守秘密的时间平均不超过 47 小时零 15 分钟。研究显示，大约 40%的受调查者不论消息有多私密或多机密，都无法克制住透露给他人的冲动。超过半数的受调查者承认，可能在自己清醒和理智的状态，会提醒自己某些秘密必须忍着不说，但是，自己酒后就会忍不住想说一些别人不知道的秘密，或者对某些人某些事说长道短。

研究还发现，女性平均每周会听到三条小道消息，转而传播给他人。大约三成受调查者有泄密的欲望，半数以上的泄密者仅仅是为了“一吐为快”，但三分之二的泄密者事后会有负罪感。

在调查过程中，四分之三的女性声称自己能够保守秘密，83%的女性认为自己完全值得信赖。但超过四成的受调查者认为，将朋友的秘密泄露给不认识他们的人可以接受，大约 40%的受访者说，丈夫是自己的“最终知己”。

对将秘密告诉女性朋友的人来说，稍有安慰的是，大约 27%的受访者说，如果不是特别重要的，或者对某些人有巨大影响的事情，她们大多在第二天就会忘记头一天听说了什么。

85. 调查表明，女性保守秘密平均不超过多长时间？

A 48 小时　　**B** 47 小时零 15 分钟

C 两天　　**D** 一天半

86. 根据调查，下列哪种情况女性会说出秘密？

A 生气时　　**B** 酒后

C 高兴时　　**D** 遇见不认识自己的人时

87. 如果你告诉女性朋友一个关于你的秘密，她把这个秘密告诉谁你可以接受？

A 你的丈夫　　**B** 老板的妻子

C 她的丈夫　　**D** 不认识你的人

88. 关于女性泄密的调查，下列哪一项不正确？

A 一些女性有透露秘密的冲动

B 大多数女性记忆力都不太好

C 50%以上的女性泄密者只是为了“一吐为快”

D 一些人认为可以把秘密透露给不认识你的人

89—92.

中国传统医学界由汉、藏、蒙等多个民族的传统医药学共同组成。它既有东方传统医药学的神秘之处，又往往有现代医药学所不及的奇特功效；它含有神话、传说的成分；它的许多原理至今也无法用现代医学理论进行科学的解释。但这种“神秘”的医药学却常常有着神奇的功效。传统医学的传授方式也很神秘，比如藏医，有很长一个时期，它的传授是在寺庙中以隐秘的方式进行的。

中国传统医药学和西方现代医药学是两种不同的科学体系，表现出两种不同的思维模式，例如中医（汉医学），它对疾病的诊治，主要从整体着眼，针对功能采取多方面的调节性的治疗；而建立在西方现代科学技术基础之上的西医学，则是从局部出发，针对结构采取比较单一的治疗。中医既重视外邪致病，也重视七情内伤，充分考虑到了生理、心理、社会诸多因素在疾病发生、发展和变化过程中的作用；它通过望、闻、问、切等手段，按症候将病人分类定型。而西医，更注重的是病理方面的因素。它借助仪器设备，从组织、细胞乃至分子水平来阐述人体的结构、功能及其变化规律。

中国、埃及、罗马和印度的传统医药学，是世界知名的四大传统医药体系。中国传统医药学因迥异于西方现代医学，常被人认为是非科学的。客观地说，它的确还有一些不成熟的地方。但随着社会的发展、科技的进步和研究的深入，中国传统医药学将不再神秘而为更多的人所接受。现在，美、德等许多国家都开始接受中药，英国所开设的中国传统医药诊所就已经发展到近3000个。

89. 关于中国传统医药学为什么显得“神秘”，下列哪一项理解不正确？

A 与古老的神话和传说结合在一起　　**B** 传授方式很神秘

C 有很多难以解释的地方　　**D** 从事传统医学的人参加了秘密组织

90. 关于中医与西医的比较，下列说法中哪一项符合原文的意思？

A 西医更实用

B 中医能治疗所有疑难杂症，西医则束手无策

C 中医考虑多方面的因素进行治疗，西医主要针对病理因素进行治疗

D 中医更实用

91. 根据本文，下列哪一项正确？

A 传统的中国医药学不光指汉族、藏族的医药学

B 中医学使用青藏高原特有的药物治疗，有西药所不及的功效

C 原来人体中免疫、神经、内分泌系统各自独立，没有联系

D 现代西医学已经能够解决所有疑难杂症

92. 中医的治疗理念是什么样的？

A 从局部出发，单一治疗　　**B** 从整体着眼，针对结构，多方面治疗

C 从整体着眼，针对功能，多方面治疗　　**D** 从组织、细胞阐述整体结构

93—96.

在地面上，行走是指用双腿克服地球引力，轮流迈步，从一处地面走向另一处地面。太空行走是指在太空轨道飞行的失重环境中行走，失重将行走的概念完全搞乱了。在航天器密封座舱中行走，只要用脚、手或身体任何部位触一下舱壁或任何固定的物体，借助反作用力，就可以飘飞到任何想去的地方。座舱里充满空气，划动四肢也可前进，因此行走范围是立体的。

随着航天事业的发展，有大量工作需要航天员走出密封座舱，这是一件非常困难的事。太空是高真空、强辐射和极端温度环境，还有微流星体伤害，必须身着舱外活动航天服以保证生命安全，但也不能立即走出密封座舱，因为还要吸纯氧排氮。由于氧气助燃，容易引起火灾，所以密封座舱中一般不用纯氧，而用以氧、氮为主的混合气体。这样，航天员体内便存在大量的氮。这些氮不像氧和二氧化碳那样会与血红蛋白和缓冲物质起化学作用，而是物理地溶解在血液和脂肪组织中。目前，密封座舱中一般采用与地面相同的 1 个大气压，即 760 毫米汞柱，而舱外活动航天服一般采用 210 毫米汞柱压力。这样，穿上航天服后，体外压力降低，溶解在脂肪组织中的氮便游离出来。由于脂肪组织中的血液供应较差，流动量不大，不能将氮气迅速地通过血液带到肺部排出，因而会在血管内外形成气泡，堵塞血管，形成气胸。这就是减压病。为了防止减压病，必须在出舱前吸纯氧，使体内的氮气逐渐排出。

当然，太空行走不仅仅是在太空轨道飞行时的行走，还包括在其他天体上的行走。比如在月球上行走。由于月球表面没有空气，因而没有空气阻力，加上重力只有地球重力的 1/6，如果像在地球上那样双脚轮流迈步，走起来会轻飘飘的，一蹬地身体就会弹得老高，一步能跨出老远，感觉很别扭，还不如像袋鼠一样双脚并齐、向前蹦跳感到舒适。

93. 什么是太空行走？

A 在太空里飞行

B 在密封座舱外靠太空机动器来移动身体

C 在木星等天体上行走

D 在太空轨道飞行的失重环境中或在其他天体上行走

94. 下列哪一项与短文内容不符？

A 在太空中行走须穿舱外活动航天服　　**B** 在太空中行走起来轻飘飘的

C 外太空一片黑暗，没有可照明的东西　　**D** 在太空中行走会引起减压病

95. 怎么样能防止减压病？

A 出舱前吸纯氧　　**B** 不要把氮溶解在血液里

C 加大太空气压　　**D** 提高肺活量

96. 在月球表面上行走，怎样会更舒适？

A 双脚轮流迈步　　**B** 先迈左脚

C 先迈右脚　　**D** 双脚并齐，向前蹦跳

97—100.

一提到虎，人们就会想到它那健壮的身体、锋利的爪牙和威风的样子。的确，虎被称为“百兽之王”，是胜利和力量的象征。

在现实生活中，虎的数量很少。在9种虎中，有4种已经灭绝了，仅存的5种虎中，也有几种只剩下几十只了。现在，只有美洲虎和东北虎还常出现在森林中。

东北虎的额前有一个“王”字形的斑纹，一身淡黄色的长毛上夹杂着黑色的条纹，十分漂亮。东北虎是肉食性动物，它身上最厉害的武器就是锋利的爪子和犬齿。它的爪子长达10多厘米，伸缩自如，比钢刀还锋利；犬齿长6厘米，是撕碎猎物不可缺少的“餐刀”；虎的舌头上有很多尖锐的刺，适于嘶咬。趾垫和掌心的肉垫像海绵似的柔软，这使东北虎走起路来像猫一样，无声无息，敏捷而富有弹性。

老虎在捕食时常常喜欢静伏、潜行，然后再来个突然袭击。虎的一扑很厉害，能远扑七米之外，跃高两米，一掌可以击倒一只鹿。它的尾巴就像一条铁棍，可以打断动物的腰和腿。它还有尖牙利爪，遇上牛这样的大家伙，就从后面跃上牛背，抓住头颈，前顶后扯；如果从正面袭击，就会抓住咽喉，连咬带撕，再壮的牛也只能任它宰割了。

除母虎带仔外，绝大多数的虎都是单独栖居，并有明显的巢域。母虎一般两三年一胎，一胎一般二仔。由于森林日趋减少，素有“森林的保护者”美誉的老虎不但保护不了被人类不断吞噬的森林，连自身的生存也受到了严重严胁。目前，中国老虎总共只有3000多只。东北虎和华南虎均已被列为一类保护动物。

97. 现在除东北虎以外，还有哪种虎常出现在森林中？

A 美洲虎 **B** 华南虎 **C** 朝鲜虎 **D** 文中没提到

98. 下列哪一个选项是正确的？

A 老虎的皮毛是深棕色的 **B** 东北虎是杂食性动物
C 老虎最厉害的武器是尾巴 **D** 东北虎走起路来无声无息

99. 老虎在捕食时的一扑能扑多远？

A 10多厘米 **B** 6厘米 **C** 7米之外 **D** 两米

100. 什么样的老虎不是单独栖居的？

A 虎王 **B** 公虎 **C** 母虎 **D** 文中没提到

三、书　写

第 101 题：缩写。

(1) 仔细阅读下面这篇文章，时间为 10 分钟，阅读时不能抄写、记录。
(2) 10 分钟后，监考收回阅读材料，请你将这篇文章缩写成一篇短文，时间为 35 分钟。
(3) 标题自拟。只需复述文章内容，不需加入自己的观点。
(4) 字数为 400 字左右。
(5) 请把作文直接写在答题卡上。

一天，一个贫穷的小男孩为了攒够学费正挨家挨户地推销商品。他认真努力地讲解着他要推销的商品，可是整整走了一个上午，也没有一个人愿意买他的东西。他又累又饿，可他摸遍全身，却只有一角钱。于是他决定向下一户人家讨口饭吃。

然而，他敲开第一家门时，开门的是一个满脸长着横肉的胖女人，还没等他说明来意，那个胖女人就重重地关上了门。没办法，小男孩不得不失落地来到第二家，当一位美丽的年轻女子打开房门的时候，这个小男孩却有点儿不知所措了，因为她看起来那么和善、那么亲切，和他以前见到的那些人一点儿都不一样。小男孩没有要饭，只乞求给他一口水喝。这位女子看到他饥饿的样子，就倒了一大杯牛奶给他。男孩慢慢地喝完牛奶，非常不好意思地问道："我应该付多少钱？"年轻女子微笑着回答："一分钱也不用付。我妈妈教导我，帮助别人是不应该图回报的，很高兴我能帮你。"男孩说："那么，就请接受我由衷的感谢吧！"说完，霍华德·凯利就离开了这户人家。此时的他不仅浑身是劲儿，而且更加相信这个世界上还是好人多。只要他能坚持下去，一定会有人帮他、同情他、买他的商品，这样他就可以上学了。

很多年过去了，那个贫穷的小男孩和那位善良的女子再也没有见面，可是在那个男孩的心里却从来都没有忘记那个善良的女子，他很想再见她一次，再一次表达他对她的谢意，因为那杯牛奶不仅填饱了他的肚子，也给了他希望。如果没有那杯牛奶，可能就没有他的今天。后来，那位女子得了一种少见的重病，当地医生对此束手无策。最后，她被转到大城市医治，由专家进行会诊。大名鼎鼎的霍华德·凯利医生也参加了会诊。当他听到病人来自的那个城镇的名字时，一个奇怪的念头瞬间从他的脑中闪过，他马上起身直奔那个女患者的的病房。

身穿手术服的凯利医生来到病房，一眼就认出了恩人。那一刻他会心地笑了，虽然女病人也用一种奇怪的目光看着他，但是她似乎对他并没有什么印象了，毕竟他们只有一面之缘。回到会诊室后，他决定要竭尽所能来治好她的病。从那天起，他就特别关照这个对自己有恩的病人。

凯利医生日夜在实验室工作，经过长时间的努力，最终手术奇迹般地成功了。凯利医生要求把医药费通知单送到他那里，他看了一下，便在通知单的旁边留下一行字。当医药费通知单送到女患者的病房时，她不敢打开看。因为她确信，治病的费用将会花费她整个余生来偿还。最后，她还是鼓起勇气翻开了医药费通知单，旁边的那行小字引起了她的注意，她不禁轻声读了出来："医药费已付：一杯牛奶。"签名是"霍华德·凯利医生"。

新汉语水平考试

HSK（六级）模拟试卷 9

注　意

一、HSK（六级）分三部分：

1. 听力（50 题，约 35 分钟）

2. 阅读（50 题，45 分钟）

3. 书写（1 题，45 分钟）

二、答案先写在试卷上，最后 10 分钟再写在答题卡上。

三、全部考试约 140 分钟（含考生填写个人信息时间 5 分钟）。

一、听 力

第一部分

第 1—15 题：请选出与所听内容一致的一项。

1. **A** 老师怀孕了
   B 老师吃很多甜食和巧克力
   C 孩子吃很多甜食和巧克力
   D 老师牙齿不好

2. **A** 妻子很老
   B 妻子话很多
   C 丈夫很老
   D 丈夫不爱妻子

3. **A** 小王身体很好
   B 小王不喜欢锻炼
   C 小王喜欢在家里学习
   D 小王没有坚持锻炼

4. **A** 小张吃得太多了
   B 小张不太胖
   C 医生让小张拒绝出去吃饭
   D 医生没有办法治疗

5. **A** 感冒时会出很多汗
   B 感冒时不需要喝水
   C 感冒时不需要出汗
   D 感冒时会很冷

6. **A** 爸爸不喜欢学习
   B 爸爸和儿子都喜欢去游戏厅
   C 儿子去过 9 次游戏厅
   D 爸爸很生气

7. **A** 新邻居很穷
   B 新邻居很着急
   C 新邻居在找钱
   D 新邻居很善良

8. **A** 电影是假的
   B 电影票是假的
   C 电影票是小偷给的
   D 电影票是朋友给的

9. **A** 酒瓶撞碎了
   B 酒鬼受伤了
   C 司机喝酒了
   D 酒鬼被车撞了

10. **A** 女孩腰很细
    B 女孩很喜欢蚂蚁
    C 蚂蚁不喜欢甜食
    D 女孩嫉妒蚂蚁

11. **A** 设计师没有其他办法
    B 设计师故意这样设计
    C 当年的字母由 Q 到 M 排列
    D 我们常常看不见键盘

12. **A** “我”收入不多
    B 朋友的车丢了
    C “我”很喜欢汽车
    D 朋友花了 6 万元

13. **A** 小王不能保密
B 小王打算借钱给他
C 朋友很富裕
D 小王不想借钱给他

14. **A** 猫怕被其他猫笑话
B 猫怕被猎物笑话
C 猫不怕被笑话
D 猫不爱干净

15. **A** 夏天人体能量过大
B 夏天不适合吃鸡蛋
C 夏天运动量更大
D 夏天应该少吃蔬菜

第二部分

第16—30题：请选出正确答案。

16. **A** 华山
    B 泰山
    C 黄山
    D 恒山

17. **A** 相机质量
    B 测试电池
    C 拍摄角度
    D 季节变化

18. **A** 春季
    B 夏季
    C 秋季
    D 冬季

19. **A** 网络时代
    B 图像时代
    C 影像时代
    D 摄影时代

20. **A** 尊重现实
    B 掌握技巧
    C 抓住特点
    D 注重变化

21. **A** 网络作品
    B 网络小说
    C 网络文学
    D 网络写作

22. **A** 花
    B 书
    C 画
    D 笔

23. **A** 工厂工人
    B 公司职员
    C 学校教师
    D 银行职员

24. **A** 运动
    B 阅读
    C 逛街
    D 做菜

25. **A** 2004年
    B 2005年
    C 2006年
    D 2009年

26. **A** 学校的茶园
    B 学校旁边的茶园
    C 学校前边的茶园
    D 学校后边的茶园

27. **A** 茶的自然科学
    B 茶的社会科学
    C 茶的文化科学
    D 茶的人文科学

28. **A** 精力有限
B 兴趣爱好
C 两个工作矛盾
D 工资待遇

29. **A** 台湾人
B 北京人
C 云南人
D 香港人

30. **A** 药品
B 装饰
C 食物
D 护肤

第三部分

第 31—50 题：请选出正确答案。

31. **A** 两只全好着
B 两只全瞎了
C 有一只瞎了
D 不知道

32. **A** 完好的那只
B 瞎了的那只
C 两只眼睛
D 一只也不用

33. **A** 很多方向
B 空中
C 陆地上
D 海面上

34. **A** 事情总是和想象的一样
B 有时事情和想象的不同
C 相信自己
D 相信感觉

35. **A** 冷了
B 饿了
C 口渴了
D 受伤了

36. **A** 小河里
B 瓶子里
C 池塘里
D 大海里

37. **A** 把瓶子砸破
B 把瓶子推倒
C 往小河里放石头
D 往瓶子里放石头

38. **A** 要靠大脑来解决问题
B 要靠力量来解决问题
C 要靠拳头来解决问题
D 要靠大家的帮助来解决问题

39. **A** 江西省
B 河北省
C 山西省
D 陕西省

40. **A** 很鲜艳
B 不鲜艳
C 白色的
D 没有颜色

41. **A** 出土后，颜色脱落了
B 出土后被人们洗掉了
C 在土里埋的时间太长了
D 不知道

42. **A** 都一样
B 不知道
C 都不相同
D 都差不多

43. **A** 第一部
B 第二部
C 第三部
D 第四部

44. **A** 《诗二百》
B 《诗三百》
C 《百诗》
D 《诗百》

45. **A** 诗
B 雅
C 风
D 颂

46. **A** 诗
B 雅
C 风
D 颂

47. **A** 大气污染
B 塑料垃圾污染
C 海水污染
D 物体回收污染

48. **A** 让脚破皮
B 损害呼吸神经系统
C 损害中枢神经系统
D 让人流血

49. **A** 造成农作物减产
B 带来农作物增产
C 对农作物没有影响
D 促进农作物的生长

50. **A** 没有什么影响
B 成长更快
C 破坏大脑
D 引起消化道疾病

二、阅 读

第一部分

第51—60题：请选出有语病的一项。

51. **A** 他除了拥有现实的世界之外，还拥有另一个更为丰富的世界。
    B 语音与语义的关系最为密切，二者不可分割，互相依存。
    C 我儿子在“说”与“唱”中渐渐认识了一些关于中国文化的事情。
    D 昨天我下了篮球指导课，在回家的路上收听了交通台广播。

52. **A** 它是一种能使我们心情愉快的物质，可以让大脑产生“满意”感。
    B 合理的营养素摄入，与减少犯罪行为和不正常行为有着一定的联系。
    C 铁腕管理可以使学生更“听话”，糖果可以使学生表现更优秀。
    D 他说他不仅要多学习些汉语和文化知识，而且要做中国朋友。

53. **A** 你永远无法真正了解一个人，除非你能从对方的角度看待事物。
    B 1929年1月19日，梁启超去世，死在他毕生致力的学术研究上。
    C 除学术外，他在古玩鉴赏方面也颇具造诣，于是常有人请他看古器。
    D 在中国里超过一定的身高就要买票，只有一米三以下的儿童免费乘车。

54. **A** 据粗略估计，目前这10项工种缺人已达10万余，且有上升的趋势。
    B 每天我都要告诉两个儿子我是多么爱他们，无论他们是4岁还是18岁。
    C 多年来我一直保存着别人写给我的书信和卡片，而且时常拿出来看看。
    D 如今的他被描述成观众的知心密友，一个生活中尽善尽美的人。

55. **A** 北京是中国政治文化中心，也是新闻传媒发布的基地。
    B 以希腊人自己的方式来举办奥运会，对他们来说这是最适合的方式。
    C 人生的成就，不是单凭知识就能打造，知识只是其中的一环而已。
    D 我很佩服这样的教养、态度，他没有推诿为人父母该负的责任。

56. **A** 地球绕着太阳旋转，这是小学生都知道的知识。
    B 接下来的讲座由我来负责，请允许作一下自我介绍。
    C 自从结识了这位朋友，我的生活一下子变得充实起来。
    D 我常在宿舍的楼上楼下串门，可谓是“东家门里出，西家门里进”。

57. **A** 如果能得到这次机会，我愿将自己的全部能力奉献于这份工作。
B 每天先做好自己该做的事，再做自己想做的事，寻找生活的乐趣。
C 教师经常会提出一些让学生“力不从心”的问题来 “为难”他们。
D 总之，没有哪一只猫因为捕不到老鼠而活活饿死。

58. **A** 有一次他没带门钥匙，使了好大的劲儿才将门撞开。
B 他的生活习惯是凌晨三四点睡觉，因此每天上午谁都不能上他家去。
C 秦晖在成为他的研究生之前，没有受过多少正规的教育。
D 被应邀来参加酒会的各界名流，无不对这一倡议表示支持。

59. **A** 他一口外地口音，令我们这些从未出过远门的山里娃倍感新鲜。
B 自从掌握了初级的网络技术之后，我就试着“百度”自己的名字。
C 资源的开发利用要遵守自然规律，既要兼顾长远利益又要兼顾全局利益。
D 我的人生也算是一路凯歌，现在居然也跻身于“大学教授”的行列。

60. **A** 在欧洲演出期间，他有幸接触到门德尔松、肖邦这样的音乐大家。
B 不分种族、宗教及其社会地位，智障人士成了世界上比例最大的残疾人群。
C 作为一个天才，必须不靠别人帮助，自谋发展地实现自己的目标。
D 在数个星系的中心都发现了高速旋转的气体，这让科学家十分兴奋。

第二部分

第 61—70 题：选词填空。

61. 中国是瓷器的故乡，号称“瓷器之国”。英语中的“china”，既是中国，又是瓷器。瓷器是“泥琢火烧”的________，是人类________的结晶，是全人类共有的________财富。

A 工艺　聪明　可贵　　B 技艺　智力　珍贵
C 艺术　智慧　宝贵　　D 技术　智能　贵重

62. 在上世纪 30 年代伪满的皇宫里，君子兰曾被________唯一的鲜花供奉着。后来________传到民间。君子兰在长春几乎________，并被________长春市的市花。

A 作为　逐渐　家喻户晓　推为　　B 当做　逐步　广为流传　选为
C 视为　渐渐　举世瞩目　成为　　D 看做　悄悄　家家户户　评为

63. 国家体育场是 2008 年北京奥运会的主场馆，由于造型________，又被称为“鸟巢”。体育场在奥运会期间________有 10 万个座位，________该届奥运会的开幕式和闭幕式，以及田径、足球等比赛________。

A 特殊　建　承担　节目　　B 独特　设　承办　项目
C 特别　安　承受　任务　　D 特点　装　承载　科目

64. 什么是经典呢？就是自有了文明以来，历代________的那些写得最好的、最具影响力而又________的著作，其内容或被大众________接受，或在某个专业领域具有典范性与权威性，这样的书才________经典。

A 公开　永垂不朽　普通　谈得上　B 公布　永不磨灭　普及　称得上
C 公认　经久不衰　普遍　算得上　D 认为　广为流传　统统　叫得上

65. ________私有轿车的普及，汽车在消费者眼中早已不仅仅是________的代步工具，往往还带着更多的附加含义。而在新产品________的今天，汽车厂商们也为了如何突出自己的产品而________。

A 随着　单纯　层出不穷　绞尽脑汁
B 跟着　单单　不断涌现　费尽心思

C 沿着　简单　雨后春笋　煞费苦心
D 顺着　单一　日新月异　忐忑不安

66. 许慎________文字的形体，________了 540 个部首，将 9353 个字分别归入 540 部。540 部又归为 14 大类，字典正文就________这 14 大类分为 14 篇，加上卷末叙目一篇，全书共有 15 篇。许慎在《说文解字》中系统地________了汉字的造字规律。

A 依据　创造　以　说明　　B 根据　创立　按　阐述
C 依靠　创建　把　表明　　D 依照　建立　对　表示

67. 位于北京市海淀区的中国国家图书馆于 1987 年________，总馆占地为 7.24 公顷，________面积 14 万平方米。到 2003 年底，馆藏文献已________ 2411 万册（件），________世界国家图书馆第五位。

A 建成　建设　到　列　　B 造成　建立　经　占
C 落成　建筑　达　居　　D 修成　建构　有　排

68. 据《澳门日报》________，上海世博会澳门馆筹备办主任杨宝仪表示，“五一”假期加上首个非指定票日，“玉兔宫灯”及“德成按”共________近两万名游客，________良好。澳门馆连日来成为外地传媒争相________的对象。

A 介绍　招待　顺序　访问　　B 告知　款待　程序　参观
C 告诉　对待　纪律　了解　　D 报道　接待　秩序　采访

69. 中国汉族的四大传统节日之一——中秋节，自 2008 年起，被________国家法定节假日。中国政府非常重视非物质文化遗产的________，2006 年 5 月 20 日，该节日经国务院________，列入第一________国家级非物质文化遗产名录。

A 列为　保护　批准　批　　B 列成　保留　批复　次
C 列入　保持　准许　回　　D 定为　管理　同意　个

70. 中国皇帝长寿的不多，长期的压力________很多皇帝早逝。但是清朝有一位功勋________而且长寿的皇帝，这就是康熙皇帝。据宫廷史料________，康熙生前经常饮用一种养生长寿茶——人参花茶。此茶可以使人长寿，________活力。

A 以致　显赫　记录　充分　　B 导致　卓著　记载　充满
C 致使　突出　书写　充沛　　D 引起　显眼　刊登　充足

第三部分

第71—80题：选句填空。

71—75.

从前，有一个国王，拥有无穷无尽的财富，（71）________，连他自己都不知道为什么。

有一天，国王在皇宫里随便走的时候，突然听到一阵歌声。循声找去，他发现有一个仆人正在唱歌，（72）________。

国王感到很奇怪，就问仆人为什么这么快乐。仆人回答说："因为我的收入足够让我的妻儿过上快乐的生活。我很知足，所以很快乐。"

国王跟丞相说了这件事，希望丞相能告诉他，为什么他作为荣华富贵集于一身的国王却没有他的一个仆人快乐。

丞相听完，说："尊贵的陛下，我相信那位仆人肯定还没有变成'99族'。"

"'99族'是什么?"

丞相说："（73）________。"

那天傍晚，丞相派人在那个仆人门口放了一个装有99枚金币的袋子。第二天早上，仆人看到了袋子，他一打开，惊喜地叫了起来："啊，一袋金币!"他数了一遍，发现是99枚。他有点儿奇怪：为什么不是100枚？又数了几遍，还是99枚。他开始到处找，就是找不到第100枚金币。最后，他决定不找了，决定靠自己的努力工作赚取第100枚金币。

第二天，（74）________，因为他花了大半个晚上的时间来想怎样赚取第100枚金币。他像往常一样去工作，但是跟以前不一样了，他不再快乐地唱歌了。

国王对丞相说："他得到金币之后应该比昨天更加高兴才对啊。"丞相回答说："国王陛下，现在那个仆人已经是'99族'的成员了。（75）________，因为他们总是想得到第100枚金币。"

A 他心情不好了
B 脸上洋溢着快乐
C 但他仍是不满足、不快乐
D 您很快就会知道"99族"是什么意思了
E "99族"指的是那些即使拥有一切也不会满足的人

76—80.

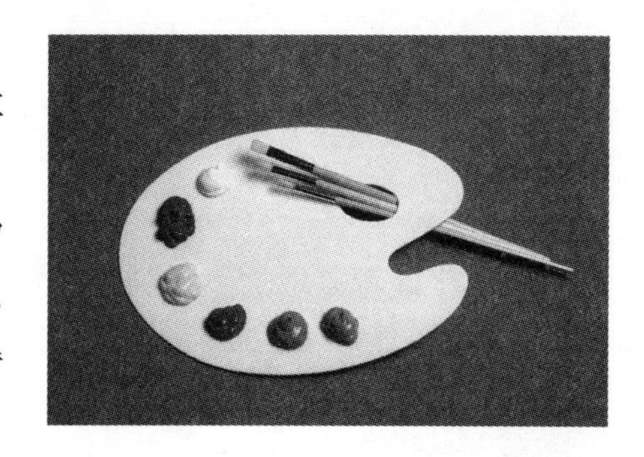

斯帕奇真是个无可救药的失败者，(76)________。从小到大，他只在乎一件事情——画画儿。

他深信自己拥有不凡的绘画才能，并为自己的作品深感自豪。但是，除了他本人以外，他的那些涂鸦之作从来没有其他人看得上眼。

上中学时，他向毕业年刊的编辑提交了几幅漫画，(77)________。尽管有多次被退稿的痛苦经历，斯帕奇却从未对自己的绘画才能失去信心，他决心今后做一名职业漫画家。

到了中学毕业那一年，斯帕奇向当时的沃尔特·迪斯尼公司写了一封自荐信。该公司让他把自己的漫画作品寄来看看，同时规定了漫画的主题。于是，(78)________，以一丝不苟的态度完成了许多幅漫画。然而，漫画作品寄出后如同石沉大海，最终迪斯尼公司没有录用他——失败者再一次遭遇了失败。

生活对斯帕奇来说似乎只有黑夜。走投无路之际，(79)________。他以漫画语言讲述了自己灰暗的童年，不争气的青少年时光—— 一个学业糟糕的不及格生，一个屡遭退稿的所谓艺术家，一个没人注意的失败者。

连他自己都没想到，(80)________，连环漫画《花生》很快就风靡全世界。从他的画笔下走出了一个名叫查理·布朗的小男孩，这也是一名失败者：他的风筝从来就没有飞起来过，他也从来没踢好过一场球，他的朋友一向叫他“木头脑袋”。

熟悉斯帕奇的人都知道，这正是漫画作者本人——日后成为大名鼎鼎漫画家的查尔斯·舒尔茨——早年平庸生活的真实写照。

A 他开始为自己的前途奋斗
B 但最终一幅也没被采纳
C 他所塑造的漫画形象会一炮走红
D 然而他对自己的失败似乎并不在乎
E 他尝试着用画笔来描绘自己平淡无奇的人生经历

第四部分

第 81—100 题：请选出正确答案。

81—84.

可再生能源是取之不尽的自然资源，是最近几年世界关注的热点。太阳能也和水能、风能一样，是可再生资源的一种。目前，与国内太阳能市场繁荣的情况相比，北京太阳能热水器的发展却有些缓慢。北京太阳能研究所研究员日前对记者表示，北京丰富的太阳能资源应该有更多的发展空间。

北京发展太阳能热水器有三个有利条件：一是太阳能资源多，全年日照时间达 2700 小时以上；二是技术和产业基础较好，最早研发太阳能热水器的北京太阳能研究所就在北京，排在全国前 10 名的太阳能热水器企业有三家在北京；三是信息渠道、国际交流渠道多。

虽然有这些条件，但北京在全国太阳能热水器市场份额中只占 5%。“这是让北京的太阳能热水器行业不满意的地方。”研究员说。山东占全国太阳能热水器市场份额的 15%，江浙加在一起也有 30%。全国目前有 3000 多个太阳能热水器生产厂家，而北京只有几十家。

不少居民对太阳能热水器的认识也停留在原始阶段。据有关人士介绍，国内的太阳能热水器已经有了很大的发展，在功能方面与电热水器不分上下。而生产厂家在做宣传时，只注重行业内部的竞争，却忽略了太阳能热水器自身的节能、环保优势，这些都是造成太阳能热水器市场占有率不高的原因。

81. 根据文章判断，下面哪个不是可再生资源？

A 水资源　　**B** 风资源　　**C** 地热资源　　**D** 石油资源

82. 北京发展太阳能热水器的有利条件不包括哪一个？

A 资源丰富　　**B** 生产企业多　　**C** 产业基础好　　**D** 信息交流方便

83. 北京太阳能热水器企业令人不满意的地方是什么？

A 生产数量不能满足市场需要　　**B** 产品质量不如其他地区的企业

C 在全国市场份额中所占比例太小　　**D** 对太阳能热水器的宣传不够

84. 下面哪个是太阳能热水器在国内市场占有率不高的原因？

A 产品技术含量不高

B 厂家不重视产品自身特点的宣传

C 居民认为它污染环境

D 居民觉得使用它费钱

85—88.

联合国食品委员会花了七年的时间终于把西红柿分出了“三六九等”。西红柿按“长相”被划为四大类：圆形西红柿、带棱西红柿、椭圆形西红柿、樱桃西红柿。按照品质，它们又分为特等、一等、二等三个等级。特等西红柿“长相”必须绝对优秀，颜色成熟，“脸上”没有明显瑕疵，大小一致。一等西红柿，在“长相”方面可以有点儿缺陷，比如颜色差一点儿，表面有轻微擦痕等。

虽然说二等西红柿在等级里面最低，但质量也必须满足最基本的要求：外形完整、外观完好、表面清洁，还要新鲜，即无多余水分，无残留农药，无异味。就成熟度而言，西红柿应达到充分的自然成熟状态。

看了这个国际标准，可别因为西红柿的外貌而影响了你的挑选。我们都知道，西红柿能生吃也能熟吃，夏天天气炎热时，胃口不好，那就饭前生吃一个西红柿，还有开胃的作用。对于糖尿病患者来说，西红柿也是热量不高、可以当做水果吃的蔬菜。而且，大家还需要知道的是，不管是什么等级的西红柿，想靠吃西红柿补充维生素 C，那就尽量生吃；想要吸收西红柿中的番茄红素，那就一定要炒着吃，因为番茄红素只有和油一起才能促进吸收。

85. 下面哪个不是特等西红柿的特点？

A 颜色成熟　　**B** 重量相同
C 大小一致　　**D** 表面没有擦痕

86. 自然成熟、表面有一点儿擦痕的是哪类西红柿？

A 圆形西红柿　　**B** 樱桃西红柿
C 一等西红柿　　**D** 二等西红柿

87. 新鲜的西红柿是什么样子的？

A 没有多余的水分　　**B** 没有残留农药
C 没有特别的味道　　**D** 包括以上三项

88. 生吃西红柿有什么作用？

A 补充维生素 C　　**B** 降温解暑
C 提供番茄红素　　**D** 可作药物

89—92.

说起语言，我们每个人都不陌生。我们每天都在使用语言，并通过语言和其他人交流。同样，动物之间的交流也需要“语言”。只是它们采用了各种不同的方式。比如狗用嗅觉，靠闻气味来判断自己的伙伴，青蛙则用声音来呼叫伴侣，等等。

分布于北美洲东部和中部的萤火虫是一种严格使用“萤火”说话的昆虫，雄虫在低空飞舞，每隔 5.8 秒发光一次，雌虫在雄虫发光两秒之后发光，并且每次准确无误。雄萤火虫一旦获得对方的应答便知道对方说：“来接近我吧，你是受欢迎的。”

在澳大利亚生活着一类鸟。它们最大的特点是制造“亭子”，它们用树枝、草建造如亭子般的“建筑物”，并在其中装饰各类物品，包括人类丢弃的各种垃圾。用这种特别的建筑物来吸引异性，也是一种交流的行为。孔雀不用声音，也不用建造“房子”，而是展开自己美丽的羽毛来吸引异性。

不同地区的同类动物也会有不同的交流方式。北美北部和西部的鸟，叫声就有差异，北部的鸟的叫声更大一些。夏威夷管舌鸟曾被认为是单一种类，它们生活在夏威夷群岛的不同岛屿上。但后来人们才发现它们彼此之间是互不往来的，而且各有各的“语言”，结果原先的 1 个种类被划分出了 5 个新的种类。

89. 狗寻找伙伴时用什么器官？

A 眼睛　　**B** 耳朵　　**C** 鼻子　　**D** 嘴

90. 根据本文计算，萤火虫的雌虫每隔多长时间发一次光？

A 5.8 秒　　**B** 2 秒　　**C** 3.8 秒　　**D** 7.8 秒

91. 文中提到的北美北部和西部的鸟有什么差别？

A 北部的鸟大　　**B** 南部的鸟大
C 南部鸟的叫声比北部的小　　**D** 北部鸟的叫声比南部的小

92. 下面哪个不是文中提到的鸟的交流方式？

A 一只脚站立　　**B** 用不同的叫声
C 建造“亭子”　　**D** 展开羽毛

93—96.

“世界环境日”是一个国际性的环境保护纪念日。1972 年 6 月 5 日至 16 日，联合国在瑞典首都斯德哥尔摩召开了人类环境会议。出席会议的国家有 113 个，共 1300 多名代表。会议通过了著名的《联合国人类环境宣言》，并将 6 月 5 日定为“世界环境日”，于是第一个“世界环境日”就是 1972 年 6 月 5 日。

联合国环境规划署每年 6 月 5 日选择一个成员国举行“世界环境日”纪念活动，发表《环境现状的年度报告书》及表彰“全球 500 佳”，并根据当年的世界主要环境问题和环境热点，制定每年的“世界环境日”主题。

世界环境日的意义在于提醒全世界注意地球状况和人类活动对环境的危害。要求联合国系统和各国政府在这一天开展各种活动来强调保护和改善人类环境的重要性。

尽管人类在环境和自然资源的保护方面取得了巨大成就，但贫穷、污染、人口增长和快速城市化等问题仍然对地球造成了巨大压力。2009 年世界环境日以“地球需要你：团结起来应对气候变化”为主题，主办国为墨西哥，这说明了当今拉丁美洲在对抗气候变化方面不断上升的地位。墨西哥同样也是环境署“十亿棵树”项目的积极参与方。从总统到平民的支持使得这个国家已经种植了高达全球目标 25% 的树木。

93. 1972 年的人类环境会议通过了什么文件？

A 《人类环境宣言》　　**B** 《联合国宣言》

C 《联合国人类环境宣言》　　**D** 《环境现状的年度报告书》

94. 2010 年是第多少个“世界环境日”？

A 19　　**B** 27　　**C** 38　　**D** 39

95. 下面哪个不是“世界环境日”的意义？

A 提醒注意环境问题　　**B** 要求各个国家开展活动

C 纪念环境会议　　**D** 为了保护人类生存环境

96. 墨西哥为什么成为 2009 年世界环境日的主办国？

A 经济发展速度快　　**B** 对抗气候变化有很大的成绩

C 对环境保护采用了有效的措施　　**D** 空气质量比较高

97—100.

龙是非常神奇的动物，是中华民族的象征。数千年来，龙的影响延伸到中国文化的多个领域，深深融入中国人的生活之中。

龙的形象起源于中国原始社会的新石器时代。内蒙古、河南、山西、辽宁、陕西、甘肃等地原始社会晚期遗址中都曾出土过一些与龙有关的文物，诸如龙纹彩陶罐、彩绘龙纹陶盘等。不过，当时龙的形象同秦汉以后龙的形象相距甚远。在龙的发展历程中，这时的龙属于“前龙”阶段，也就是说龙的形象正处于起源时期。不同地区之间，甚至同一地区内龙的形象都有较大差异。距今3000多年的商代，龙的形象得到初步规范，被人们称为“真龙”。

通过龙的形象的变化，可以看出龙的起源与农业生产有关。中国是世界重要的农业起源地之一，早在1万年前，中国就有了原始农业。大家知道，水是农业的命脉。原始农业时期没有灌溉工程，必须依赖雨水，又怕河水泛滥，于是中国的先民渴望有一种控制水的能力。但当时，他们实在难以具有这种能力，便将希望寄托于他们所创造的龙这种神话形象上。前龙阶段的蛇、鳄、蜥蜴等爬行动物均与水有关，甚至有的就生活在水中。进入真龙时期，人们干脆给龙在水中“安了家”。人们让龙生活在水中，为的是使其统领水域，以便在农业上需要水时，敬请龙王兴云降雨。

在先民的心目中，龙既然是神物，当然也就在观念上将龙同祥瑞联系到了一起。人们用龙比喻美好的事物，龙的形象深入到社会生活的方方面面。在各种艺术作品中，在语言文字中，在各类物品上，都不乏龙的形象。

97. 龙的形象起源于什么时候？

A 中国原始社会的石器时代　　**B** 中国原始社会的新石器时代

C 秦汉时期　　**D** 文中没提到

98. 下列哪个地方的原始社会晚期遗址出土过与龙有关的文物？

A 内蒙古　　**B** 西藏　　**C** 新疆　　**D** 广东

99. 龙的起源与什么有关？

A 时间、空间　　**B** 商业活动　　**C** 农业生产　　**D** 宗教迷信

100. 从什么时候开始，人们给龙在水中“安了家”？

A 1万年前　　**B** 原始农业时期

C 前龙阶段　　**D** 真龙时期

三、书 写

第 101 题：缩写。

(1) 仔细阅读下面这篇文章，时间为 10 分钟，阅读时不能抄写、记录。

(2) 10 分钟后，监考收回阅读材料，请你将这篇文章缩写成一篇短文，时间为 35 分钟。

(3) 标题自拟。只需复述文章内容，不需加入自己的观点。

(4) 字数为 400 字左右。

(5) 请把作文直接写在答题卡上。

在生活中，有很多人埋怨自己没有机遇，不能在事业上取得优异的成绩。但是，如果你能认真留意生活中的每个细节，可能就会找到灵感，就会找到使事业成功的机遇。

记得有这样一个故事：一个穷人跑到城市里去生活，他没有生活来源，就靠在垃圾堆里捡一些工厂的脚布制作成拖把卖出去，结果赚了 2000 元。这时他突然想到可以直接收购废品厂的脚布，用来制成拖把和抹布赚钱。于是他将赚来的钱都用来收购脚布，小的制成抹布，大的制成拖把。不久，他赚足了钱，还开了一家公司，生意越来越红火。谁会从工厂的脚布中找到机遇？谁会从中看到机会？只有那个穷人能从小事中找到灵感，从灵感中找到成功的机遇。这个故事教育我们，应该从小事中找到成功的途径。

还有这样一个故事：一家机器制造公司在经济危机中遭到很重的打击，有许多大型机器放在仓库中卖不出去。公司的许多领导对此想尽办法，却也拿不出解决的对策来，只能看着这些机器在仓库里存放着。有一天，公司的总经理听见了机器工作的声音，他很好奇，就出去观看了机器工作的全过程。看完以后，总经理非常感兴趣。于是就自己找到操作机器的司机，让他来教自己如何使用。他花了几天的时间，学会了如何驾驶，并从中感受到了乐趣。他心想，现在的年轻人整天工作，没有休息的时间，是不是可以找一块空地，专门教年轻人使用这些机器来放松心情呢？他勇敢地实践自己的想法，结果正如他所愿，很多人都来这里玩儿这些大型机器，并且玩儿得非常高兴。这样一传十，十传百，整个城市的人都知道了这个游戏的好地方，最后这块空地就被开发成了游乐园，成为人们休闲娱乐的好去处。这位经理也使公司渡过了难关，逐渐变得强大，后来成了国内外著名的大公司。

上述两个故事给了我们很多的启示。工厂的脚布、仓库里长期存放的机器，在一般人看来并没有什么用处，很容易忽略这些细节，但这两个人却能有自己的独特想法，从小事中找到灵感，寻找机遇，并不断地进行探索，最终获得了成功。这正是由于他们敢于抓住身边的细节，寻找属于自己的机会，所以成功的大门才会为他们打开，他们才能尝到胜利的果实。其实在现实生活中，有很多成功人士与他们有相似的经历，都是从细节中看出问题，从中找到机遇，收获成功！

朋友们，生活中并不缺少机遇，而是缺少发现机遇的眼睛。只要我们平时多注意周围的事情，多观察生活中的点点滴滴，勇于开动脑筋，找到灵感，我们就能发现机会，把握机会，就一定能开启成功之门！

新汉语水平考试

HSK（六级）模拟试卷 *10*

注　　意

一、HSK（六级）分三部分：

　　1. 听力（50题，约35分钟）

　　2. 阅读（50题，45分钟）

　　3. 书写（1题，45分钟）

二、**答案先写在试卷上，最后10分钟再写在答题卡上。**

三、全部考试约140分钟（含考生填写个人信息时间5分钟）。

一、听 力

第一部分

第1—15题：请选出与所听内容一致的一项。

1. A 钥匙在病人手里
   B 医生拿着钥匙
   C 有个病人恢复了
   D 门是假的

2. A 最老的驴 50 岁
   B 普通的驴 25 岁
   C 英国的驴 35 岁
   D 54 岁的驴很少见

3. A 这种金鱼是透明的
   B 这种金鱼是金色的
   C 这种金鱼能够活三年
   D 这种金鱼专门用于实验

4. A 舞草会说话唱歌
   B 舞草会唱歌跳舞
   C 舞草外表普通
   D 舞草不受欢迎

5. A 人们都喜欢恐怖
   B 人们需要恐怖
   C 年轻人喜欢好奇
   D 好奇对人们构成威胁

6. A 大金字塔有 40 层
   B 大金字塔有 2700 年历史
   C 最重的石块有 1.5 吨
   D 石块大小不同

7. A 公式可以维持婚姻
   B 数学家能预测未来
   C 公式非常准确
   D 公式并不简单

8. A 蜘蛛可以发现森林
   B 蜘蛛随处可见
   C 蜘蛛腿长 10 厘米
   D 蜘蛛十分罕见

9. A 女士很喜欢她的狗
   B 女士讨厌广告
   C 小狗讨厌广告
   D 小狗认识字

10. A 妈妈洗了车
    B 丈夫去购物
    C 妻子洗了车
    D 妈妈来了

11. A 大象有时也忘事
    B 大象记忆力不好
    C 大象不爱学习
    D 大象不喜欢记忆

12. A 这只猫讨厌哲学和艺术
    B 这只猫不是年幼的小猫
    C 这只猫上课经常睡觉
    D 这只猫 2004 年出生

13. **A** 祖孙三代都是皇后
B 四个人都想当皇后
C 祖孙三代都是美女
D 四个人都来自美国

14. **A** 它喜欢赶时髦
B 它已经两岁了
C 它不能走路
D 它佩戴眼镜

15. **A** 鹦鹉模仿足球队员
B 鹦鹉十分淘气
C 主人忍无可忍
D 裁判离开了球场

第二部分

第16—30题：请选出正确答案。

16. A 没关系
 B 与子女教育有关
 C 与长远生活有关
 D 与目前生活有关

17. A 高峰论坛、主题论坛、网络论坛
 B 高峰论坛、主题论坛、市民论坛
 C 主题论坛、公众论坛、市民论坛
 D 高峰论坛、市民论坛、公众论坛

18. A 残疾人、团体
 B 残疾人、团体、学生团体
 C 残疾人、学生团体
 D 残疾人、社团

19. A 要有职业精神
 B 2009年毕业生
 C 精神上的要求很高
 D 有职业精神的2009年毕业生

20. A 秋季
 B 春季
 C 夏季
 D 冬季

21. A 英皇国际商学院、金融教育
 B 英皇国际商学院、《80后创富论坛》
 C 金融教育、《80后创富论坛》
 D 青年创业就业、《80后创富论坛》

22. A 有强大的资金来源
 B 适应经济发展需要
 C 有明确的市场目标
 D 是社会关注的热点

23. A 能力
 B 软实力
 C 资源
 D 人脉

24. A 个人习惯
 B 为人处事的方法
 C 个人习惯、沟通能力、社交能力、为人处世的方法
 D 沟通能力、社交能力

25. A 垮掉的一代
 B 有希望的一代
 C 顾及别人看法的一代
 D 做自己想做的一代

26. **A** 先结婚后买房
B 先买房后结婚
C 租房结婚
D 房子不重要

27. **A** 住房改善需求和住房结婚需求
B 住房改善需求和纯投资需求
C 住房结婚需求和投机需求
D 住房自住需求和住房投资需求

28. **A** 不买车
B 不买房
C 不领结婚证
D 不买戒指

29. **A** 现在没有集体
B 存在“你不买，我买”的心理
C 可以集体租房
D 住房需求正在降低

30. **A** 结婚购房比例很小
B 住房需求跟住房需要不同
C 结婚住房是住房需要，不是住房需求
D 结婚购房比例小，且属住房需要

第三部分

第31—50题：请选出正确答案。

31. **A** 饿死了
B 热死了
C 冻僵了
D 冻死了

32. **A** 把蛇放在火边
B 把蛇放在怀里
C 把蛇放在锅里
D 把蛇放在被子里

33. **A** 给了农夫很多钱
B 很感谢农夫
C 让农夫吃了它
D 咬了农夫一口

34. **A** 好与坏没那么重要
B 谁需要帮助就要帮助谁
C 要分辨善恶，不怜悯恶人
D 没有告诉我们什么道理

35. **A** 北京体育场
B 五里河体育场
C 国家体育场
D 上海体育场

36. **A** 虫巢
B 鸟巢
C 鸟窝
D 摇篮

37. **A** 最左端
B 最右端
C 最下端
D 最上端

38. **A** 标志性建筑
B 明显性建筑
C 完美性建筑
D 一般性建筑

39. **A** 没有影响
B 对手指产生影响
C 对生活环境产生影响
D 对身体和人格产生影响

40. **A** 有
B 没有
C 不明显
D 没说

41. **A** 生活作风问题
B 违法犯罪问题
C 破坏生活环境
D 不知道

42. **A** 电子毒品
B 电子可卡因
C 电子海洛因
D 电子咖啡因

43. **A** 春秋战国
B 元朝
C 秦始皇时期
D 清朝

44. **A** 10 多个
B 20 多个
C 30 多个
D 40 多个

45. **A** 五千年
B 三千年
C 两千多年
D 两千年

46. **A** 中部
B 北方
C 南方
D 中原

47. **A** 北京东北郊
B 北京西北郊
C 北京西郊
D 北京北郊

48. **A** 清华园
B 大师之园
C 学生之园
D 校长之园

49. **A** 43 个学院、50 个系
B 13 个学院、45 个系
C 13 个学院、54 个系
D 30 个学院、54 个系

50. **A** 医科专业
B 工科专业
C 理科专业
D 文科专业

二、阅 读

第一部分

第 51—60 题：请选出有语病的一项。

51. **A** 所有关于她的报道都不约而同地以她的父亲为焦点。
    B 任何选择都不可能尽如人意，结果也是难以预料的。
    C 如果你总是瞻前顾后，就会陷于左右为难的苦恼之中。
    D 公司决定在报纸上发表一星期的广告对产品进行宣传。

52. **A** 心就是一个人的翅膀，心有多大，世界就有多大。
    B 在那个俱乐部上，我认识了许多经济学界的名人。
    C 她原指望从此可以远离麻烦的他，此刻见到他几乎气晕。
    D 据初步估计，此次大地震将为海地带来多达 300 万难民。

53. **A** 从一定意义上说，成功与收获的大小是同付出的多少成正比的。
    B 你可以把这只小狗带回家，愿意玩儿多久就玩儿多久。
    C 中国民间有句俗语，叫做“家家都有一本难念的经”。
    D 他常到一些大学做“推广人际关系”的讲座。

54. **A** 经过几年的努力，我已经得到一批教育专家的支持。
    B 随着你的心态日渐积极，你会慢慢获得一种美满人生的感觉。
    C 我曾做过模特儿，何况我一直追求时尚，所以很了解当代青年的服装需求。
    D 任何企业和个人，都不仅仅是一个经济体，而且还是一个社会体。

55. **A** 我们的企业在推出产品之前，要先学会创新。
    B 放假的时候，我常去爸爸单位看广告设计师是怎么样的工作。
    C 统计证明，季节性流感在这个国家每年至少造成 6000 人死亡。
    D 让世界汽车走进中国，让中国汽车走向世界。

56. **A** 由于工作关系，我经常飞来飞去，对各航空公司的服务感受颇多。
    B 从小时候，我就喜欢读书，希望自己有一天能成为一名作家。
    C 随着我的中文水平不断提高，老师对我的要求也越来越高。
    D 学习不仅仅是一个手段，也是练就一种心理品质的方法。

57. **A** 我的意见不但没被认可，相反还被朋友们评价为“不善于社交”。
B 在整个小学阶段，男孩的生理发展和心理发展总体落后于女孩。
C 她把我说的都记在本子上，说回去以后再据我的意见修改一下。
D 看待一个问题不应该非黑即白，而应有多个角度。

58. **A** 就算学习的技能你会忘记，学习的能力也会让你受用终身的。
B 只要他们真诚与我们相处，我们就信任他们，友善地对待他们。
C 据调查，禁止穿名牌这项措施受到了九成富裕家庭父母的欢迎。
D 精神不是从来就有的，它是物质发展到一定阶段后就出现的。

59. **A** 当今世界进行过的记忆移植大体上分两种类型：直接移植和间接移植。
B 不管世界如何变化，人的优秀品质却是永恒的：正直、勇敢、独立。
C 来这儿以前，他曾在非洲的一家贸易公司当过会计师一阵。
D 不要想着别人能为你做些什么，而要想着怎么去帮助别人。

60. **A** 那次旅游的经验使我对阿拉伯国家的历史感兴趣了。
B 你会一年年地长大，会遇到比你强、比你优秀的人。
C 有能力进行选择，意味着你会过上自己想要的生活。
D 我们不能只是为了提高自己的考试分数而学习。

第二部分

第 61—70 题：选词填空。

61. 当今科学技术发展日新月异，愈来愈多的专家相信，在未来 50 年内，将可能发生与上世纪初物理学革命________的一场新的科学革命。我们能否主动抓住新的科技革命的历史性________，加快中国的现代化________，将是对中华民族实现伟大复兴的真正________。

A 相近　机会　历程　检验　　B 相当　机遇　进程　考验
C 相齐　时机　过程　磨练　　D 相等　机缘　经过　测验

62. 白凤鸡属于哺乳纲的蛋禽类。因为老家在东北，所以它们对寒冷气候也很适应。它们虽然对气候的要求不高，但对于所处环境的干净________要求却很高。在________的环境下，它们的繁殖能力、产蛋率会大大________，而且极容易生病，甚至________死亡。

A 程度　肮脏　降低　导致　　B 水平　污秽　下降　引起
C 层次　污浊　降落　致使　　D 分寸　混浊　缩小　招致

63. 径山的泉水不仅没有污染，而且富含对人体________的多种化学元素。经国家有关部门________，它含有钙、镁、铀等，________国家关于露天矿泉水的饮用标准，并且还有抗癌作用。在径山，由于气候湿润、土壤肥沃，2966 亩竹林郁郁葱葱，白嫩粗壮的竹笋________。

A 有利　评定　相符　接二连三　　B 好处　鉴别　适合　层出叠见
C 益处　鉴赏　合适　屡见不鲜　　D 有益　鉴定　符合　层出不穷

64. 在甘肃省张掖县古城的西南面，有一座高耸入云的木塔，1200 多年来，________这里发生过多次地震，但木塔仍然安然________，没有________到破坏。当地政府十分重视文物保护，对木塔进行过多次维修，使它更加________美观。

A 尽管　屹立　遭受　坚固　　B 不管　矗立　遭遇　牢固
C 无论　站立　遭难　坚实　　D 即使　耸立　遇见　稳固

65. 公元 105 年，东汉的官员蔡伦________了造纸术，造出了人们理想中的纸。________他一次看见别人淘米，发现淘米水上漂浮着一层薄薄的东西，大受________，就用淘米水加上破布等东西造纸。经过多次______，终于用树皮、破布、麻头等东西掺合在一起，造出了植物纤维纸。

A 改变　谣传　开导　尝试　　B 改革　谣言　启示　检验
C 改良　传言　启迪　实验　　D 改进　传说　启发　试验

66. 我们常讲关心他人，这不是官腔客套。只有________地“我为人人”，才会有“人人为我”。再说，________是中华民族的传统美德，正需要我们这一代去________。青少年更应该从小做起，________培养自己，努力为周围的人带来欢笑，做一个有益于人民的人。

A 诚心诚意　助人为乐　发扬光大　逐步
B 一心一意　与人为乐　发奋图强　逐渐
C 真心诚意　乐于助人　面面俱到　渐渐
D 全心全意　舍己为人　全力以赴　渐进

67. 纵观历史的发展，许多伟大人物的成就都是与他们的良好习惯分不开的。大文豪托尔斯泰一生________于体育运动，这使他能以________的精力完成不朽的著作；美国著名作家马克·吐温________每天清晨默读墙上的好词佳句，这为他写出脍炙人口的作品打下了________的基础。

A 酷爱　充足　执着　坚固　　B 盛情　充分　持续　稳固
C 热衷　充沛　坚持　坚实　　D 热爱　充裕　保持　牢固

68. 中国女排曾经为世界瞩目，她们以________的技艺征服了世界高手，成绩可谓________。________女排姑娘如果不是在平时千百次的训练中一个球一个球地________、扎扎实实打好基础，又怎能为世界瞩目呢？

A 精练　显著　可是　历练　　B 高超　卓越　那么　锻炼
C 精湛　显赫　然而　磨练　　D 精深　明显　于是　练习

69. 几千年来，中国劳动人民在同大自然的长期斗争中，________出了大量的农业谚语。他们用聪明才智________了大自然事物之间的内在联系和运行规律。这些谚语在农业生产和日常生活中________了巨大的作用，在今天仍有积极的________意义。

A 归纳　展示　表现　实际　　B 概述　显示　施展　现代
C 概括　揭露　发扬　真实　　D 总结　揭示　发挥　现实

70. 纸书将可能被各式各样的电子书取代，这大概是书的未来发展方向，但这绝不________着纸书会消失殆尽，或者成为________。因为纸书也有一些电子书无法________的优点：便于携带，价钱低廉，阅读方便，既不需要辅助设备，也不用________能源。

A 代表　陈设　比较　耗费　　B 意味　摆设　比拟　消耗
C 说明　陈列　相比　损耗　　D 象征　摆列　对照　耗损

第三部分

第 71—80 题：选句填空。

71—75.

下雪那天刚好是圣诞节，学生们正安静地做着一套模拟试题。临窗的苏朋竟开起了小差，(71)________。一时间，我怒火中烧。

苏朋智力偏低。就因为这个长期往下拉分的学生，我们班的平均分一直排在后面。尽管如此，我还是很照顾他的自尊心，每次公布成绩，我都会故意不说他的名字，以免伤了他的自尊心。(72)________。

"苏朋，认真做题。"我大声地吼了一嗓子。

过了一会儿，我又发现了他的异常。这次，窗子被他打开了一条小缝儿，他还把一只手伸了出去。我压抑很长时间的怒火一下子喷发了出来。"我们班成绩低，主要就是因为你！"我的话刺中了他的要害，(73) ________。放学后，苏朋把我堵在了办公室门口，哆嗦着递给我一张小卡片，转身跑了。卡片上面零落地画满了雪花，一时间我怔住了。我找遍了食堂和宿舍都不见他，后来发现他坐在教室。

"苏朋，你怎么在这儿啊？"这一次，我的语气明显温和。"我想看看书，我不想再给班上拉分了。"(74)________。我拿着那张卡片问他是怎么回事，他说是送我的贺卡，他的字很难看，所以只想画几片雪花表示祝福。原来，他在教室伸出手，就是想抓住几片雪花，看看雪花什么样。

"傻孩子，可以照着别人的贺卡来画啊。" "我爸妈说过，我脑子笨，可也是个人，也有尊严，不能抄别人的东西。老师，我虽然成绩不好，(75)________，那几片雪花都是照着我接在手心的雪花画出来的。"

听了他的话，我的心里充满了歉疚。

A 他依然不敢看我
B 他的脸涨得通红
C 可从来没作过弊
D 可他却不能体会我的心情
E 眼睛一眨不眨地望着外面

76—80.

传说，中国古时候有一种叫“夕”的兽，头长触角，凶猛异常。“夕”长年深居海底，每到特定的时间（除夕）才爬上岸，吞食牲畜，伤害人命。因此，每到除夕这天，村村寨寨的人们都扶老携幼逃往深山，(76)______。

有一年除夕，从村外来了个乞讨的老人。(77)________，只有村东头一位老婆婆给了老人些食物，并劝他快上山躲避“夕”兽。那老人把胡子撩起来笑道：“若让我在你家待一夜，我一定把‘夕’兽赶走。”老婆婆继续劝说，乞讨老人笑而不语。

半夜时分，“夕”兽闯进村里。它发现村里气氛与往年不同了：村东头老婆婆家的门上贴着大红纸，(78)________。“夕”兽浑身一抖，怪叫了一声。将近门口时，(79)________，听到这声音，“夕”浑身战栗，再不敢往前凑了。原来，“夕”最怕红色、火光和炸响。这时，婆婆家的大门打开了，只见院内一位身披红袍的老人在哈哈大笑。“夕”大惊失色，(80)________。第二天是正月初一，避难回来的人们见村里安然无恙，十分惊奇。这时，老婆婆才恍然大悟，赶忙向乡亲们述说了乞讨老人的许诺。这件事很快在周围村里传开了，人们都知道了驱赶“夕”兽的办法。

从此，每年除夕，家家贴红对联，燃放爆竹；户户烛火通明，守更待岁。初一一大早，还要走亲访友道喜问好。这风俗广泛流传，成了中国民间最隆重的传统节日。

A 院内突然传来“砰砰啪啪”的炸响声
B 狼狈地逃走了
C 乡亲们一片匆忙恐慌
D 以躲避“夕”兽的伤害
E 屋内烛火通明

第四部分

第 81—100 题：请选出正确答案。

81—84.

生态旅游是由国际自然保护联盟于 1983 年首次提出的，1993 年国际生态旅游协会把其定义为：具有保护自然环境和维护当地人民生活双重责任的旅游活动。生态旅游的定义更强调的是对自然景观的保护，是可持续发展的旅游。

生态旅游以保护自然环境和生物的多样性、维持资源利用的可持续发展为目标；不破坏生态，使人和环境达到永久的和谐，所以说“生态旅游”是一种绿色旅游。生态旅游的特点是以旅游促进生态保护，以生态保护促进旅游，准确点儿说，就是有目的地前往自然地区，了解环境的文化和自然历史，它既不会破坏自然，还会使当地从保护自然资源中得到经济收益。

生态旅游强调以一颗平常心尊崇自然的异质性，把自然作为有个性的独立生命来看待。参加生态旅游的人们在欣赏自然的同时，应该尽量少使用机动车，不在景区内增添人为建筑，见到野生动物不要去打扰，更不可去捕捉，要学会静观默察，认真听取周围的天籁之声，并通过摄影、写生、观鸟、自然探究等活动，充分感悟和审视自然之美。

81. 关于生态旅游的定义，下列哪一条不符合？

A 是保护自然环境的旅游活动　　**B** 是维护当地人民生活的旅游活动
C 要重视经济发展　　**D** 是可持续发展的旅游

82. 为什么说“生态旅游”是一种绿色旅游？

A 以保护自然环境和生物的多样性为目标
B 以维持资源利用的可持续发展为目标
C 使人和环境达到永久的和谐
D 以上都正确

83. 关于生态旅游，下列选项中哪一项是正确的？

A 重视经济收益　　**B** 不为赚钱，只为保护环境
C 让当地人赚了很多钱　　**D** 在保护环境的同时也能获得经济收益

84. 根据本文判断，下列哪种做法不属于“生态旅游”？

A 静观默察　　**B** 旅游时以步行为主
C 捉一只野兔拍照后再放掉　　**D** 不在景区内增添人为建筑

85—88.

一个人生命中大约三分之一的时间在睡觉。对人而言，可以没有骄傲的学习业绩、浪漫的恋爱婚姻、辉煌的事业，却万万不能没有睡眠。对于生命和健康来说，睡眠比饮食、医疗以及运动等更为重要。因为人在卧睡时，脑和肝的血流量是站立时的 7 倍。睡眠可以使体内所有系统都缓慢下来，如心脏跳动减慢，血压降低，体温降低，这使能量的释放大大降低，从而达到保存能量的作用。同时，生长激素在夜间熟睡时的分泌量是白天的 5–7 倍，有利于儿童和青少年的生长发育，也能激活中老年人体内的一些物质，从而加速新陈代谢，延缓大脑衰退。

每个人每天所需的睡眠时间是大不相同的。健康人中大约有 10%的人可能睡 4 至 5 小时就够了，有 15%的人睡眠超过 8 小时甚至更多，其他人平均大约是 8 小时。在人一生的不同阶段，睡眠时间也不一样。刚出生的婴儿每日需睡 16 小时以上；青年人约需 8 小时；成年人固定在其特有的睡眠习惯上；一般进入老年期后，睡眠时间逐渐减少。

睡眠应该是我们在生活中学习的第一课。因为睡眠是一切生理活动所需能量恢复和重新积累的过程。只有认识睡眠、正确理解睡眠，我们才能有健康的身体；也只有懂得了如何正确健康地睡眠，我们才能更好地享受生命。

85. 根据本文，下列哪一项对人们而言是不能没有的？

A 骄傲的学习业绩　　**B** 浪漫的恋爱婚姻

C 辉煌的事业　　**D** 睡眠

86. 对于生命和健康来说，以下哪一项更重要？

A 睡眠　　**B** 饮食　　**C** 医疗　　**D** 运动

87. 关于睡眠，下列选项中哪一项是不正确的？

A 坐睡时脑和肝的血流量是站立时的 7 倍

B 可以使体内所有系统都缓慢下来

C 有利于儿童的生长发育

D 有利于延缓大脑衰退

88. 关于睡眠时间，下列哪一项是不正确的？

A 75%的健康人平均每天睡 8 个小时

B 刚出生的婴儿每日需睡 16 小时以上

C 成年人约需 8 小时

D 老年人比青年人睡眠时间少

89—92.

刀削面是山西人最喜爱的面食，因其风味独特而驰名中外。刀削面全靠用刀削，因此得名。用刀削出的面叶，中间厚，两边薄，形状近似柳叶，并且越嚼越香，深受喜爱面食者欢迎。它与北京的打卤面、山东的伊府面、河南的鱼焙面、四川的担担面同称为“五大面食名品”。

刀削面对和面的技术要求较严，水、面的比例必须准确，一般是一斤面三两水，打成面穗，再揉成面团，然后用湿布蒙住，半小时后再揉。揉面也很重要，一定要揉匀、揉软、揉光。如果揉面功夫不到家，削时容易粘刀、断条。刀削面最精妙的地方在于刀功。刀，一般不使用菜刀，而要用特制的弧形削刀。操作时左手托住揉好的面团，右手持刀，手腕要灵活，用力要均匀。高明的厨师每分钟能削 200 刀左右，每个面叶的长度，恰好都是 6 寸。吃面前，能够参观厨师削面，就好像是欣赏一次艺术表演。

刀削面的配料也是多种多样的。一般是番茄酱、肉炸酱、羊肉汤、金针菇、木耳鸡蛋卤等，并且配上应时鲜菜，如黄瓜丝、韭菜花、绿豆芽、煮黄豆、青蒜末、辣椒面等，再滴上点儿老陈醋，十分可口。

89. 下列关于“刀削面”的说法中正确的是哪一项？

A 刀削面是外国人最喜爱的面食
B 只有山西才有刀削面
C 全靠用刀削，所以叫“刀削面”
D 中间薄两边厚，形状像柳叶

90. 下列哪一项是“五大面食名品”之一？

A 山东的伊府面　**B** 北京的鱼焙面
C 四川的打卤面　**D** 河南的担担面

91. 为什么揉面很重要？

A 揉不软，面就不好吃　**B** 揉不光，面就不好看
C 揉不好，削时容易粘刀、断条　**D** 刀削面最精妙的地方在于揉面

92. 下列选项中错误的是哪一项？

A 和面时，一般是一斤面放三两水
B 揉成面团后要用干布蒙住，半小时后再揉
C 高明的厨师每分钟能削 200 刀左右
D 高明的厨师削出的面每个面叶的长度恰好是 6 寸

93—96.

抑郁是一把软刀子，它切割着你的心灵，你能感到痛苦，但是却看不到这把软刀子。每个人在人生的某一阶段、某一时刻都会经历抑郁的折磨，但有时自己又感觉不出来。其实抑郁的表现有很多种，比如在生活中感觉什么都没有意思，情绪低落，不愿说话，更不愿搭理他人，无精打采，唉声叹气，忧心忡忡，等等。

心理卫生专家把严重持久性的抑郁分为三种。一种是双向情感障碍，表现为既有情绪高涨的狂躁发作，又有情绪低落的抑郁状态。第二种是重型抑郁症，表现为抑郁长期发作，严重时有自杀行为。第三种是轻度抑郁，表现为情绪不佳，愁眉不展，持续时间达两年以上。

一些心理门诊统计表明，后两种抑郁中女性比男性高出一倍。女性发生的情况多一些，并不意味着女性不如男性。相反，如果心理疾病能得到及早治疗和疏导，反而会使人更加健康。对于女性来说，有一个有利于心理健康的法宝，即"唠叨"。当你向亲人、朋友甚至同事唠叨一些事，宣泄了心头的积郁之后，心情就会好起来。

心理医生可以根据患者的情况进行心理疗法，并配合药物治疗、行为疗法、集体疗法等方法，很快就会见效，有时比治疗普通感冒还要简单。

93. 下列哪个选项是正确的？

A 本文说的是一种很软的刀

B 抑郁是用来切割用的

C 人时时刻刻都在受抑郁的折磨

D 经历抑郁折磨时，有时自己感觉不到

94. 下列选项中哪一项是抑郁的表现？

A 感觉什么都有意思　　**B** 喜欢聊天儿，爱说爱笑

C 不愿搭理他人　　**D** 总是兴高采烈的

95. 下列哪一项不属于严重持久性的抑郁？

A 双向情感障碍　　**B** 早上起床不爱说话

C 有自杀行为　　**D** 持续两年以上情绪不佳，愁眉不展

96. 下列哪种做法对心理健康有利？

A 唠叨　　**B** 跑步　　**C** 吵架　　**D** 睡觉

97—100.

七月，夏日炎炎，大量西瓜上市了。西瓜被称为“夏季水果之王”，是人们最为喜爱的水果之一。

西瓜不但凉甜可口，营养价值也很高。除了不含脂肪，西瓜的汁液几乎包括了人体所需要的各种营养成分，如维生素A、B、C、蛋白质和葡萄糖等。

关于西瓜的药用价值，在《日用本草》、《本草纲目》等中医典籍中均有记载。如西瓜能消烦、止渴、解暑热；将西瓜汁含在口中可治口疮；西瓜皮，中医叫“西瓜翠衣”，可治岔气及口唇生疮；瓜籽仁有清肺等功能；根叶煎汤，可治肠炎；瓜皮煎汤代茶，是很好的消暑清凉饮料。

中国人在长期的西瓜栽培中，经过精心选育，创造了许多优良品种，如“郑杂三号”等。有的西瓜品种起的名字还很新颖，如“十八天炒”，因为它生长18天就成熟了。这种西瓜皮薄，籽儿小，个儿也不大，却比普通西瓜甜，一棵能结三四个，深受人们喜爱。西瓜很容易种植，只要把吃瓜时吐出的籽晒干，第二年开春后埋在土里，经过绵绵春雨，瓜芽就渐渐从瓜壳里钻出来，不几天就能长出几寸高。如果管理得好，一棵瓜秧能结出三四个西瓜，一亩地能产上千斤，经济效益很高。种西瓜是农民发家致富的好门路。

西瓜在中国有着悠久的种植历史，因为它来自西域，所以名“西瓜”，因其性寒，又名“寒瓜”。

97. 下列哪一项不是西瓜汁中含有的营养成分？

A 脂肪　　**B** 维生素A　　**C** 蛋白质　　**D** 葡萄糖

98. 下列哪一项属于西瓜的药用价值？

A 治疗心绞痛　　**B** 止头疼　　**C** 解暑热　　**D** 祛风湿

99. 为什么有的西瓜名叫“十八天炒”？

A 要炒18天　　**B** 生长18天就成熟了

C 它皮薄，籽儿小　　**D** 它比普通西瓜甜

100. 西瓜又叫什么？

A 水瓜　　**B** 甜瓜　　**C** 绿皮瓜　　**D** 寒瓜

三、书 写

第 101 题：缩写。

(1) 仔细阅读下面这篇文章，时间为 10 分钟，阅读时不能抄写、记录。

(2) 10 分钟后，监考收回阅读材料，请你将这篇文章缩写成一篇短文，时间为 35 分钟。

(3) 标题自拟。只需复述文章内容，不需加入自己的观点。

(4) 字数为 400 字左右。

(5) 请把作文直接写在答题卡上。

董健先生曾讲过这样一个故事：他在大学一年级时曾把孔子的“古之学者为己，今之学者为人”望文生义地解释为：古代学者读书学习是为了自己，现在的学者读书学习是为了别人。后来才知道本意其实是：古代学者学习的目的在于修养自己的学问道德，现在学者的目的却在于装饰自己，给别人看。

这个故事使我想了很多。读书不能望文生义，不求甚解，而要多读多思，力求把握古书的真义；读书应该端正态度，努力追求古人的那种“为己”境界；为人、为学都应坦诚，要勇于自我批评，做到有错必纠……但是我想得最多的还是有关学习的目的——读书的三重境界。

什么是“读书的三重境界”？即为知、为己、为人。

为知，就是为了积累知识，增长学问、识见和智慧。为此，必须多读书，读好书。在一定情况下，“书痴”、“书呆子”作为一个读书过程，一种学习的精神与状态，是不应当受到嘲笑的。只要是有利于知识积累、有利于开慧益智的书，都不妨翻一翻，遇到和自己观点不同或者不合时宜的书，也要拿过来看一看，甚至研究研究，以便从正反两面获得经验和教训。总之，博学才能多才多艺，这些都是“为知”的需要，也是读书最起码、最基本的要求和目的。

为己，就是古人所说的修身、正己，培养自己的人格、道德和情操。这是读书的第二重境界。中国的读书人向来把占有知识视为人品、人格自然升华的保证。事实证明，读书与不读书、读书多与读书少的人，所表现出的内在气质与素质是绝不相同的。常言道“独善其身”，练好“内功”，提高自身的素质和修养，也有益于身心健康，这是古今知识分子共同追求的读书目标。读书固然要博览，但是所读之书也要尽可能有所选择。换句话说，不仅要多读书，还要读好书，这是非常关键的。

对于读书完全“为知”而言，“为己”已经是大大提高了一个层次和境界。这是非常宝贵的，应该大力提倡，并且大加发扬。但是光做到这一点还不够，从更高的层次上说，还应该向前人学习，即“为人”而读书。

我所说的“为人”，不是“今之学者”的“装饰自己，给别人看”的“为人”，而是董健先生所私心向往的“为了别人”，即我所要表达的“为百姓”而读书，或周恩来少时所说的“为了中华之崛起而读书”。比较而言，“为己”是读书人“能够”做到的，“为人”则是读书人“应该”做到的。

读书有三重境界，每一重境界都是一个新的逻辑起点，而第三重境界则是最高境界，也是我们每一个读书人都应该重视和追求的终极目标。

听力文本

HSK（六级）模拟试卷 *1*

（音乐，30 秒，渐弱）

大家好！欢迎参加 HSK（六级）考试。
大家好！欢迎参加 HSK（六级）考试。
大家好！欢迎参加 HSK（六级）考试。

HSK（六级）听力考试分三部分，共 50 题。
请大家注意，听力考试现在开始。

第一部分

第 1 到 15 题，请选出与所听内容一致的一项。现在开始第 1 题：

1. 一个妙龄姑娘嫁给了一位大富商。结婚当天的晚上，新娘对新郎说："你的年纪都快赶上我爷爷了，我真的觉得有点儿委屈了自己！"新郎说："要说委屈嘛，我比你更委屈。你爷爷只比我大 5 岁，可我还得叫他爷爷。"

2. 丈夫和妻子在家里。妻子说："你好好学一下洗碗机的用法吧。"丈夫说："不用了，我不想再学了，学会了洗衣机的用法后，我已经够麻烦的了！"

3. 中国古代圣人孟子小的时候父亲就去世了，他的母亲为了给他提供良好的学习环境，曾经多次搬家，以防他学坏。最后搬到了学校附近，看到孟子向有礼貌的人学习礼仪，他的妈妈才满意。

4. 一个农夫有一个果园。一天，他发现一个小男孩偷偷进入他家的果园，爬上了一棵苹果树，摘下了一个苹果。正当小男孩要吃的时候，这位农夫走过来问："小家伙，你爬到我的树上做什么？"小男孩举起手中的苹果，对农夫说："您看，先生，树上掉下来一个苹果，我想把它重新挂上去。"

5. 中国古代圣人老子是著名的哲学家。老子认为：我们处理问题要在它发生以前，治理国家要在战乱发生之前。两个人才能合抱的大树是由小树长成的，九层的高楼是一层一层地盖起来的，一千里的路程是从脚下开始的。

6. 丈夫和妻子马上就要出门了，可是妻子还在化妆。丈夫等了很久，终于不耐烦地问："你到底还要化多久啊？"妻子说："怎么还问啊？我不是告诉你好几次'再等一分钟'了吗？"

7. 上课的时候，老师提问学生："谁能告诉我一个惊人的巧合？"小强回答说："老师，我知道！我爸爸的婚礼和我妈妈的婚礼恰好在同一天举行！"

8. 妈妈对小明说："你今天7岁了，祝你生日快乐，小明。"小明说："谢谢妈妈！"妈妈说："我送给你一块生日蛋糕，上面插上7支蜡烛，好吗？"小明说："妈妈，我可以要7块蛋糕和一支蜡烛吗？"

9. 冬天，小强和家人去野外游玩。一会儿，小强不见了。妈妈问小强的弟弟："你哥哥到哪儿去了？"弟弟说："他可能在河里。"妈妈问："在河里做什么？"弟弟说："有两种可能：如果冰厚，他就在溜冰；如果冰薄，他就在游泳。"

10. 晚上，爸爸打电话回家，说今晚有应酬，不能回家吃晚饭了。儿子问妈妈："什么是应酬？"妈妈说："应酬就是你不想做，但是又不得不去做的事情。"儿子恍然大悟。第二天早上，儿子去上学，对妈妈说："妈妈，我要去应酬了。"

11. 小王和女朋友约会。小王迟到了，女朋友等了很久，心里很生气。后来得知，小王是为了送一个迷路的老奶奶才耽误约会的。女朋友伤心地对朋友说："小王为了一个老太婆，把我给忘记了。他肯定不爱我。"朋友高兴地说："他能对一个不相识的老奶奶这么关心，将来还能不爱你吗？"

12. 牧师院子里有一棵苹果树，男孩子们经常到那里偷苹果。牧师认为发生偷窃的次数太多了，他想唤起孩子们的良知，因此在树上挂了块牌子，上面写着："上帝看见你们了。"第二天，他发现牌子用典型的小孩字体写着："但是上帝不多嘴多舌。"

13. 你是否想过自己可能有两种声音？是的，两种声音。当你在听自己的录音时会发现自己的声音"变"了，录音中的声音比自己所听到的声音低沉。当你用话筒说话时，也会发现自己有"两种声音"。没错，这就是我们的第二种声音。第二种声音可以让我们更清楚地知道自己的声音是什么样子的。

14. 儿子和爸爸在聊天儿。儿子问："爸爸，如果有一天我考了全班第一名，您会怎么样？"爸爸说："那我一定高兴死了。"儿子说："爸爸，您放心，我一定不会让您死的！"

15. 三岁的小强非常淘气。一天，妈妈对小强说："小强，如果你再这样淘气下去，将来你的孩子肯定也是个淘气鬼！"小强认真地说："妈妈，那你小的时候肯定也非常淘气！"

第二部分

第 16 到 30 题，请选出正确答案。现在开始第 16 到 20 题：

第 16 到 20 题是根据下面一段采访：

主持人：我们欢迎剪纸名家曹宏霞老师来到访谈室。曹老师，在我的理解中，剪纸就是我们春节的时候窗户上贴的窗花。剪纸和窗花是一回事吗？

曹宏霞：基本上是一回事。为什么呢？最初农村妇女想表达自己的内心，表达她的心理状态，就拿起剪刀，拿起纸，把所有的东西都表达在纸上，这就是原来的小窗花，现在又叫剪纸。

主持人：您从什么时候开始剪纸的？

曹宏霞：我出生在农村，家里祖传的就是剪纸啊、刺绣啊。我从小就喜欢，尤其是剪纸，四岁的时候就开始拿着剪刀剪东西。当然那只能说是一个开始。

主持人：剪纸的手艺是谁教给您的？

曹宏霞：就是我奶奶和我妈妈。在生活中，处处都有可以拿来当素材的东西，就是模仿着开始学习。

主持人：从开始剪纸到现在，您大概一共剪了多少幅作品呢？

曹宏霞：从小到大，我估计大大小小近万幅吧。当然有很成功的，也有不成功的。但是，我坚持每天都剪一些作品。

主持人：您第一次参赛是什么时间？

曹宏霞：我第一次参赛是 1998 年，在北京国际展览中心。我参赛的作品是《水浒》，拿到一个国际银奖，这给了我非常大的信心和鼓励。回来之后，我就把所有的热情都投入到我的剪纸当中来。

主持人：最近有没有参加什么新的比赛？

曹宏霞：去北京参加了中国第四届民间艺术博览会，拿到一个“优秀品牌”奖。

主持人：曹老师，您对我们民间文化的未来有什么样的看法？

曹宏霞：我要把我的作品不止是十遍八遍的，而是要千遍万遍地完善它们，让它们走向世界，要让全世界知道我们的剪纸文化。

16. 剪纸最初是用来做什么的？
17. 曹宏霞的剪纸是谁教的？
18. 曹宏霞一共剪了多少幅作品？
19. 曹宏霞第一次参赛是什么时间？
20. 曹宏霞第一次参赛得了什么奖？

第 21 到 25 题是根据下面一段采访：

主持人：今天我们的嘉宾是著名的室内设计师戴勇先生。戴先生，您好！作为室内设计师，您却拍了很多国外建筑，您怎么对建筑那么感兴趣？

戴　勇：应该说室内设计和建筑设计是相通的。我喜欢拍建筑设计，在某些程度上是受了摄影家莫尚勤先生的影响。他拍的作品能把自己的想法加进去，很多空间感觉跟实际看到的不同，这是一种再创造。他拍作品的时候，我跟在后面，跑了很多城市，学习了很多拍摄的技巧，他的想法也深深地影响了我。

主持人： 您曾为了了解一个设计案例，亲自去香港体验，为什么会这么做？

戴　勇： 因为对这个行业的热爱，也为了更好地去切身体验一下吧。好的作品是值得去学习的。我想我更擅长发现一个作品的优点吧。我努力学习别人的长处，也体验别人设计的空间与自己设计的空间有什么不同。

主持人： 您创作了那么多的作品，最满意的是哪个？

戴　勇： 完美和永恒是任何设计师都追求的理念，任何作品过后看都感觉是有缺陷的，完全可以做得更好、更完美。当时是完美的，但之后可能就会发现还能更好。对目前的我来说，最好的作品、最满意的作品应该是下一个。我们第一个项目是深圳发展银行的办公楼，项目非常大，当时看来是个不错的作品，但是现在回过头来看，它的后期都是空的，墙上一幅画都没有，拍出来的照片只有家具，这跟客户的要求和本身行业水平也有关系。

主持人： 目前想要做好的事情是什么呢？

戴　勇： 现在最想做的是开一间画廊，这是非常重要的事情。设计与艺术的结合将会越来越紧密。我们的画廊到时会展示当代艺术和现代艺术，这需要我们跟不同领域的艺术家建立更密切的关系。

21. 男的喜欢拍建筑设计是受什么人的影响？
22. 男的曾为了了解一个设计案例去了什么地方？
23. 设计师都追求的理念是什么？
24. 男的做的第一个项目是什么？
25. 男的现在最想做什么？

第 26 到 30 题是根据下面一段采访：

记　者： 陈凤霞是中国最早的志愿者之一。从 1993 年她到清新县白湾做代课教师，到现在成为凤霞中学校长，10 多年的时间，面对很多人对她的不理解，她一直在坚持着。陈凤霞，你好，能给我们介绍一下白湾吗？

陈凤霞： 白湾的自然条件非常不好。那里缺水，人们喝的是下雨蓄积在池子里的水，当地人称为“无根水”。

记　者： 为什么你在到那里两年后又离开了那里？

陈凤霞： 我选择离开是为了让自己更充实、更丰富，我需要读书。但是很多人说我是忍受不了白湾的恶劣条件，想回到大城市生活。我不在乎别人说什么，走自己的路就好。

记　者： 现在的学校是怎么成立的？

陈凤霞： 作为一名志愿者，当初我到白湾的时候，赢得了很多喝彩声，这也让很多人认识了我。在我学成回来以后，用我自己的特殊身份找到了 1200 万元的投资。为了实现孩子们的愿望，1999 年我开办了凤霞中学，让更多的孩子有机会来读书。

记　者： 目前你思考最多的是什么问题？

陈凤霞： 孩子们的心理健康是我们现在比较注重的方面。有的人觉得给孩子们钱就是最大的帮助。但是，我们应该注意到，孩子们的心理健康才是最重要的。他们小小的心灵里承受的东西太多了，如果我们只是给他们很多钱，可能会伤害他们。我们希望他们能在一种公平的环境下学习。

记　者： 作为志愿者，你感受最深的是什么？

陈凤霞： 十几年中，我感触最深的就是志愿者和帮助对象的互动关系。在帮助别人的过程中，我不断地思考，自己也变成熟了。志愿者与帮助对象应该是平等的关系，没有谁高谁低。我们不应该看低这些贫困的孩子，我们必须尊重他们。尊重他们就是尊重自己。我不断地警告自己，不要做出伤害他们的事情。

26. 白湾人喝的“无根水”是什么水？
27. 陈凤霞为什么到白湾两年后又离开了白湾？
28. 创立凤霞中学的资金是从哪儿来的？
29. 目前，陈凤霞思考最多的是关于孩子们的什么问题？
30. 陈凤霞认为志愿者和帮助对象之间是什么关系？

第三部分

第 31 到 50 题，请选出正确答案。现在开始第 31 到 34 题。

第 31 到 34 题是根据下面一段话：

现在大学生就业的压力越来越大，原因是多方面的。其中，获取的真实有效的信息太少，是导致大学生就业难的一个原因。大学生就业的招聘信息表面上看很多，但有效的、实用的信息并不多。一方面是有效的招聘信息数量逐渐减少，另一方面，又出现了很多虚假的广告。许多骗子利用大学生着急找工作的心理和缺乏社会经验的弱点来行骗。一些企业利用当前大学生供过于求的形势，推出假招聘，先给出吸引人的待遇，然后以培训和报名费的方式收取费用，再以试用不合格等理由辞退大学生，从中赚取钱财。

31. 现在大学生就业情况怎么样？
32. 录音中说造成大学生就业难的原因之一是什么？
33. 骗子为什么能让大学生相信他们的虚假广告？
34. 推出假广告的企业是怎么赚取钱财的？

第 35 到 38 题是根据下面一段话：

有一艘大船出海远行，船上的乘客中除了犹太人拉比以外都是富翁。富翁们闲着无聊，就互相炫耀自己的财富，正在他们争得面红耳赤时，拉比插话说：“我是你们这群人中最富有的，不信你们走着瞧。”船行途中遇到大风，只好靠岸，靠岸后却遇到了海盗，富翁们的财产都被抢劫一空，只有拉比什么也没丢，因为他的智慧和学识完好无缺地保存在头脑中。不久，拉比的智慧和学识很快就受到了岸上居民的赏识，因此他就在当地成立学校，给居民们讲课。而那些富翁们因为没有了钱，都处境困难，于是都纷纷来找拉比寻求帮助，他们见到拉比后说的第一句话就是：“还是您说得对，您确实是最富有的人。”在犹太人心目中，赚了钱并不等于成功，真正的成功是获取智慧和知识，因为智慧和知识是任何人都抢不走的，是永远属于自己的财富。

35. 船上的乘客是什么人？

36. 船为什么靠岸？

37. 拉比为什么受到了岸上居民的赏识？

38. 说话人认为真正的成功是什么？

第 39 到 42 题是根据下面一段话：

咖啡中含有咖啡因，它具有消除疲劳、振奋精神、提高智力和增强体质的作用。但是每天喝的咖啡中咖啡因的含量不能超过 250 克，所以每天最多喝两到三杯咖啡。喝过多的咖啡，不仅容易引发疾病、破坏睡眠，而且对神经系统有明显的损害。如果晚上喝很多咖啡，人们就会很清醒，会破坏睡眠，严重的话还会失眠。所以，建议大家不要喝太多的咖啡，那样会影响身体健康。

39. 咖啡中含有什么？

40. 每天最多喝多少杯咖啡为好？

41. 喝过多的咖啡对身体有什么影响？

42. 晚上喝太多咖啡对睡眠有什么影响？

第 43 到 46 题是根据下面一段话：

2010 年 1 月 24 日，地质工作者在辽宁省丹东市发现了一座大型金矿。据初步了解，这座金矿含量为 20.5 吨，属于大型金矿，可供开采 20 年。从 2009 年起，地质工作者就在这里进行分析、考察，通过很多的方式，最后确定了含金资源情况。据了解，该金矿资源主要位于地下 300 至 500 米左右，每吨矿石中含金 3.34 克，金含量相对较高，是一座"富矿"。而且，由于位于现有金矿附近，开采时可以有效节约成本。辽宁省是我国黄金产量大省，每年可采矿石约 15 吨，在全国排名第四位，位于山东、河北、河南的后面。

43. 2010 年在哪里发现了金矿？

44. 这座金矿可以开采多少年？

45. 这座金矿资源位于地下多少米？

46. 全国金矿排名第四的是哪个省？

第 47 到 50 题是根据下面一段话：

2009 年全球爆发了大型的甲型 H1N1 流感病毒，简称甲流。在 3 月和 4 月，墨西哥、美国等多国连续爆发了甲型 H1N1 流感疫情，造成百余人死亡，从而引起了全球恐慌。5 月 11 日，中国发现了第一个甲流患者，是一名从国外回来的中国人，从此这种病毒开始在中国蔓延。患这种病毒的人主要表现为连续发烧超过 38 度，还伴有咳嗽现象。中国政府立即在医院成立发烧门诊。如果出现上述两种现象，就要马上去医院检查。为了人民的生命健康和国家的安定，政府还发布指令，建议国外留学生暂时不要回国，如必须回国，也要做好健康检查；要求大家保持卫生，经常洗手，不要到人多的地方去。在大家共同努力下，中国平安地度过了 2009，战胜了甲流。

47. 2009年全球爆发了什么病毒？
48. 中国发现的第一个甲流患者是什么人？
49. 患这种病的人主要症状是什么？
50. 中国政府对国外留学生有什么建议？

听力考试现在结束。

HSK（六级）模拟试卷2

第一部分

第1到15题，请选出与所听内容一致的一项。现在开始第1题：

1. 美术课上，老师教学生画老鼠。一个学生不会画，老师就走过去坐下来教他。老师一边画，一边不时地看学生是否在认真学。过了一会儿，学生满脸委屈地说："老师，您画老鼠，干吗老照着我画啊！"

2. 儿子问爸爸："节约和小气有什么区别？"爸爸说："当我舍不得给自己买东西的时候，你妈妈说我是节约；当我舍不得给你妈妈买东西的时候，她说我是小气。"

3. 虽然我做实验失败了，但是我并不灰心。我对自己说："失败乃成功之母！"

4. 巧克力可以使我们的心情保持愉快，因此现在很多人喜欢吃巧克力，尤其是女性。有些女性甚至不知不觉就对吃巧克力上了瘾。其实这是不好的现象。巧克力吃多了会使人发胖，而且会产生依赖。

5. 那天我和妈妈去逛超市。超市里的东西真是五花八门，光是奶粉就有很多牌子，让我们不知道到底选哪个好。

6. 在机场，小张对他旁边的漂亮女孩说："我可以向你问路吗？"女孩回答说："可以。你要到哪里？"小张说："到你心里！"

7. 小王和朋友一起聊天儿。朋友问小王说："你这一生中什么时候最快乐？"小王回答说："结婚那天。"朋友又问："那你这一生中什么时候最痛苦？"小王说："结婚后的每一天。"

8. 一个老板向他的职员们讲了一个并不可笑的笑话，可是职员们却一个个哈哈大笑，只有一个人没有笑。老板走到他面前问："你为什么不笑呢？"这位职员回答说："你忘了吗？我已经被你辞退了，用不着笑了！"

9. 小明非常喜欢看足球比赛。有一次，他看比赛来晚了，比赛还有 5 分钟就结束了。他急急忙忙赶到球场，刚坐下就问他的朋友："几比几？"朋友回答说："零比零！"小明高兴地说："太好了，一点儿也没耽误！"

10. 小王和他的美国朋友聊天儿。美国朋友说："你们中国太奇妙了！尤其是在语言文字方面。比如说'中国队大胜美国队'，是说中国队胜了；而说'中国队大败美国队'，还是说中国队胜。总之，胜利永远属于你们！"

11. 昨天我去看朋友的比赛。朋友跑了最后一名，我对朋友说："你跑了最后一名，真没劲！"朋友说："怎么能说没劲？你没看见其余的 8 个人被我追得直跑吗？"

12. 足球比赛还有一分钟就要结束了，可是双方仍然不分胜负。在这个关键时刻，西班牙队 6 号球员踢进最后一球，结束了这场比赛。

13. 妈妈正在厨房里做饭，小莉尖叫着从房间里跑出来，对妈妈说："我看到一只蟑螂！"妈妈说："这有什么大惊小怪的！"

14. 爷爷年纪大了，爸爸、妈妈的工作又很忙，不能常常在身边陪伴他。当爷爷一个人的时候，常常自言自语，看上去很孤单。

15. 我爸爸工作很忙，有的时候连休息时间都没有。昨天他从早上 8 点一直工作到晚上 11 点。回到家里，连饭都来不及吃，他倒头就睡着了。

第二部分

第 16 到 30 题，请选出正确答案。现在开始第 16 到 20 题：

第 16 到 20 题是根据下面一段采访：

主持人： 彭珊，你是怎么理解独立电影的？

彭　珊： 独立电影首先在精神和创作上都是独立的，而不是说资金上的独立。难道有资金介入它就一定不独立吗？但是我希望资金介入以后它并不影响导演的创作，不影响整个拍摄，不影响所有的创意。

主持人： 你是重庆大学美术电影学院文学系的，怎么想到要自己拍电影呢？

彭　珊： 因为大一一开始的时候我们就要拍学生短片。那个时候应亮在北师大已经学过了电影拍摄，我们分到了一个组。当时也没有想过我会在组里做什么，但是到了重庆以后慢慢发现自己擅长做制片方面的工作。做完小短片以后，我们就开始了长期的合作。

主持人： 制片主要做一些什么事情？

彭　珊： 其实制片一个是资金方面的工作，还有整体的发行，包括整个班底的管理。还有一个是制片主任，主要做的是团队的行政管理，包括场地、演员等这些行政方面的工作。但是我是两个都在做，因为本来独立电影就没有什么钱，基本上就什么都做，包括美工、录音也是我们自己做，什么都是自己在做。毕业以后就开始思考，到底是去拍一些电视剧挣点儿钱买房子，还是说去拍一些自己想要表达的东西。

主持人： 《背鸭子的男孩》就是经过思考而诞生的作品吧？

彭　珊： 对，一个是创作上有一个思考，还有一个思考是关于自己以后要选择的路。

主持人： 这个故事是你们自己写的，还是改编自别人的作品呢？

彭　珊： 这个是自己写的，但是也受到了别人作品的启发。我们自贡有一位作家叫廖石香，他是我爸爸的好朋友。他有一篇短篇小说叫《硬汉》，是“文革”题材，讲的是一个小孩和妈妈进城卖鹅，目的是想用卖鹅的钱去给爸爸买药。可是孩子舍不得卖掉这只鹅，自己内心发生了很大变化。作者想告诉人们，在那么严酷的一个政治环境下，一个男孩必须要坚强。我们是受到这个故事的启发。

16. 彭珊是怎么理解独立电影的？
17. 彭珊是哪里毕业的？
18. 彭珊什么时候发现自己擅长做制片工作？
19. 下列哪一项是制片主要做的事？
20. 《背鸭子的男孩》是彭珊自己写的还是改编的？

第 21 到 25 题是根据下面一段采访：

主持人： 大家应该都很熟悉文怡，她每周都会做一些很好吃的菜在博客里跟大家分享。文怡，你是什么时候开始用博客介绍美食的？

文　怡： 是 2003 年还是 2004 年，我记不清了。反正肯定是我刚从法国回来的时候。

主持人： 你去法国干吗？

文　怡： 陪我先生。那时他被外派到法国工作，我作为随行家属陪他。但是他们的工作签证有一个规定，你的家人不能在法国从事任何营利性质的工作。短短两年的时间读一个学位又不够，所以那段时间我除了游山玩水，就是在家里琢磨一些吃的东西。

主持人： 你是怎么对美食发生兴趣的？

文　怡： 其实我对美食的兴趣应该是从一台烤箱开始的。刚到巴黎的时候，我在我们租的小公寓里发现了一台烤箱，在 2001 年、2002 年的时候，我们中国家庭好像对烤箱这种东西还不太熟悉，我发现了它，就跟发现了一个宝贝一样。我就想它可以做面包，做蛋糕，做匹萨，从那个时候开始我就对这些东西感兴趣了。

主持人： 你之前不是学这个的？

文　怡： 我跟这个没有任何关系。

主持人：法国美食对你的影响大吗？

文　怡：会有一点儿影响，因为那时候我主要学做各式各样的西点，等于说这条路是从这儿开始起步的。

主持人：而且法国人把美食放在很崇高的位置上，他们的名厨相当于我们这儿的明星。

文　怡：对，其实法国人把美食、爱情、生活都放在非常重要的位置上，这方面我好像受了一点儿影响。但凡在生活中跟美好的东西相关的事情，我都会把它放在一个比较重要的位置上。

21. 文怡每周在哪里跟大家分享好吃的菜？
22. 文怡是什么时候开始用博客介绍美食的？
23. 文怡去法国干什么？
24. 文怡是因为什么开始对美食产生兴趣的？
25. 下列哪一项没被法国人放在重要的位置上？

第 26 到 30 题是根据下面一段采访：

主持人：冯易进先生，你现在在易百装饰新加坡有限公司的职位是什么？

冯易进：我是公司的总经理，也是首席设计师、品牌创始人。

主持人：据我们所知，你还不到 30 岁。大家都很好奇，年纪轻轻，你是怎么取得今天的成绩的？大家能不能跟你分享一下你成功的秘诀呢？

冯易进：其实我是以玩儿的心态去做设计。我非常喜欢设计，一个自己非常喜欢的事情，肯定会做好。

主持人：能不能先简单介绍一下易百公司的情况？

冯易进：易百公司选择在新加坡注册创办公司，是因为在建筑和室内空间方面，新加坡是一个非常典范的国家。

主持人：你现在在中国有六家分公司，对吗？

冯易进：还在不断地增加，像江苏、湖南也要陆续创办和经营。

主持人：那是怎样的一种运营模式？

冯易进：品牌特许加盟的形式。

主持人：大家都知道，作为一家装饰公司，设计师是非常关键的。能告诉我们易百公司在吸引设计师方面有什么优势吗？

冯易进：首先，我们公司为他们提供交流的平台，让他们不断进步；其次，设计师可以专心搞设计。因为是以特许加盟的方式，大家共用一个牌子，一起来打造，这样加盟的设计师就不用把时间花在品牌宣传和打开市场上；第三点是我们可以提供经营方面的指导，设计师们可以通过公司的网站了解包括企业文化理念和培训的一系列制度。

主持人：那你跟加盟店是一种怎样的分成模式？

冯易进：我们把品牌的成本控制住，我可以经常去给易百分公司的设计师培训，他们的财务完全由自己来负责。

主持人：相当于只收了一个会员费。

冯易进：对，就是这个意思。

主持人：现在你考虑最多的是什么？

冯易进：当然是如何把公司做大。就像刚才说的成本问题，由我们付出广告成本，大家一起用这个牌子。作为一个经营者，你想着的不该只是明天、后天的事情，应该考虑到一个长远的目标。所以我目前不会过多地考虑到底能赚多少钱，我想把眼光放远一点儿。

26. 冯易进在公司的职位是什么？
27. 冯易进成功的秘诀是什么？
28. 冯易进的公司是在哪里注册创办的？
29. 下列哪一项不是易百公司在吸引设计师方面的优势？
30. 现在冯易进考虑最多的是什么？

第三部分

第31到50题，请选出正确答案。现在开始第31到34题：

第31到34题是根据下面一段话：

一天早晨，曾子的妻子准备去集市，她的儿子却吵着闹着要跟着去。她对儿子说："你在家等着，我回来后给你做你爱喝的猪肠汤。"儿子一听，立即乖乖地在家等着。

晚上，曾子的妻子回来了。她进门一看，曾子正准备杀猪呢。她急忙上前拦住丈夫，说道："家里只养了这几头猪，都是逢年过节时才杀的。你怎么拿我哄孩子的话当真呢？"曾子说："在小孩面前是不能撒谎的。他们年幼无知，经常从父母那里学习知识，听取教诲。如果我们现在欺骗了他，等于是教他以后去欺骗别人。虽然我们能哄得了孩子一时，但以后他知道受了骗，就再不会相信我们的话了。这样怎么能教育好自己的孩子呢？"曾子的妻子觉得丈夫的话很有道理，于是心悦诚服地帮助曾子杀猪。没用多长时间，她就为儿子做好了一顿丰盛的晚餐。

曾子用言行告诉人们，说话、做事情应该言而有信，用自己的行动做表率，去影响自己的子女和整个社会。

31. 曾子的妻子要去干什么？
32. 曾子的妻子为什么不让曾子杀猪？
33. 曾子为什么坚持要杀猪？
34. 这个故事告诉我们什么道理？

第35到38题是根据下面一段话：

人口问题是全球性最主要的社会问题之一，是当代许多社会问题的核心。世界人口的迅猛增长引起了许多问题。特别是一些经济不发达国家的人口过度增长，影响了整个国家的经济发展、社会安定和人民生活水平的提高，给人类生活带来许多问题。人口问题主要是人口过多，指人口剧增，通常是指数式增长，给环境带来压力。20世纪开始，世界人口出生率已大大超过世界人口死亡率。为了解决人口增长过快的问题，人类必须控制自己，做到有计划地生育，使人口的增长与社会、经济的发展相适应，与环境、资源相协调。人口与环境有密切的互为因果的联系，在一定的社会发展阶段、一定的地理环境和生产力水平条件下，人口增殖应保持在适当比例内。

35. 当今社会的核心问题是什么？

36. 说话人提到人口过多会对哪个方面造成压力？

37. 为了解决人口增长过快的问题，人类必须要做什么事情？

38. 人口与环境有着怎样的关系？

第39到42题是根据下面一段话：

在中国传统文化中的阴阳五行哲学思想、儒家伦理道德观念、中医养生学说，还有文化艺术成就、饮食审美风尚、民族性格特征等诸多因素的影响下，中国人创造出了彪炳史册的中国烹饪技艺，形成了博大精深的中国饮食文化。

周秦时期是中国饮食文化的形成时期，以谷物蔬菜为主食。春秋战国时期，自产的谷物蔬菜基本都有了，但结构与现在不同。当时田地里播种的主要是小米，又称“谷子”，长时期占主导地位，为五谷之首。好的小米叫“粱”，好的粱又叫“黄粱”。大黄黏米仅次于小米，又称“粟”，种植也较为普遍。豆类，当时主要是黄豆和黑豆，是老百姓、穷人吃的。南方还有稻，周朝以后中原才开始引进种植。稻属于细粮，较为珍贵，普通百姓特别是穷人是很难吃到的。

39. 下面哪一项没有直接影响中国饮食文化的形成？

40. 中国饮食文化是什么时期形成的？

41. 什么是“五谷之首”？

42. 周秦时期穷人常吃什么？

第43到46题是根据下面一段话：

印制人民币用的钞票纸是水印纸，它是一种用于钞票印刷的专用纸张。这种纸是中国印钞造币总公司下属的三家钞票纸厂生产的，它们是：河北保定钞票纸厂、江苏昆山钞票纸厂和成都钞票纸厂。这种纸除了具有耐磨、耐折、耐酸、耐碱等理化性质外，还有内置安全线、彩色红、蓝纤维等防伪手段，并且上面布满了用于防伪的水印图案。在印刷前，工作人员要对纸张进行逐张质量检查，因为水印有方向问题，所以每张纸必须按照水印图案方向摞好，并且用打孔机在边上打孔定位，不能出错。

因为防伪的需要，人民币要使用各种印刷工艺手段，所以，要根据具体的印刷工艺手段和使用油墨及色泽的要求，制作相应内容的平、凸、凹版。例如，因为人民币中要使用手工雕刻凹版图案，所以必须根据币面内容，由钢板雕刻师雕刻相应内容的钢版，印刷时安放到凹印机上进行印刷。

43. 印制人民币用的专用纸张是什么？

44. 以下选项中，哪一项不属于人民币的防伪手段？

45. 工作人员对纸张进行逐张质量检查的原因是什么？

46. 为什么要在人民币上制作出平、凸、凹版的图案？

第 47 到 50 题是根据下面一段话：

春秋战国时期，中国有一位发明家叫做鲁班。两千多年来，他的名字和有关他的故事一直在民间流传着，后代土木工匠都尊称他为祖师。

鲁班大约生于公元前 507 年，本姓输，名班。因为他是鲁国人，所以人们尊称他为鲁班。他主要是从事木工工作。鲁班是怎样发明锯子的呢？相传有一次他进深山砍树木时，一不小心，手被一种野草的叶子划破了，他摘下叶片轻轻一摸，原来叶子两边长着锋利的齿，他的手就是被这些小齿划破的。他还看到一棵野草上有条大蝗虫，两个大板牙上也排列着许多小齿，所以能很快地磨碎叶片。鲁班从这两件事上得到了启发。他想，要是有这样齿状的工具，不是也能很快地锯断树木了吗？于是，他经过多次试验，终于发明了锋利的锯子，大大提高了工效。

鲁班模仿生物形态还发明了许多木工工具，如刨子等。这些发明都要归功于他在实践中留心观察，细心发现。

47. 现在，从事什么工作的人尊称鲁班为祖师？
48. 鲁班本来姓“输”，可人们为什么叫他“鲁班”呢？
49. 鲁班去山里砍树时，手指是被什么东西划破的？
50. 根据这个故事，下列哪一项有助于发明？

听力考试现在结束。

HSK（六级）模拟试卷 3

第一部分

第 1 到 15 题，请选出与所听内容一致的一项。现在开始第 1 题：

1. 小王和朋友在闲聊。朋友问小王：“你弟弟最近好吗？”小王说：“住院了，他昨天受伤了。”朋友很吃惊地说：“真糟糕！怎么回事？”小王说：“我们做游戏，看谁能把身子探出窗外最远，他赢了。”

2. 深夜，睡着了的孩子又哭了起来。怕打扰邻居的睡眠，父亲决定唱一段催眠曲哄孩子入睡。刚开了个头儿，邻居就抗议了：“还是让孩子继续哭吧。”

3. 科学证明，每天喝 6 杯水最为恰当。不过，这 6 杯水并不是一起床就全部喝完，而是应该“早晨起来一杯水，上午上班后一杯水，上午下班前一杯水，下午上班后一杯水，下午下班前一杯水，晚上睡前一杯水”。而且，水喝少了不行，喝多了也不行。水喝多了容易导致水中毒，出现头昏眼花、无力、心跳加快等症状。

4. 火车上，一名男子跑进车厢，着急地对其他乘客说："隔壁车厢有一位女士晕过去了，谁带了威士忌？"乘客中很快有人拿出了威士忌。这位男子接过来，喝了几大口，然后将酒瓶还给那个乘客，说道："太谢谢你了，我这人看见女士晕倒就难受，现在好多了！"

5. 小张是一名消防员。一次他救了一个漂亮的女孩儿。女孩对小张说："你为了救我，一定费了不少力气吧？"小张说："可不是嘛！为了救你，我打退了三名消防员，他们都抢着救你呢！"

6. 晚上八点，我三岁的弟弟已经躺在床上了。他请求妈妈说："妈妈，给我一只苹果吧！"妈妈说："孩子，太晚了，苹果已经睡觉了。"弟弟说："不，小的也许已经睡了，但是大的肯定没睡呢！"

7. 小丽和朋友出去玩儿。朋友一见到小丽就问："小丽，你戴的是假发吗？"小丽说："是的。可是卖假发的人对我说，肯定谁也看不出来这是假发。"朋友说："是的，我看不出来，但是你忘了把商标从假发上取下来了。"

8. 一名医生走进一家书店。他从书架上拿下一本书，问道："这本书有趣吗？"书店老板说："不知道，没读过。"医生很奇怪，说道："你怎么能卖自己没读过的书呢？"书店老板说："难道你能把医院里的药都尝一遍吗？"

9. 一天，女儿考完试回到家，爸爸看到女儿只考了 80 分，很生气，就问女儿："你要向前面的人学习！"女儿很委屈地说："可是坐在我前面的人只考了 50 分。"

10. 人的烦恼是因为太会计划，今天的事情已经够多了，可是还要预计明天、后天、一年、十年以后可能出现的变化，然后作多手准备。这是聪明，还是自以为聪明？

11. 小丽第一次烫卷发。她的朋友问她直发和卷发有什么不同的感受。她说："直发的时候，商店的老板见了我都是说：'小姐，上学去啊？'而现在却变成了：'小姐，上班去啊？'"

12. 白天，鸟儿们在枝头穿梭鸣叫，在蓝天下自由飞翔，到了晚上，它们和我们人一样也要休息、睡觉，恢复体力，不过它们睡觉的姿势可是各不相同的。有的站着睡，有的倒着睡，有的甚至睁一只眼闭一只眼睡。

13. 小强是一个很调皮的孩子。一天，小强对老师说："老师，今天有个小朋友掉进坑里了，他们都笑他，就我没笑。"老师很高兴，说："很好。那是谁掉进坑里了呢？"小强说："是我。"

14. 小王的好朋友要转学了，好朋友来和小王告别。小王说："你别转学，我离不开你。"

他的朋友说："不行，我的成绩是全班倒数第一，太丢人了。"小王伤心地说："可是如果你走了，我就是全班倒数第一了。"

15. 考试以后，老师公布成绩。老师说："90 分以上和 80 分以上的人数一样多，80 分以上和 70 分以上的人数也一样多。"听完，全班同学都非常高兴。这时，一个同学问："那么……不及格的人数呢？"老师说："不及格的人数和全班人数一样多。"

第二部分

第 16 到 30 题，请选出正确答案。现在开始第 16 到 20 题：

第 16 到 20 题是根据下面一段采访：

主持人：今天的话题是关于梦想。我们请到的嘉宾叫杜国峰，他的梦想是成为驾驶动力三角翼飞越全球的第一个华人。请问一下，您是什么时候有这个梦想的？

杜国峰：一直都有。我 1986 年入伍，从第一次跳伞到现在已经 20 多年了，在我飞了这么多年以后，环球飞行这个梦想在我心中越来越强烈。国外已经有很多飞行家、冒险家完成了他们环球飞行的梦想。去年英国有一位盲人驾驶动力三角翼，在教练和设备的辅助下，从英国飞到澳大利亚。我们作为中国的航空运动者，为什么不能完成这个梦想？为什么我们不能实现环球飞行，向世界宣传中国，把世界的美从空中带给大家？

主持人：很多人想问您，在空中飞行的时候冷不冷？

杜国峰：当然冷！很多人坐过民航飞机，在万里高空的时候，你在机舱里感觉不到，但是实际外面的温度是零下五六十度。随着高度的上升，每上升 100 米，温度就下降 6 度半，况且我们这种轻型三角翼没有座舱，是完全暴露在空气里的，所以要飞 3000 米的话，就要比地面温度低将近 20 度。夏天这样飞行的话，飞到几千米，上边温度都是零度，如果冬天更是非常寒冷。

主持人：您认为飞行时最大的挑战是什么？

杜国峰：恶劣的天气。因为在高空中常会碰见气候的变化，空中气流的威力是非常巨大的，就好像一壶烧开的开水，而且轻型飞机对条件的要求非常苛刻。

主持人：您下一个飞翔的目标是哪里？

杜国峰：珠穆朗玛峰。其实在实现华人环球飞行的梦想以前，我就想去了，况且它就在我们国内。

主持人：您觉得飞越珠峰最需要注意的是什么问题呢？

杜国峰：当然是发动机。特别是对这种轻型飞机来说，活塞式发动机要飞到 8000 多米、9000 米的高度，动力是亟待解决的。而且大家都知道，珠峰的天气非常恶劣，空中的大风是很可怕的。

16. 杜国峰是什么时候有飞越全球这个梦想的？
17. 在空中飞行的时候冷不冷？
18. 杜国峰认为飞行时最大的挑战是什么？
19. 杜国峰下一个飞翔目标是哪里？

20. 飞越珠峰最需要注意的问题是什么？

第 21 到 25 题是根据下面一段采访：

主持人： 今天我们请到的是《广告导报》出版人兼主编、智慧工场传播机构的 CEO、营销名人凌平先生。凌先生，您好！听说您最近在做一部电影，叫《恋爱前规则》，这是一部什么样的电影？能简单地给我们讲一下吗？

凌　平： 应该是属于青春爱情喜剧。它是根据一部网络小说改编的，小说名叫《和空姐同居的日子》。我们三年前买下了它的电影版权，这次改名叫《恋爱前规则》。

主持人： 您期望的票房是多少？

凌　平： 我们预想突破 3000 万。这确实有比较大的难度，但是我想通过很好的营销，应该能达到这个目标。再加上这部网络小说本身很火暴，点击量已经超过 10 亿次了，还有主演王珞丹的人气，我觉得能达到我们期望的票房。

主持人： 您本来就是营销方面的专家，这部电影的营销您会有一些什么创新的举措？

凌　平： 主要是利用网络媒体。正好网络人群和电影人群基本上是相吻合的，上网的大多是年轻人，看电影的也大多是年轻人。所以这次除了传统的营销方式之外，我们也利用了网络的很多优势。开始的时候做过网络选秀，并且通过网络征集了一些恋爱规则。

主持人： 有一个规律说，经济危机的时候往往电影会火暴。

凌　平： 对，确实是这样的。美国在经济萧条的时候电影也很火暴，中国今年正是印证了这一规律。我看了数据，中国 1 到 6 月份的电影上座率增长将近 40%。有几个地方特别特殊，我的老家长沙今年一季度增长 91%，重庆是 51%，很多地方突破了 50%。像北京、上海、广州这些以前电影比较发达的地方，增长率稍微低一点儿，但是总的量很大。今年我为什么敢做电影？也是基于这个基础。

21. 下列说法哪个是错误的？
22. 《恋爱前规则》是一部什么样的电影？
23. 凌平期望的票房是多少？
24. 这部电影的营销会有什么创新的举措？
25. 经济危机时电影会怎么样？

第 26 到 30 题是根据下面一段采访：

主持人： 今天我们邀请到的是富隆酒业的 CEO 沈宇辉先生。沈先生，您好！

沈宇辉： 您好。

主持人： 您最近被评为影响全球葡萄酒行业的 50 人之一。据我所知，这是由全球最权威的两本葡萄酒杂志之一《行酒季》评选出来的。

沈宇辉： 对。《行酒季》的评选每两年一次，在全球范围内评选葡萄酒行业最有影响力的 50 人。这些人可能包括政客，因为他制定的政府政策或者是法规会影响到葡萄酒行业。

主持人： 比如说，这次萨科奇总统就在这 50 人之内。

沈宇辉： 对。

主持人：参与评选的除了政客还可以是什么人？

沈宇辉：可能是酿酒师，或者是酒评界的人，也有酒商。

主持人：您是酒商中的一员？

沈宇辉：对。

主持人：那您认为自己当选的原因有哪些呢？

沈宇辉：第一个是因为中国市场，现在国际上葡萄酒行业开始注意中国这个庞大的市场了；第二，可能主要是我们的经营模式有所创新；第三，我们是葡萄酒文化的先锋传播者。

主持人：其中最主要的是哪一个？

沈宇辉：当然是创新的经营模式了。

主持人：沈总从事葡萄酒这个行业的原因是因为喜欢吗？

沈宇辉：对。我在澳大利亚 11 年，在那里参观了不少葡萄酒庄园，也喝了很多葡萄酒。1995 年回国，国内那个时候红酒的热潮还没开始，但是有些人已经开始欣赏这种文化，因为它是很美好的东西。将来随着中国经济的发展，中产阶级和富豪阶级的群体会越来越庞大，他们对这些东西肯定会有需求，因为除了单纯的物质需求以外，很多人还会有精神方面的需求。

主持人：您有没有专门去学这方面的知识？

沈宇辉：没有。

主持人：那您是以什么角度来从事这个行业的？

沈宇辉：以一个爱好者的角度。我从来没有在任何葡萄酒公司做过事，也没有学过如何经营葡萄酒，我只是以一个爱好者的角度，去判断喜欢葡萄酒的人需要什么。

26. 《行酒季》的评选几年一次？
27. 参与评选的除了政客还可以是什么人？
28. 沈宇辉觉得自己当选最主要的原因是什么？
29. 沈宇辉从事葡萄酒这个行业的原因是什么？
30. 沈宇辉是以什么角度来从事葡萄酒行业的？

第三部分

第 31 到 50 题，请选出正确答案。现在开始第 31 到 34 题：

第 31 到 34 题是根据下面一段话：

一只狐狸不小心掉到了井里，不论他如何挣扎，仍然没法爬上去，只好待在那里。一只公山羊觉得口渴极了，来到井边，看见狐狸在井下，便问他井水好不好喝。狐狸觉得机会来了，心中暗喜，马上镇静下来，极力赞美井水好喝。

"这水是天下第一泉，清甜爽口，你也赶快下来喝吧！"

一心只想喝水的山羊信以为真，便不假思索地跳了下去。当他咕咚咕咚痛饮之后，就不得不与狐狸一起共商上井的办法。狐狸早有准备，他狡猾地说："我倒有一个办法，你用前脚扒在井墙上，再把角竖直了，我从你后背跳上井去，再拉你上来，我们就都得救了。”公山羊同意了他的提议。狐狸踩着他的后脚，跳到他背上，然后再从角上用力一跳，跳出了井口。

狐狸上去以后，准备独自逃离。公山羊指责狐狸不信守诺言。狐狸回过头对他说：“喂，朋友，你的头脑如果像你的胡须那样完美，你就不至于在没看清出口之前就盲目地跳下去了。”

31. 谁先掉进井里的？

32. 狐狸是怎样欺骗公山羊跳下井的？

33. 狐狸最后是踩着公山羊的哪个部位跳出井的？

34. 这个故事告诉我们什么道理？

第 35 到 37 题是根据下面一段话：

一天傍晚，布什内尔与几个士兵下岗后一起到海边散步。他们爬到礁石上，一边聊天儿，一边欣赏落日余晖下的海景。看够了远景，又观近景，水很清澈，水生物历历在目。他们看见一群活泼的小鱼自由自在地在水中游来游去。突然，水下有一条大鱼悄悄潜游过来，游到小鱼的下方后，猛地朝上一跃，咬住了一条小鱼，别的小鱼吓得惊魂不定，各奔东西。士兵们目睹了海底世界的这场“海战”，觉得十分有趣。这却使布什内尔大受启发：能不能造个像大鱼那样的船，潜在水中，神不知鬼不觉地钻到美军战舰底下去放水雷，炸它个人飞舰沉呢？

后来，布什内尔带领同伴们真的制成了一艘可在水下潜行的秘密船。本来是想仿照鱼的外形制造的，但造成之后却像乌龟，因此，同伴们就为它取了个代号——海龟。这只像“海龟”的秘密船，能上升，能下降，能前进，能后退。在它的帮助下，他们击退了美军的多艘战舰。后来，经过人们的不断改进，制成了新的神秘武器——潜水艇。

35. 布什内尔他们去了哪里散步？

36. 布什内尔看到什么受到了启示？

37. 他们给秘密船取了个什么代号？

第 38 到 41 题是根据下面一段话：

有些人喜欢叙述自己的亲身经历。自己的亲身经历讲起来最精彩、最生动。许多人都喜欢听别人讲自己的亲身经历。在新闻报道中，“目击者”和“当事人”的叙述也是最吸引人的。有很多人把自己的亲身经历编写成小说，拥有众多的读者，甚至改编成电影也很卖座。

可是，并不是每一个人都会讲故事。许多人在讲述自己经历的时候，觉得样样都很有味道，样样都讲，面面俱到，结果呢？听众茫然无绪，索然无味。

讲故事比起写故事来更难一些。抓住要点，吸引对方的注意力，引起对方的浓厚兴趣是讲故事的基本技巧。在讲故事的过程中，少用对话，节奏可以快一点儿，在重要的地方，讲得要详细一点儿，其他地方则可以用一两句话交代一下就行了。

38. 录音中说有些人喜欢做什么？

39.“卖座”在这里的意思是什么？

40. 什么原因会让别人对自己所讲的故事没有兴趣？

41. 讲故事和写故事哪个更难？

第 42 到 44 题是根据下面一段话：

中国东北三省的菜各有千秋，也各具优势，从辽宁到吉林，再到黑龙江，每一处都有不同的精细。

说起东北菜，杀猪菜当然是不能少的。杀猪菜的肉都是新鲜的，整块的五花肉放在锅中煮熟后，再切成又大又薄的肉片。酸菜是杀猪菜的又一主角，东北人习惯在年节杀猪，家家户户的酸菜也是在入秋时节腌上的，用的都是当地的秋白菜，到了杀猪的时候刚好腌成。血肠也很讲究，要用绝对新鲜的猪血，加葱花等调味。煮的时间过长，肠衣迸裂，血也会生硬，时间短了又会不熟，所以能做出地道美味的杀猪菜是很不容易的。

42. 中国的东北三省不包括下面哪个省？

43. 东北菜中不能少的是什么？

44. 除肉片外，杀猪菜中的又一主角是什么？

第 45 到 47 题是根据下面一段话：

上世纪 60 年代，当日本的空手道、韩国的跆拳道、泰国的泰拳、美国的拳击等誉满世界时，西方人却对中国武术知之甚少，甚至一无所知。李小龙成为中国武术的宣传员与传播员。他在美国开设武馆传授中国功夫，提升了中国武术的知名度。李小龙主动与各流派武术高手切磋，以咏春拳为基础，借鉴、吸收各类拳种的技击思想、原理及方法，创造了现代中国实战武术“截拳道”，为中国武术创造了世界性的有形与无形价值。李小龙将 kung fu（功夫）一词写进了西方的词典。

45. 上世纪 60 年代，不被西方人了解的是哪国的功夫？

46. 李小龙创造的中国实战武术是什么？

47. 写入西方词典的新词是什么？

第 48 到 50 题是根据下面一段话：

社会问题的特征主要表现在普遍性、变异性、复合性和周期性四个方面。普遍性，指社会问题自始至终存在于每个民族、国家和社会的现实生活中；变异性，指社会问题在不同时间、不同地区、不同民族或社会，表现各不相同，各具特性；复合性，指社会问题在产生原因、存在方式或表现形式以及后果等方面具有复杂的性质，即社会问题是由多种因素复合而成的，常常是几种社会问题并存，并引起一系列破坏性的社会后果；周期性，是指社会问题在其发生、发展过程中表现出的时间规律性。通常说来，社会问题总的时间进程及其阶段性，是周期性的两个基本含义。社会学家还特别强调周期性中潜伏性和反复性的特征。

48. 社会问题的特征表现在几个方面？

49. 常常是几种社会问题并存，这是社会问题哪个方面的特征？

50. 潜伏性和反复性属于社会问题特征中的哪一个？

听力考试现在结束。

HSK（六级）模拟试卷 4

第一部分

第 1 到 15 题，请选出与所听内容一致的一项。现在开始第 1 题：

1. 一位出租车司机开车很快，经常闯红灯。乘客很害怕，请他开慢些。司机说："没事，我哥哥也是这么开车的。"他们来到一个十字路口，前面是绿灯，司机反而停了下来。乘客好奇地问："为什么停下来了？"司机有点儿尴尬地说："怕我哥哥从红灯那边闯过来。"

2. 动物园的管理员发现袋鼠从笼子里跑出来了，于是决定将笼子的高度加倍。结果第二天，袋鼠还是跑出来了。管理员大为紧张，几只袋鼠却在一旁闲聊。一只说："你们看，这些人会不会再加高笼子？""很难说，"另一只回答，"如果他们再忘记关门的话！"

3. 丈夫对妻子养的猫忍无可忍，把猫塞进麻袋就出门了，绕了很多弯路，最后才把猫扔掉。一小时后，妻子接到丈夫的电话："猫回家了吗？""5 分钟前就回来了，亲爱的。"妻子回答。丈夫大喊："你叫它接电话！我找不到家了！"

4. 一只山羊在奔跑时脚上扎了一枚钉子。它想了许多办法都没有把它弄掉。同伴们都为它担心，因为像它这样，很快就会成为狮子的午餐。为了不失去一位好伙伴，它们向草原上的其他动物求救。白鹤听说了，就用它又尖又长的嘴拔出了钉子。

5. 日本和美国的科学家最新研究发现，人类 8%的基因来自一种病毒，而不是来自人类的祖先。人类和其他哺乳动物的基因中包含来自这种病毒的 DNA。经过这种病毒复制的 DNA 可能会导致精神方面的疾病。

6. 一位勤劳的农民收获了一个巨大无比的南瓜，于是他把南瓜献给了国王。国王见了很高兴，赐给农民一匹好马。这件事很快家喻户晓。一个有钱人听说了，就向国王进献了一匹好马，希望能够得到更多的钱。国王同样很高兴，说："把那个珍贵的大南瓜赐给这个人吧！"

7. 有一个人想学医，可是又犹豫不决，就去问他的一个朋友："再过 4 年，我就 40 岁了，学医还行吗？"朋友对他说："怎么不行呢？你不学医，再过 4 年，你也是 40 岁呀！"听了朋友的话，他第二天就去报名学习了。不久，他成了一名出色的医生。

8. 两个猎人在打猎时遇到了一头饥饿的熊，一个人躲进了山洞，另一个爬上了树。熊不肯离去，就在山洞和大树之间等待机会。山洞里的猎人几次冲出来想要逃生，树上的同伴就问："你为什么不老老实实地躲在山洞里呢？""我不能！"洞里的猎人回答，"山洞里也有一头熊！"

9. 一位牙病患者在拔去蛀牙以后对牙科医生说："您真厉害！5秒钟就赚了100元，怪不得人们都说医生会赚钱呢！"医生慢条斯理地回答："如果您愿意，我可以慢慢地给您拔。"

10. 海鞘是一种海洋动物，它们定居在海底岩石上，五颜六色，形态各异。有的形状像花朵，有的像茶壶。刚出生的小海鞘长得很像小蝌蚪，拥有复杂的神经系统，但成年之后，由于不再需要大脑和神经系统，它们就会将自己的大脑吃掉。

11. 根据一项新的研究结果，在120万年之前，全世界只有18500个左右的早期人类。有证据显示，我们早期的祖先曾经面临过一次灭绝的危险。这一数字甚至小于当前濒临灭绝物种的群体大小，如黑猩猩。事实上，在至少100万年的时间里，人类在地球上一直很不安全。

12. 最新研究表明，土拨鼠竟是自然界最"健谈"的生物之一。目前，生物学家发现，这种擅长挖掘的小动物有着动物王国里最高级、最精致的语言系统，可以说其发达程度仅次于人类。

13. 不少人认为鱼类智力低下，记忆力差，甚至有人说"鱼只有3秒钟的记忆"。但研究人员发现，鱼类的"聪明才智"超过人类想象，记忆远远不止数秒，反而可以达到数月乃至数年时间。它们还具有学习能力，懂得使用欺骗手段捕食。

14. 目前，海洋生物学家发现了一种新螃蟹，它看上去就像是一个大个草莓，因此被命名为"草莓螃蟹"。这种不同寻常的螃蟹背部呈红色，并且有许多白色小圆点相间。草莓螃蟹的直径仅有2.5厘米宽，它们看上去与其他种类的螃蟹截然不同。

15. 坐在餐馆里的一对男女谈得很投机，有说有笑。这时，又有一位客人进入餐馆。女子向那位客人看了一眼，她的男伴就瞬间消失了。服务员连忙说："夫人，您的丈夫躲到桌子底下去了。""不，"她回答，"我的丈夫刚从门外进来。"

第二部分

第16到30题，请选出正确答案。现在开始第16到20题：

第16到20题是根据下面一段采访：

主持人： 今天我们请到了山东社会科学院刘良海研究员。刘先生，您好！先请您介绍一下网络在中国的发展情况。

刘良海： 互联网是上个世纪90年代后才进入中国的，但是发展却非常迅猛，特别是进入21世纪后，获得了快速普及和发展。

主持人：目前网络文化的发展有哪些特点？

刘良海：网络文化是一种新兴文化，正处在一个发展时期，也表现了多方面的特点。总体来说，可以概括为三个方面：一是网络文化的开放性。互联网是由许多网络组成的网际网，各个网络互联互通。二是网络文化主体的自由性。网民作为文化主体，可以在任何一台电脑上创作发布自己的文化成果，尤其是网民在网上可以有虚拟身份，不像现实中那样受到各种身份的限制。三是网络文化内容的共享性。互联网上的任何信息都是共享的，信息不会因为有人用过而减少。网络文化在网上可以自由传播，而且传播范围广、速度快。

主持人：网络文化和整个社会文化有什么关系？

刘良海：与文字性的文化形式相比，网络文化形式更加多样。虽然网络文化是一种新的文化，但它不能替代社会文化，也不能与社会文化等同，它是社会文化的一个重要组成部分。

主持人：不良的网络文化对部分青少年的健康成长产生了不利的影响。为把这些不利影响降到最低，社会应该做哪些工作？

刘良海：网络现在已经迅速普及，根据最新统计，18 岁以下年龄段上网人数占全部网民的 17.2%，18 到 24 岁年龄段占全部网民的 35.2%。这说明 24 岁以下的青少年已经占了全部网民的 50%还多，这其中学生又占了很大一部分比例。网络对于青少年的影响是巨大的。青少年的人生观、价值观正处在形成时期，不让青少年上网是不可行的，这就必须治理网络文化环境。同时，学校也要加强青少年上网教育，让青少年养成良好的上网习惯，通过网络学习新知识，把网络变成青少年学习的好帮手。

16. 网络是什么时候进入中国的？
17. 网络文化有什么特点？
18. 网络文化与社会文化有什么关系？
19. 18 岁到 24 岁年龄段上网人数占全部网民的百分比是多少？
20. 为什么网络对青少年影响巨大？

第 21 到 25 题是根据下面一段采访：

主持人：今天我们邀请了国内著名的瑜伽教练张教练，请他跟大家谈谈练习瑜伽的一些问题。张教练，您觉得练瑜伽对减肥是否真的有效呢？

张教练：肯定有效果。从瑜伽的角度来看，减肥不是那么单纯的一件事。有人觉得自己很胖是因为自己吃得很多，其实吃得多少并不是决定你肥胖的原因，精神状态不好也是原因之一，尤其是女性当精神状态、心理状态不好的时候，她就会心烦意乱，往往在这个时候吃下去大量的食物，而且是垃圾食品。还有一点就是平时的习惯不好，比如说坐的方式、站立的方式和平时工作的状态。

主持人：现在市场上有好多卖瑜伽的光盘，如果自己练习，没有老师的指导，可以吗？

张教练：可以是可以，但是一本书、一张光盘永远代替不了一个老师，因为老师是可以交流的，可以有反馈的，书和光盘永远不可能有反馈。瑜伽在国内应该是刚刚起步，如果没办法跟老师学习，那最好是找一些好的书、好的资料、好的光盘，这样会更好一点儿。

主持人： 教练，您最开始是跟谁学习瑜伽的？

张教练： 我的第一个老师是马来西亚的。我觉得自己跟瑜伽很有缘分，后来还有很多的印度老师。我练习瑜伽到现在已经 11 年了，从没有间断过。瑜伽是任何人都可以做的运动，也可以养成良好的生活习惯。

主持人： 如果通过练习瑜伽瘦下来了，停了以后会有反弹吗？

张教练： 我觉得瑜伽相对于其他运动来说是最不会反弹的。练瑜伽有三个条件，一个是姿势，一个是意识，还有一个是呼吸，这三个是慢慢结合的，如果你停掉了姿势，可以每天做一些呼吸的练习。呼吸练习能够帮助你按摩内脏，消除你腹部的脂肪。

21. 张教练认为决定肥胖的原因是什么？
22. 目前，中国的瑜伽发展处于什么阶段？
23. 张教练的第一个老师来自哪里？
24. 张教练练习瑜伽多长时间了？
25. 练习瑜伽的三个条件是什么？

第 26 到 30 题是根据下面一段采访：

主持人： 张坤现在就读于美国一所文理学院。他的特长是功夫。张坤，你什么时候开始学功夫的？

张　坤： 我从 5 岁开始学习。

主持人： 为什么练习武术呢？是家人要求的吗？

张　坤： 我小的时候非常瘦小，可谓弱不禁风，那个时候想通过学武术来强身健体。

主持人： 你在哪方面见长？

张　坤： 我小的时候只是练习套路，后来到少林寺专门学了一些拳法，主要是少林的鹰拳。

主持人： 是不是好多外国人都觉得你的武术酷极了？有美国学生要求跟你学武术吗？

张　坤： 有。其实中国武术是我拥有的一个非常好的特长。因为去了美国之后才知道，美国人对中国人的印象就是很瘦弱，每天只是学习。但是我觉得这不是中国人的特点，所以，去美国后，我开了一个武术班。

主持人： 是在学校里面开武术班吗？

张　坤： 是，是学校里的一个社团。

主持人： 学生多吗？

张　坤： 挺多的，各种各样的人都来学，有很多女生，她们对中国的太极很感兴趣。还有很多男生，个子 1 米 9 以上的打篮球的也来跟我学。其实中国武术还是很吸引外国人的。

主持人： 从武术中你自己学到了什么？

张　坤： 小时候学武术每天都很苦，但我一直坚持到了现在，武术不仅让我懂得了坚持，也是对我毅力的一种考验。从其他方面来说，因为我练的拳是少林拳法，它的特点是拳打直线，所以，它会教给我一种人生哲理，让我明白：人生就应该是直来直往，做人就不应该虚伪。

26. 张坤是什么时候开始学习武术的？

27. 他为什么学习武术?
28. 张坤的功夫在什么方面比较突出?
29. 他在学校办的武术班是什么性质的?
30. 下列哪一项不是张坤从武术中学到的?

第三部分

第31到50题，请选出正确答案。现在开始第31到33题:

第31到33题是根据下面一段话:

一群朋友得到了一壶好酒，他们觉得这么多人喝一壶酒肯定不够，还不如给一个人喝。但是，他们不知道把这壶酒给谁喝好。这时，有一个人想到了一个主意，他说:“我们每个人在地上画一条蛇，谁先画好了，这壶酒就归谁喝。”大家都同意这个办法。于是，大家就开始在地上画蛇。有一个人画得很快，不一会儿就把蛇画好了，于是他把酒壶拿了过来。正要喝酒时，他看见其他人还没画完，便十分得意地又给蛇添了几只脚。不料，这时另外一个人画好了，把酒抢了过去，说:“蛇是没有脚的。”然后拿起酒高高兴兴地喝了下去。给蛇画脚的人非常后悔，可是已经晚了。这个故事告诉我们，做事情要知道什么时候停止，不要做没有必要的事情。

31. 为了喝到这壶酒，这些人想到了什么办法?
32. 第一个画好的人画完以后又做了什么?
33. 这个故事告诉我们什么道理?

第34到37题是根据下面一段话:

世界上很多野生动物正面临着从地球上消失的危险。生活在印度尼西亚保护区的天堂鸟，20世纪70年代还剩500只，现在只有50只了;海豹也正从北极消失;非洲的大象也在减少;中国的珍贵动物也在减少。为什么会发生这些现象呢?最主要的原因是野生动物生存的环境被破坏了。另外一个原因是人类对珍贵野生动物的捕杀。所以我们要保护自然环境，不要随便捕杀野生动物，那么它们就能生存下来，与人类共处在这个地球上。

34. 野生动物面临着什么样的问题?
35. 印度尼西亚的天堂鸟现在还剩下多少只?
36. 使野生动物面临危险的最主要原因是什么?
37. 为了使野生动物不消失，我们应该怎么做?

第38到41题是根据下面一段话:

傣族人喜欢喝花茶，不同的人喝不同的花茶。老人喝的是桂花茶，年轻人喝的是茉莉花茶，谈恋爱的人喝玫瑰茶。而桂花茶又分等级:金桂是等级最高的，只能年纪大的人喝;银桂是中等的，一定岁数的人都可以喝;丹桂是低等的，只要是结了婚的人都可以喝。茉莉花茶是结过婚的女人喝的茶，而玫瑰茶只有年轻人才能喝。青年男女第一次约会的地方一定要有玫瑰茶，如果感觉不好，也可以在玫瑰茶的香气里分手。

38. 哪种人可以喝桂花茶？
39. 谈恋爱的人喝什么茶？
40. 什么样的人可以喝金桂？
41. 青年男女第一次约会的地方一定要有什么茶？

第 42 到 44 题是根据下面一段话：

人类为了躲避雷电而发明了避雷针。避雷针是很好的导体，它的作用是避免周围的物体遭受雷击。所以在大楼上安装避雷针，就可以使大楼免受雷击而倒塌。雷雨天，一个人站在一片很大的空地上，那么这个人就可能成为雷雨云的放电对象，所以雷雨天不要去空地淋雨，要躲进屋子里避雨。

42. 人们为什么要发明避雷针？
43. 大楼上为什么要安装避雷针？
44. 雷雨天，一个人站在很大的空地上是否安全？

第 45 到 47 题是根据下面一段话：

周杰伦是中国台湾著名的流行音乐歌手。他的代表作是《双截棍》。因为这首歌，大家开始认识了他。他的音乐突破了原来亚洲音乐的形式，创造了多变的歌曲风格，融合了中西方的特点，开创了流行音乐的“中国风”。他也曾多次被评为最受欢迎的台湾男歌手。他对自己的音乐要求非常高，每一张专辑都要亲自把关，就像公司的董事长，因此，大家尊称他为“周董”。最近周杰伦又开始演电影了。他自导自演的电影《不能说的秘密》大家都很喜欢。现在外国人也知道他，也很喜欢他的音乐和电影。

45. 周杰伦是哪里人？
46. 大家尊称周杰伦为什么？
47. 他自导自演的电影叫什么名字？

第 48 到 50 题是根据下面一段话：

古时候，有个国王喜欢音乐，每次都有 300 多个人一起给他表演节目。其中有一个叫南郭的人，虽然不会音乐，但每天都和大家一起表演。因为人很多，国王也没有看到他不会表演。南郭就这样过了很多年，生活得很好。后来国王去世了，国王的儿子继承了王位。国王的儿子喜欢每个人单独给他表演，可是南郭根本不会表演，于是在大家作准备的时候他逃跑了，后来饿死在了路上。这个故事告诉我们，做人要诚实，要有真本领，不然就会像南郭一样。

48. 南郭会表演吗？
49. 国王的儿子要看表演时南郭做了什么？
50. 这个故事告诉我们什么道理？

听力考试现在结束。

HSK（六级）模拟试卷 5

第一部分

第 1 到 15 题，请选出与所听内容一致的一项。现在开始第 1 题：

1. 一位职员已经两天没上班了，当他第三天来到公司时，老板抱怨道："你这两天干什么去了?"职员回答："我不小心从三楼窗口掉下去了。"老板怒气冲冲地说："从三楼掉下去要两天吗?"

2. 英国最近公布了一张奇特的海底鱼类照片。照片中外表奇特的鱼类叫做水滴鱼，它摆出一副闷闷不乐的表情。这种鱼确实有理由郁闷：科学家警告，由于深海捕捞过度，水滴鱼正面临着灭种的威胁。

3. 近日，美国科学家成功地开发出一项新技术，他们制作了一种特殊的帽子，戴上它就可以使人的大脑与网络相连接。今后这项技术可以使人类能够通过天线，直接利用大脑来进行各种信息的交流。

4. 据报道，科学家发现了一种非常特别的青蛙，它们靠一种别的动物听不到的超声波来相互交流。科学家认为这是一种新的奇特的进化。研究这种青蛙特殊的耳朵结构，有助于发明一种新的技术，帮助人们在嘈杂的环境中听到想听的声音。

5. 冰虫是世界上最不怕冷的动物，它可能是地球上唯一冻不死的生物。科学家由此推断，外星球上也可能存在像冰虫一样的耐寒生物。它们个头非常小，在雪地里就像一丝细细的小黑线，而且可以在冰块中自由行走。但冰虫也有致命的缺点，那就是怕热。

6. 韩国动物园有一只 15 岁的大象最近很有人气，因为这只大象居然会说人话。研究人员发现，这只聪明的大象不但非常努力地学习人类的语言，而且还会在晚上自己偷偷练习说话。它经常说的几句话是"好"、"还没"，让动物学家连声称赞。

7. 据报道，英国一只宠物狗在离家数十公里远的一个火车站与主人失散后，在找不到主人的情况下，它作出了一个让人目瞪口呆的决定：竟然自己搭上了一辆开往家乡的火车回到了家。最不可思议的是，这只聪明的小狗不但搭对了火车，还在正确的车站下了车。

8. 变色龙改变身体的颜色不仅是为了伪装，有时也是一种交流的手段。变色龙会根据心情改变自己的颜色：一只心情平静的变色龙通常呈现美丽的绿色，当它生气的时候看起来是鲜艳的黄色，黑白相间的条纹表明它感觉自己受到了威胁，而大多数时候呈蓝色表示正无精打采。

9. 动物里排名第一的骗子是杜鹃鸟，原因就在于它是一个伪装高手。它会偷偷地把自己的蛋生在其他鸟的鸟巢中，经过伪装以后由其他的鸟代替它把儿女喂养大。如果其他鸟发现了并且拒绝抚养，杜鹃鸟就会破坏它们的鸟巢以示警告。

10. 对鱼类来说，食物就意味着生存的机会。可是科学家却发现，虾虎鱼的生存方式却相反：它们会努力节食，把自己饿得瘦瘦的，以此避免被其他虾虎鱼赶出家门。如果谁“发福”了，那么周围的同伴就会把它赶走。对虾虎鱼来说，离开了住处就意味着死亡。

11. 一项最新研究显示，蛇的绝食能力十分惊人，它们可以在不进食的状态下生存两年时间。令人惊奇的是，在这段饥饿的时期内，蛇的身体长得更快了，头也变得更宽了，原来它们是靠消化自己的身体提供能量，有时甚至会消化自己的一部分心脏。

12. 俄罗斯发现了一只长有六只耳朵的小猫。这只猫三个月大，性格温和，除了耳朵以外，与一般的猫没有什么区别，身体也十分健康。兽医为这只小猫进行全面检查后发现，那四只多余的耳朵只是徒有其表。兽医认为，小猫出现六只耳朵很可能是环境污染所致。

13. 美国一只 31 岁的鹦鹉被评为世界上最聪明的鹦鹉。它一生中学会了 100 多个英文单词，会用简单的句子进行对话。它能够识别 50 种物品、7 种颜色、5 种形状、6 个数字。科学家估计，它有着两岁儿童的情商和 5 岁儿童的智商。

14. 星星的颜色决定于它表面的温度，不同的颜色代表着不同的表面温度。经过天文学家测定，红色星大约是 2600℃—3600℃；黄色星稍微高一些，是 5000℃—6000℃；白色星的温度更高，大约有 7700℃—11500℃；蓝色星的温度最高，达 25000℃—40000℃。

15. 几个吝啬鬼在一起比赛，大家依次介绍自己如何小气，互不相让。唯有一个人默不作声。其他人问道：“先生，能谈谈您的事迹吗？”他生气地说：“我自己的声音为什么要让你们听见？”结果他得了冠军。

第二部分

第 16 到 30 题，请选出正确答案。现在开始第 16 到 20 题：

第 16 到 20 题是根据下面一段采访：

主持人：今天我们请来的嘉宾叫廖智，她是一位舞蹈老师。廖老师，你好！

廖　智：你好。

主持人：在 5·12 特大地震中，你失去了双腿，但是现在你却创造出了一种特殊的舞蹈。我想问一下，是什么促使你继续跳舞的呢？乐观开朗的性格还是顽强的毅力？

廖　智：都不是，是对舞蹈的热爱。

主持人：听说你现在最大的梦想是创立一个正规的残疾人表演团队，是吗？

廖　智：是的。

主持人：你是怎么创作出这种残疾人舞蹈的？

廖　智：其实是很偶然想到的。不是像有的人想的那样，是以前早就创作好的或者是找人替我创作的。当时我还在医院里边住院，很多志愿者过来看望病人，他们看到我跟我的朋友还坐在轮椅上边，随便在那儿比画。有人就问：廖智，你还想跳舞吗？我说当然想跳了。他们又问我：要给你一个舞台让你去跳，你愿意吗？我说：当然愿意啊，但是我能吗？他们说：只要你愿意，我们可以帮你实现你的梦想。所以就有了我的独舞。

主持人：现在有多少残疾人参加你这个团队？

廖　智：二十五六个吧。

主持人：到目前为止，你遇到的最大的困难是什么？

廖　智：对残疾人这个群体的陌生。可能是我以前从来没有做过，也从来没想过我这辈子可能会走上这样一条道路。上天突然拿走了我的双腿以后，我才开始去关注这个群体，我才开始去学着跟他们相处，我才开始更加关心这群人，就像关心我自己一样，因为我知道我们都一样。

16. 是什么促使廖智继续跳舞的？
17. 廖智现在最大的梦想是什么？
18. 廖智是怎么创作出残疾人舞蹈的？
19. 现在有多少残疾人参加廖智的团队？
20. 到目前为止，廖智遇到的最大的困难是什么？

第 21 到 25 题是根据下面一段采访：

主持人：今天我们很高兴请来了张梓琳，中国第一位世界小姐。梓琳，你好，你的 2008 年应该说是很特别的一年。

张梓琳：是，因为 2008 年是我的世界小姐任期。

主持人：你是从 2008 年的几月开始世界小姐之旅的？

张梓琳：我当选世界小姐是 2007 年 12 月，正式的任期是从 2008 年的 1 月开始的。

主持人：任期内做了哪些事情呢？

张梓琳：首先是做一些亲善访问；然后是参加加冕仪式，各个国家当地的国家小姐竞选，我会作为嘉宾或者评委去参加；最后就是去访问各个国家。这一年 12 个月的时间，我去了将近 20 个国家和地区，其中南非就有两次。

主持人：是不是感觉特别辛苦？

张梓琳：是啊，做世界小姐是很辛苦的。因为工作时间很紧，强度也很大。大家想象的可能会是周游世界的旅行呢，其实不是这样的，很多时候是要去一些比较贫困的地方，做一些比如说援建桥梁、房屋的工作，或者是去一些很穷的小学去看那些小朋友。

主持人：这一年你最大的收获是什么？

张梓琳：那当然是做世界小姐的经历了。因为即使我之前有过再多的生活经历，比如说小时候练体育，还有学习舞蹈，包括之后做模特儿，这一切的一切和我这一年的经历都是完全不相干的，这一年世界小姐的经历是以前我自己从来没有期望过可以拥有的美丽经历。

主持人： 你会出书吗？

张梓琳： 有这个想法。

主持人： 会写些什么内容？

张梓琳： 主要是我的成长经历。因为很多朋友对我的成长经历很感兴趣，尤其是很多年轻的女孩子，当然也会写一些我生活的小细节，比如减肥或者美容护肤的经验，她们都很想知道。

21. 张梓琳的正式任期是从什么时候开始的？
22. 张梓琳在任期内做了哪些事情？
23. 为什么张梓琳觉得做世界小姐很辛苦？
24. 张梓琳这一年最大的收获是什么？
25. 如果出书，张梓琳主要会写些什么内容？

第26到30题是根据下面一段采访：

记　者： 今天采访的是南非法尔之星钻石的总裁刘燕生先生。钻石没有什么实质性的意义，但是人人都有一个钻石梦想，这是为什么呢？

刘燕生： 因为钻石代表婚姻。每个人都向往婚姻，因此也就有了钻石的梦想。这个应该感谢戴比尔斯公司，因为是戴比尔斯公司在推广钻石的过程中，把它和爱情婚姻结合在了一起。

记　者： 为什么会把钻石和婚姻联系到一起呢？

刘燕生： 因为钻石是最不容易被破坏的。它的硬度是所有今天人类发现的物质里面最硬的，没有什么东西可以轻易破坏它。人生最大的承诺是婚姻，所以把钻石和婚姻结合起来是顺理成章的。

记　者： 是哪个国家先把钻石用在饰品上的？美国吗？

刘燕生： 不是。关于钻石的记载始于印度和巴西，但是真正把钻石用在饰品方面的是印度。现在所有的珠宝类产品中，只有钻石有全球统一的分级标准，而且它已经成为一个工业化的产品。

记　者： 钻石是最硬的东西，那么用什么来切割钻石呢？

刘燕生： 用钻石粉。在开采的过程中，即使破碎完了以后还是有一些钻石的粉末，我们在磨钻石的时候是用很薄的钢片沾着粉末，相当于锯片似的，打在画的线上，然后开始磨。

记　者： 现在有一种说法是"好的钻石应该有八心八箭"，你能不能告诉我们这所谓的"八心八箭"是指什么？

刘燕生： 这"八心八箭" 实际上就是一种理想的切割模式。只有把钻石切割得比较完美才能够看出来。就是说把它切割成58个面，拿起来以后从另外一个方向去看和正面用镜子去看的时候，里边侧面上的刻面反映出来的就像一把箭穿过一颗心的样子。

26. 为什么人人都有一个钻石梦想？
27. 为什么会把钻石和婚姻联系到一起？
28. 是哪个国家先把钻石用在饰品上的？

29. 用什么来切割钻石？

30. “八心八箭”是指什么？

第三部分

第31到50题，请选出正确答案。现在开始第31到33题：

第31到33题是根据下面一段话：

有个放羊娃老是喜欢说谎、开玩笑，时常大声向村里人呼救，谎称：“狼来了！狼来了！狼来袭击我的羊群了！”开始的两三回，村里人都相信了，惊慌得立刻跑去帮忙，却发现被他欺骗了，还受到了他的嘲笑，就没趣地走开了。后来有一天，放羊娃赶着羊群到村外很远的地方去放牧。这次，狼真的来了，窜入羊群，大肆咬杀。放羊娃对着村子拼命呼喊救命，但村里人都认为他又像往常一样在说谎、开玩笑，没有人理他。结果，他的羊全被狼吃掉了。

受到了这个教训后，放羊娃再也不说谎了，决心做个诚实的孩子。

31. 放羊娃喜欢对村里人做什么事情？

32. 狼真的来了后，村里人为什么不去救他？

33. 这个故事告诉我们什么道理？

第34到37题是根据下面一段话：

旅游业不是通常你所想象的行业，因为它唯一的目的就是赚钱，但它可能是世界上最大的生意。地球上每个地方都努力吸引游客前来观光，因为他们会带来金钱，把钱花了才走。你很难想象那些城市花了多少钱来吸引游客，奇怪的是，“游客”竟然成了一个人们忌讳的词，这也许可以解释为什么现在流行称他们为“参观者”。游客太容易辨认了，他们好像身上挂着牌子说“我是游客”。你可从他们的装束辨认出他们，比如，夏天他们会穿上短裤，拿着某种袋子或者背着背包，他们还总是携带着照相机。

各个城市为了吸引游客，都建了很多假的景点，还有很多花样，但这些并不便宜。游客的生活没有一个真正的目标，他们只想在异国他乡找些有趣的东西，却一无所获，往往他们想要的东西根本就不存在。就算有，等他们来了，可能也早被其他游客捷足先登了。

34. 旅游业的根本目的是什么？

35. 现在流行称呼游客什么？

36. 从哪些方面可以辨认出他们是游客？

37. 游客在异国他乡能够收获些什么？

第38到40题是根据下面一段话：

公元200年，袁绍集中了十万精兵声讨曹操。而曹操军队兵少粮缺，寡不敌众。危急时刻，许攸前来报信，告诉曹操现在袁绍有一万多车粮食、军械，全都放在乌巢，且防备很松。只要把袁绍的粮草全部烧光，不出三天，他就不战自败。

曹操得到这个重要情报，立刻带领五千骑兵，连夜向乌巢进发。他们打着袁军的旗号，穿上袁军的衣服，袁军的岗哨没有怀疑，就放他们过去了。曹军到了乌巢，放起火来，把一万车粮草烧得个一干二净，连守将淳于琼也被当场杀死了。袁军将士听到这个消息后都惊慌失措。袁绍手下的两员大将张郃、高览带兵投降。曹军乘势猛攻，袁军四下逃散。袁绍和他的儿子袁谭连盔甲也来不及穿戴，就带着剩下的八百多骑兵向北逃走了。从此以后，曹操逐渐统一了中国的北方。

38. 谁给曹操报的信？

39. 为什么袁绍的军队没有怀疑曹操的军队？

40. 投降曹操的袁军大将是谁？

第 41 到 44 题是根据下面一段话：

金刚石作为一种稀有的贵重物品，自古以来就是财富的重要象征。

在大自然中，金刚石以极少的矿藏量深埋在地底下。偏偏是这种少得出奇的金刚石具有世界万物中独一无二的特性：它是自然界中最硬的一种矿石。金刚石的这一特性，使它具有广泛的社会用途：有人将它镶嵌在金光闪闪的戒指等首饰中，以象征坚贞不渝的爱情；有人把它制成金刚钻，用来切割钢铁、玻璃等等。

可是，储量如此稀缺的金刚石，远远满足不了社会对它的巨大需求。渴望拥有金刚石的人往往会天真地想，要是有一天金刚石能成为大量存在的物品，那该多好！

金刚石的主要成分是碳。1893 年，法国化学家莫瓦桑在高温条件下，经过多次试验，终于研制出了人造金刚石。

41. 金刚石自古以来被人们当做什么的象征？

42. 金刚石独一无二的特性是什么？

43. 金刚石的储量情况怎么样？

44. 金刚石的主要成分是什么？

第 45 到 47 题是根据下面一段话：

1956 年，晶体管电子计算机诞生了，这是第二代电子计算机。只要几个大一点儿的柜子就可将它容下，运算速度也大大地提高了。

1959 年出现的是第三代集成电路计算机。

从 20 世纪 70 年代开始，电脑的发展进入了新阶段。1976 年，由大规模集成电路和超大规模集成电路制成的“克雷一号”使电脑进入了第四代。其特点是：小型化、微型化、低功耗、智能化、系统化。

20 世纪 90 年代，电脑向“智能”方向发展，出现了与人脑相似的电脑，它可以进行思维、学习、记忆、网络通信等工作。

进入 21 世纪，电脑更是笔记本化、微型化和专业化，不但操作简易、价格便宜，甚至在某些方面扩展了人的智能。于是，今天的计算机就被形象地称做电脑了。

45. 晶体管电子计算机是第几代计算机？

46. 第四代计算机的特点是什么？

47. 什么时候电脑开始向“智能”方向发展？

第 48 到 50 题是根据下面一段话：

2008 北京奥运会吉祥物首次把动物和人的形象完美结合，强调了以人为本，人与动物、自然界和谐相处的天人合一的理念；在设计理念上，首次把奥运元素直接引用到吉祥物上，如火娃的创意来源于奥运会圣火；在设计应用上，更加突出了延展使用上的个性化。其一大特点就是五个吉祥物的头饰部分，可以单独开发出来，运用更为广泛，孩子们可以根据自己的喜好选取不同的头饰戴在头上，活泼的孩子也成了可爱的吉祥物形象，互动性大大增强；在数量上，北京奥运会的吉祥物也是奥运会历史上最多的一次，达到五个，体现了中华文化的博大精深。

48. 为什么把吉祥物的形象设计成动物与人的结合？

49. 在设计应用上，吉祥物的个性化体现在哪个部分？

50. 北京奥运会一共有几个吉祥物？

听力考试现在结束。

HSK（六级）模拟试卷 *6*

第一部分

第 1 到 15 题，请选出与所听内容一致的一项。现在开始第 1 题：

1. 公园里，一个小孩哭着跟在一个孕妇后面。孕妇停下来对小孩说："小朋友，你为什么总是跟着我呀？"小孩抽泣着说："我的气球不见了，是不是您把它藏到肚子里了？"

2. 小王和一个女生在聊天儿。小王说："你的腿今天一定很累吧？"女生很奇怪，问："为什么？"小王说："因为你在我的脑海里跑了一整天。"

3. 科学证明，人与人之间的交流，高达 93%的部分并不是通过语言来完成，而是通过声音、身体姿势和动作、面部表情等肢体语言来完成的。当人们所说的话和面部表情不一致的时候，我们更容易相信面部表情传递的信息。

4. 一天，三岁的宝宝拿着一块抹布高兴地对妈妈说："妈妈，我会用抹布了！"妈妈说："是吗？你擦什么了？"宝宝说："我擦完了桌子，擦完了马桶，擦完了地，现在准备去擦碗！"

5. 小王明天就要期末考试了，可是今天晚上他还在看电视，而不去复习功课。妈妈着急地问："你怎么还不去看书？明天就要考试了。"小王说："我如果不是胸有成竹，就不会看电视了。"

6. 小明对妈妈说："今天客人来家里玩儿的时候，哥哥放了一颗钉子在客人的椅子上，被我看到了！"妈妈说："那你是怎么做的呢？"小明说："我不能让哥哥对客人没有礼貌，所以等客人刚要坐下来的时候，我把椅子从他后面拿走了！"

7. 一位老太太要乘出租车去火车站。她不停地对司机说："你得开慢点儿……小心点儿……别放手……请不要走……路面水多……请不要急转弯……"司机终于不耐烦了，说："好吧，老太太，可是如果我们真出了车祸，你想进哪个医院呢？"

8. 小明和朋友一起走路。小明问朋友："你今年几岁啦？"朋友说："我今年九岁了。"小明说："太好了，再过两年我就比你大一岁了！"

9. 农夫巡视自己家的果园，发现一个小男孩在他家的苹果树上摘苹果，农夫很生气地说："调皮的孩子，你等着，我要去告诉你爸爸！"小男孩抬头向上面喊道："爸爸，底下有人要和你说话！"

10. 上课的时候，我问学生的志愿，结果都是工程师、科学家、医生之类。只有一位学生说他将来要做慈善家，去帮助别人。我听了之后，非常佩服这位同学，于是我问他："为什么？"他回答说："老师，要是没钱，怎么能做慈善家呢？"

11. 大气污染对人体的危害很大，这些污染物通过呼吸道进入我们的身体，然后通过血液流遍我们的全身。这些污染物容易使我们患上各种各样的疾病，大致可以分为慢性中毒、急性中毒和癌症三种。

12. 爸爸做事总是丢三落四，经常弄丢自己的雨伞。一天，爸爸下班回来高兴地对妈妈说："你看，这回我没有忘记把雨伞带回来！"妈妈说："可是你今天没有带伞出去啊！"

13. 人类的头发中有一种物质叫做"黑色素"，它可以使我们头发变黑。如果黑色素少的话，头发便会发黄或者发白。当我们到了老年的时候，黑色素越来越少，所以我们的头发也就越来越白了。

14. 南郭先生每逢吹竽，也鼓着腮帮捂着竽眼儿，装腔作势，混在乐队里充数，故意做出一副姿态，好像是在吹竽。

15. 小张和朋友在闲聊。朋友问小张："你和你女朋友什么时候结婚？"小张说："八字还没一撇呢！"

第二部分

第 16 到 30 题，请选出正确答案。现在开始第 16 到 20 题：

第 16 到 20 题是根据下面一段采访：

主持人：今天我们大家将跟张教授一起讨论青少年的心理特征和性格特点。请问，张教授，青少年的性格有什么特点？

张教授：青少年的性格特点和成人有些不同，特别是外向型。外向型青少年主要有三个特点：第一个就是合群。第二个就是活跃。合群就是愿意和别人在一起，但是很少说话；活跃就是不仅愿意和别人在一起，往往还起到主导性作用。第三个特点就是幽默，这种人喜欢开玩笑，他说出来的话大家都爱听，而且很轻松。

主持人：性别不同，表现也不同吧？

张教授：是的，女孩比男孩要更外向一些，初一、高一、高二差别是最大的。

主持人：有的孩子比较懒惰，早晨起床也起不来，是不是因为他的性格有问题呢？

张教授：这是习惯的问题，可能是因为他每次这么做的时候，他没有意识到对他本人带来的消极影响，同时父母也没有让他意识到这个问题的严重性。好的习惯对于青少年是非常重要的，无论是学习的习惯，还是日常生活的习惯，都很重要。

主持人：您如何看待青少年人际关系的特点？

张教授：人际关系主要有三个方面：第一是温和，就是对人的态度。第二是谨慎，要仔细认真地对待问题。第三就是委婉，人际关系里面造成冲突最常见的原因就是太直接了。我们说的青少年人际关系的特点就是他们希望在处理各种问题的时候给人留下一个好印象。

主持人：张教授，您对青少年有什么建议吗？

张教授：在初中到高中的阶段，青少年的主要任务是学习，但是在学习之外，一个人的全面发展也很重要，包括人际交往、身体素质、兴趣活动，但是要处理好两者之间的关系。在面临着升学压力的时候应该好好学习，但是平时还是要多多增加其他知识，应该注意全面发展。

16. 下面哪个不是外向型青少年的特点？
17. 女孩的外向性格在什么时候与男孩差别最大？
18. 为什么有的孩子早晨起床起不来？
19. 青少年人际关系的特点是什么？
20. 张教授对青少年有什么建议？

第 21 到 25 题是根据下面一段采访：

主持人：高春明致力于研究中国服饰已经 35 年了，他是这方面的专家，直接参与了众多的考古发现。今天我们请他来给大家介绍一下旗袍的历史。高先生，请问您旗袍的来源是什么？

高春明：旗袍最早是满族人的服装，满族人进入北京以后，人们常常说满族人是“旗人”，所以他们的衣服也就叫做“旗袍”。

主持人： 汉族是谁最先穿旗袍的？

高春明： 据我所知，最早开始穿旗袍的汉族女性是上海的女学生，她们穿着宽松的蓝布旗袍走在街上，引起了其他女性的羡慕，慢慢就成了时尚。

主持人： 上海的学生受新思想、新文化的影响比较深，比较开放，再加上当时有新女性的说法，所以她们在穿着上比较大胆吧？

高春明： 是的。1921年，旗袍在上海妇女界流行，继而迅速扩大到全国各个阶层，逐渐成为妇女的日常服装，所以，上海成为现代旗袍的发源地。

主持人： 对旗袍推动作用最大的是哪些人呢？

高春明： 一是影星，在当时比如阮玲玉等上海电影明星经常穿旗袍，这种“明星效应”跟现在一样也引领了那个时代的流行趋势，加速了旗袍的流行。另一些人是名人太太，她们在公众场合都穿旗袍，把旗袍当做身份的象征。

主持人： 旗袍的设计是怎么变化的？

高春明： 20世纪20年代是旗袍流行的开始，旗袍的风格比较简单，袖口只露出手腕。1926年至1927年，旗袍长度仍然比较适中，袖口露出了一点儿手臂。1928年，女学生的旗袍又提高了一些，露出了小腿。到20年代末，旗袍开始收腰，大胆露出了女性美丽动人的曲线。

主持人： 纺织面料的更新对旗袍应该也有推动作用吧？

高春明： 是的，大量欧美面料进入中国，使旗袍获得了更丰富的材料。

21. 旗袍最早是哪个民族的服装？
22. 汉族女性中最开始穿旗袍的是什么人？
23. 现代旗袍的发源地是哪儿？
24. 穿旗袍露出小腿是在什么时候？
25. 更新的旗袍面料从什么地方进口？

第26到30题是根据下面一段采访：

主持人： 今天请来了山东工艺美术学院副院长、青年学者潘鲁生教授。潘教授从事民间艺术研究近20年，提出了“民间手工文化生态保护”的学术命题，在全国范围内产生了很大的影响。潘教授，是什么样的背景促使您提出这个命题的？

潘教授： 这是民间艺术研究的一个必然结果。起初我们对民艺的研究也是从民间剪纸、年画、刺绣开始的。后来随着研究的不断深化，民艺作品背后的文化背景、生活背景开始浮现出来，我们开始认识到，任何一件民艺作品都不是孤立的，它是民间生活中的一件具体的用品，对它们的研究实质上就是对老百姓的传统生活、传统文化进行研究。

主持人： 对民间艺术的保护，实质上是对传统文化的保护吗？

潘教授： 的确是这样。民间文化如同一种生态环境，在这种生态环境中生长了不同的文化果实，如果仅仅研究文化产品，就会淡化它内在的生命力。我们提出这样的命题，目的就是呼吁大家要关爱与保护整个民间文化的生态环境。

主持人： 我想保护民间文化不应该是重新回到传统里去吧？

潘教授： 不是回到传统中去，而是反思传统，为了使我们的民族、我们的国家更快、更好也更加稳定地向前发展。传统文化是现代文化的根基，现代文化是传统文化的生命力。一个国家和民族，要生存就要发展，但发展离不开一个稳定的根基。

主持人： 您刚才提到民间艺术就是传统的物质文化，我们现在应该如何保护？

潘教授： 怎样把这些传统文化方式留下来，我觉得有一个重要的渠道，就是通过基础教育，通过我们的中学生、小学生。他们从小就需要这种体验，假如说让这些孩子从小学习编制一下中国结，做一些手工织绣的东西，我感觉是非常有益的。如果把这些东西跟基础教育、跟我们的这种文化产业结合起来，传统文化将会更有生命力。

26. 潘教授提出了什么学术命题？
27. 提出这样的命题有什么背景？
28. 提出这个命题的目的是什么？
29. 传统文化的生命力是什么？
30. 应该如何保护民间文化？

第三部分

第 31 到 50 题，请选出正确答案。现在开始第 31 到 34 题：

第 31 到 34 题是根据下面一段话：

有一只雄孔雀，它的长尾巴真是漂亮极了，令人惊叹大自然的造化竟有如此神奇美妙的杰作。不只是人类羡慕雄孔雀美丽的尾羽，就连它自己也因这美丽而陶醉，以至进一步养成了嫉妒的恶习。它只要见到穿着颜色鲜艳服装的少男少女，就禁不住妒火中烧，总要追上去啄咬几口。

每逢在山里栖息的时候，它总是先要选好一个能掩藏尾羽的地方，然后再来安置身体的其他部位。可是有一天，雄孔雀因被雨水淋湿了漂亮的尾羽，非常痛心。恰在此时，手持罗网的捕鸟人来到了面前，而这只孔雀只顾梳理自己漂亮的尾羽，不肯展翅高飞，于是落入了捕鸟人撒下的罗网。

雄孔雀因过分喜爱自己美丽的尾羽，使得长处变成了短处，以致于产生了不好的结果。

31. 雄孔雀的什么长得漂亮？
32. 它为什么啄咬穿漂亮衣服的人？
33. 谁抓走了雄孔雀？
34. 这个故事告诉我们什么道理？

第 35 到 38 题是根据下面一段话：

许多动物的某些器官感觉特别灵敏，它们能比人类提前知道一些灾害事件的发生，例如，海洋中的水母能预报风暴，老鼠能事先躲避矿井崩塌或有害气体，等等。地震往往能使一些动物的某些感觉器官受到刺激而发生异常反应。如一个地区的重力发生变异，某些动物可能通过它们的平衡器官感觉到；一种振动异常，某些动物的听觉器官也许能够察觉出来。地震前地下岩层早已在逐日缓慢活动，而断层面之间又具有强大的摩擦力。这种摩擦力会产生一种低于人的听觉所能感觉到的低频声波。人对每秒20次以上的声波才能感觉到，而动物则不然。那些感觉十分灵敏的动物，在感触到这种低声波时，便会惊恐万状，以至出现冬蛇出洞、鱼跃水面等异常现象。

35. 动物的器官感觉与人的相比有什么不同？

36. 录音中提到能预报风暴的动物是什么？

37. 低频声波至少要达到每秒多少次才能被人感觉到？

38. 动物感觉到低频声波时会有怎样的表现？

第39到42题是根据下面一段话：

甲型H1N1流感和普通流感的区别在于以下几点：

首先，感染甲型H1N1流感后3—6小时内会急速发高烧，高烧会持续3—4天，且会伴有急速的全身性肌肉酸痛；而普通流感则是逐渐发烧，有轻微的全身性肌肉酸痛，偶而会发高烧。第二，约80%以上的人感染甲型H1N1流感后会有严重的头痛，而普通的流感则是轻微的头痛。第三，甲型H1N1流感流鼻涕比较少见，但多有咳嗽及喉咙痛；普通的流感则多有流鼻涕及咳嗽。第四，甲型H1N1流感几乎没有打喷嚏，而普通流感会打喷嚏。此外，感染甲型H1N1流感的大多数人会有发烧恶寒，有严重的疲劳感，并且会有严重的胸部压迫感，而扁桃体不肿；普通的甲流只是偶尔会有恶寒，轻微的疲劳感，无胸部压迫感，而扁桃体会肿。

39. 感染甲型H1N1流感后的急速高烧一般会持续几天？

40. 感染甲型H1N1流感后会流鼻涕、打喷嚏吗？

41. 下列哪一项属于甲型H1N1流感症状？

42. 下列哪一项不属于感染甲型H1N1流感的症状？

第43到46题是根据下面一段话：

据推测，姚明在全世界的球迷应该在15亿以上。姚明的影响力早就超出了中国大陆，在香港、澳门、台湾，恐怕没有当地的体育电视不转播火箭队的比赛。但姚明的影响力远远不止中国范围，在亚洲，日本、韩国、南亚、东南亚的华人也都是姚明的球迷，甚至就是非华人也有很多是姚明的球迷。

在美国，在休斯敦，姚明也有很多球迷，这就是姚明能够连续蝉联全明星赛首发中锋的原因。他向美国公众展示了友好、善良、谦虚、礼貌……姚明不仅仅是当地华人的骄傲，也是许多其他族裔球迷的偶像。因为喜爱姚明，很多美国人会对汉语和中国文化产生兴趣，对中餐赞不绝口。

43. 据推测，姚明在全世界有多少球迷？

44. 姚明有着怎样的影响力？

45. 根据录音，姚明身上的哪一项优点还没有被提到？

46. 根据录音，很多美国人对汉语和中国文化感兴趣的原因是什么？

第 47 到 50 题是根据下面一段话：

蜿蜒于中华大地的万里长城，以其无比宏伟的雄姿闻名于世。它像巨龙般腾越在崇山峻岭、沙漠戈壁，是中国古代各地和各民族统治集团间的军事防御工程体系。

公元前 7 世纪到 3 世纪的春秋战国时期，各诸侯国互相吞并，形成群雄并立、混战不断的局面，他们在自己的边境先后筑起长城以自卫。比如，楚国率先在南阳地区筑方城数百里；齐国则在山东从平阴到东海边琅琊台修筑长城；中山、魏、韩、燕、赵、秦等国，各修筑长城数百里至数千里。当时，长城总长虽已上万里，但都是分散独立的。

公元前 221 年，秦始皇统一各诸侯国后，一方面拆毁诸侯国间的长城，另一方面为防犯北边匈奴，又调动军民上百万人，按原秦、赵、燕长城的走向一直到辽东，建成了中国最早的万里长城。

47. 长城的形状像什么？

48. 当时各诸侯国修筑长城的目的是什么？

49. 战国时期，哪个诸侯国率先开始修筑长城？

50. 谁建成了中国最早的万里长城？

听力考试现在结束。

HSK（六级）模拟试卷 7

第一部分

第 1 到 15 题，请选出与所听内容一致的一项。现在开始第 1 题：

1. 父亲问儿子："今天的报纸哪里去了？"儿子说："我拿它包垃圾扔掉啦。"父亲说："我还没有看呢，你怎么能扔掉呢？"儿子说："那有什么好看的？包的全是骨头渣和香蕉皮。"

2. 明明出去买火柴。回来以后，妈妈问明明："火柴好吗？"明明说："很好，每一根我都试过，全部划得着。"

3. 从前有一个小偷，发现人家家门口挂着一个很漂亮的铃铛，想偷，但担心偷铃铛时别人听到声音而偷不成。后来，他终于想出一个"绝妙"的主意，就是把自己的耳朵用棉花塞住，让自己听不到声音，结果偷窃时被当场逮住。

4. 一对夫妻骑自行车上街，妻子将丈夫甩在后面，等了半天，丈夫还没追上来。妻子停下来埋怨说："你的身体真是越来越差了，记得没结婚时，你用不了十秒钟就能追上我。"丈夫答道："哦，身体不是问题，问题在于现在我懒得追了。"

5. 大自然中有很多稀奇古怪的事，你听说过有会飞的草吗？南美洲就有这种草。每当天气干旱的时候，飞草就把自己的根从土里“拔”出来，卷成一个小球，在天空中随风飘荡，飘到湿润的地方就停下来，重新扎根生长。

6. 一个小偷到一户人家偷东西后一无所获，正要离开，主人说：“请关好门。”小偷不屑地说:“你家根本就不用关门!”

7. 小莉 8 岁了，她问妈妈：“弟弟几岁了？”妈妈说：“4 岁。”小莉说：“噢，再过 4 年，弟弟就跟我一样大了。”妈妈说:“傻丫头，你比他大一倍呢！弟弟长大了，你也一样长大呀!”小莉说:“哦，那么弟弟 8 岁时我就 16 岁了。”

8. 小强和同学在聊天儿。同学问小强：“为什么你的小弟弟总是整天哭个不停？”小强说：“这有什么奇怪的呢？要是你也没有牙齿，没有头发，又不会走路，不会讲话，连大小便都要人家帮忙，你也会整天哭个不停的。”

9. 爸爸和儿子在聊天儿。儿子看到爸爸有很多白头发，便问：“爸爸，你的头上怎么长出了白头发？”爸爸说：“你不听话，让爸爸操心，爸爸的头上就长白头发了呀!”儿子说：“那么爸爸，你太让爷爷操心了，爷爷已经满头白发了。”

10. 一个孕妇在路上行走。一个小女孩走过来问她：“阿姨，您的肚子为什么这么大？”孕妇说：“因为肚子里有孩子啊!”小女孩说：“阿姨，您是怕麻烦吧？”孕妇说：“啊？为什么？”小女孩说：“您嫌孩子抱着不方便，就把他放进肚子里了嘛。”

11. 小明和朋友在聊天儿。小明说：“我昨天把电视机拆开后又重新装好了。我想看看电视机里面的构造。”朋友说：“那你太厉害了！你没弄丢电视机的零件吧？”小明说：“非但没丢，还多出十几件呢!”

12. 小军和小明都说自己游泳速度快，朋友们就让他们俩去游泳池比赛。比赛后，小明的妈妈问结果怎么样。小明说：“我得了第二名，小军才得了倒数第二。”

13. 我们应当避免吃太咸的食品。世界卫生组织建议，一个健康成年人每日盐的摄入量不应该超过 6 克，相当于一个啤酒瓶盖的容量。这包括各种途径摄入的盐量。可是实际上一般人的用盐量远远超过这个标准。

14. 古代佛经里讲到有几个盲人去摸大象。一个人摸到大象的腿，就说大象像棍子；一个人摸到大象的耳朵，就说大象像扇子；一个人摸到大象的尾巴，说像绳子。因为他们摸到的都是大象的一部分，而没有看到大象的整体形象。

15. 儿子放学回家，问爸爸：“爸爸，你是不是还有一个名字叫‘淘气’？”爸爸说：“没有啊，谁说的？”儿子说：“今天上课的时候老师说的，她说我是淘气的孩子!”

第二部分

第16到30题，请选出正确答案。现在开始第16到20题：

第16到20题是根据下面一段采访：

主持人： 今天的嘉宾是"美的"品牌管理部总监董小华先生。"美的"从1981年诞生到现在，短短26年就已经是一个全国知名的品牌，品牌价值达到了300多亿。我们很想知道，是什么带动了"美的"品牌的提升？

董小华： 是产品的发展。通过消费者对产品的印象、对产品使用的体验，"美的"品牌才能不断地深入人心，所以是产品的发展带动了"美的"品牌的提升。

主持人： "美的"的第一个广告"原来生活可以更美的"是什么时候出现的？

董小华： 是1998年。当时"美的"在品牌推广上，从知名度到美誉度，都在不断地尝试，从过去靠感觉做品牌，到后来靠规划、靠战略做品牌。

主持人： 刚刚您谈到了战略，那"美的"的新战略是以什么为基础的？

董小华： 我们是以一个叫做"品牌漏斗"的理论为基础。"品牌漏斗"最大的一块叫知名度，从我们的调查来看，"美的"知名度很大，无提示的知名度和有提示的知名度都排在前三位，它在知名度上是没有问题的。漏斗往上走是美誉度，要考虑怎么提高销售的转换率。我知道一个品牌和我买这个品牌是两回事。然后还要考虑如何提高产品的忠诚度。

主持人： 忠诚度就是指买了一件产品还会买更多产品，对吧？

董小华： 对。这就是我们要研究的工作。过去是有产品再去找消费者。现在不是这样，要先确定你的销售群体是什么人。

16. "美的"是哪一年诞生的？
17. 什么带动了"美的"品牌的提升？
18. "美的"的第一个广告是什么时候出现的？
19. "美的"的新战略以什么为基础？
20. "忠诚度"是指什么？

第21到25题是根据下面一段采访：

记　者： 撒贝宁先生，你是《今日说法》栏目的主持人。《今日说法》走到现在已经十年了，你怎样回顾这十年的历程？如果让你用一个词来概括《今日说法》这十年，你会用哪个词？是"喜悦"、"感慨"，还是别的词？

撒贝宁： 如果用一个词来概括《今日说法》的十年，那就是"成长"。

记　者： 《今日说法》是一个中午时段的节目，但是一开播就取得了4.09的高收视率，你自己的感受是怎么样的？你觉得原因是什么？

撒贝宁： 有这么高的收视率完全是因为观众的支持。不单是我，我们栏目的很多同事都说，《今日说法》如果算取得了一些成绩或者成功的话，绝对不是因为我们做得好，而真的是因为观众。观众很包容，这十年一直在帮助我们成长。

记　者： 这个节目现在进入了成熟期，在这个过程中你觉得最大的得与失是什么？

撒贝宁： 最大的“得”，就是这十年让我得到了一个庞大的观众群体。可能这个世界上其他任何一个国家的电视节目主持人都难以想象和难以获得这么一个庞大的观众群体。

记　者： 那这十年你又失去了什么呢？

撒贝宁： 可能是错过了真正去生活的机会。

记　者： 那你认为法律最大的魅力在哪里？

撒贝宁： 在于它的平衡。有人在美国的法学院作过一个调查。学生们在一年级的时候有99%说学习法律是为了追求正义，但到了大三就只剩下不到10%。其实并不是这些学生变得现实了，我也在慢慢感受这个变化。十年前做节目的时候，就觉得我要坚守正义，一定要非黑即白，不是好人就是坏人。但是慢慢地我发现，其实法律最大的魅力，不是一刀切地把世界分成两个极端，所以说法律最大的魅力在于它的平衡。

21. 撒贝宁用哪个词来概括《今日说法》的十年？
22. 《今日说法》为什么有很高的收视率？
23. 撒贝宁这十年得到了什么？
24. 撒贝宁这十年失去了什么？
25. 撒贝宁认为法律最大的魅力在哪里？

第26到30题是根据下面一段采访：

主持人： 今天我们邀请的是著名作家莫言。莫老师，您好！最近一年您挺忙的，能给大家介绍一下今年您都忙了些什么吗？

莫　言： 一直忙着出国。今年前三个月去了两趟美国，一次是参加美国现代语言学会的年会，第二次是去美国俄克拉荷马大学领了纽曼文学奖，是奖给《生死疲劳》英文版的。4月底、5月初去了一趟意大利，给罗马市拉齐奥大区做了一个关于罗马古典名胜的纪录片，当了一次演员。上个月去了一趟法国，在巴黎接受了十几家媒体的采访，主要是为了8月中旬即将出版的法文版《生死疲劳》。

主持人： 那最近在做什么？

莫　言： 写一部新的长篇小说。不能再“生死疲劳”了。

主持人： 您的新书大概什么时候出版？

莫　言： 今年年底吧。不想把这件事拖到明年。

主持人： 说到莫言老师，大家肯定会想到《红高粱》，您怎么评价《红高粱》这本书？

莫　言： 这是1986年发表的小说，今年是2009年，已经23年过去了。那时候我觉得我很年轻，书也很年轻。

主持人： 您对由这部小说改编的同名电影《红高粱》又怎么看？

莫　言： 我觉得这个电影是新中国电影史上一座纪念碑式的作品。它第一次完整地表现了张艺谋他们这一代导演的新的电影观念。无论对于镜头的运用、色彩的运用还是造型的运用，都跟过去的电影有很大的区别，让人耳目一新，意识到一场电影革命已经发生了，所以我对它的评价是很高的。

26. 莫言今年都忙了些什么？
27. 莫言最近在做什么？
28. 莫言的新书大概什么时候出版？
29. 《红高粱》是莫言哪一年发表的小说？
30. 莫言对同名电影《红高粱》怎么看？

第三部分

第 31 到 50 题，请选出正确答案。现在开始第 31 到 33 题：

第 31 到 33 题是根据下面一段话：

饮茶，在中国有着悠久的历史，中国的茶文化早就世界闻名了，茶又是世界上公认的六大保健饮料之首，具有提神、促进消化、利尿、清热、降火、明目等有益于身体健康的作用。茶叶对人体造血机能也有保护作用，因此日本人称茶为“原子时代的饮料”。用好水泡出来的茶清香可口，无论一个人喝茶，还是三四个好友在一起一边聊天儿一边喝茶，都是一件有意思的事情。所以，不仅在茶的故乡——中国，而且在欧美、日本等国家，喜欢喝茶的人越来越多。

31. 录音中提到茶有什么作用？
32. 哪个国家称茶为“原子时代的饮料”？
33. 茶的故乡在哪里？

第 34 到 37 题是根据下面一段话：

京剧是中国的传统文化，京剧中的人物形象主要分为生、旦、净、末、丑五个角色。生又分为老生、小生、武生等，为京剧中的重要角色之一。老生的形象都是口戴胡子的中年人，小生多为年轻人。旦这个角色分青衣、花旦、武旦、老旦、贴旦、闺旦等角色。旦角全为女性。其中，花旦以服装花艳为特色，多演皇后、公主、贵夫人、女将等角色；武旦多为武功厉害的女性；老旦多为中老年妇女，以演唱为主。

34. 京剧中主要有几个角色？
35. 老生是什么样子的？
36. 武旦是什么样子的？
37. 录音中说以演唱为主的是什么角色？

第 38 到 41 题是根据下面一段话：

社会发展得越来越好，人民的生活水平也越来越高。现在农村人也和城市人一样了，饭后也有很多的活动，大多数时候，很多人围在一起打扑克、下象棋。村里这几年买来了几台电脑，网络也开始走进了农村，成了农村的“新农具”，有的农民也开始在网上读书、干活、卖地瓜，网上活动越来越多。爷爷已经 70 多岁了，也抢着学习使用电脑，非要我把电脑带回家，让他学习学习。村里的人都称爷爷为“时尚老头儿”。

38. 人民的生活水平怎么样？
39. 农民的“新农具”是什么？
40. 爷爷为什么让“我”把电脑带回家？
41. 人们把爷爷称为什么？

第 42 到 44 题是根据下面一段话：

现在有很多年轻人喜欢把饮料和啤酒当成饮用水。其实，水和饮料在功能上并不能等同。饮料中含有糖，有的饮料中还含有色素，喝了以后人不容易饿。如果用饮料代替水，不仅不能起到给身体补充水分的作用，还会影响人们吃饭，影响消化和吸收。如果把啤酒当成水，对身体更不好。啤酒含有酒精，长期喝啤酒会破坏大脑，让人反应变慢。所以饮用水和啤酒、饮料有很大的区别，不能被代替。

42. 现在年轻人经常把什么当成饮用水？
43. 经常把饮料当成水喝能够补充身体需要的水分吗？
44. 长期把啤酒当成水饮用，对什么有影响？

第 45 到 47 题是根据下面一段话：

当地震发生时，如果你正在家里，就待在里面，不要往外跑了。首先要将火熄灭，远离玻璃，特别是大的窗户或镜子，然后找安全的地方躲起来。屋中的角落是好的避难处，较低的地面或地下室也能提供最好的存活机会。桌底或坚固的家具下也能保护你，还能方便呼吸。如果在装有电梯的高楼办公室内，也要待在室内，找个安全的地方躲起来。不要进电梯和楼梯，因为人多拥挤，容易受伤。

45. 发生地震时如果你在家里该怎么办？
46. 地震时哪里是安全的地方？
47. 如果地震时你在装有电梯的高楼内工作，应该怎么办？

第 48 到 50 题是根据下面一段话：

马妈妈让马宝宝去河对面外婆家送米，小马很高兴，驮起米就去了。走到一条河边，树上的松鼠看见了，连忙提醒小马：“河水很深，千万别过河呀，我的朋友就是淹死在这里的。”牛伯伯走过来对小马说：“小马，别怕，这条河很浅，才到我们的小腿，过去吧！”小马听了他们的话，不知道怎么办，于是跑回家问妈妈。妈妈听了小马的话，微笑着对小马说：“你去试过了吗？到底是深还是浅呢？”于是小马又驮着米来到了河边，慢慢地下了河，而且很轻松地过了河，原来河水对于小马来说刚好不深也不浅！这个故事告诉我们，要听取别人的意见，但也要自己去尝试。

48. 小马为什么要过河？
49. 小马听了松鼠和牛伯伯的话后做了什么？
50. 这个故事告诉我们什么道理？

听力考试现在结束。

HSK（六级）模拟试卷 8

第一部分

第 1 到 15 题，请选出与所听内容一致的一项。现在开始第 1 题：

1. 全球变暖将给地球和人类带来许多复杂而巨大的影响，既有正面的，也有负面的。二氧化碳的增加会促进植物的生长，这是全球变暖的正面影响。但随之而来的冰川融化、农业减产、疾病传播等问题则给人类带来了更大的困扰。

2. 维生素 A 具有多种功能，它对视力、骨骼的生长、胎儿的发育等都是必需的。缺乏维生素 A 会导致视力下降、牙齿停止生长、食欲下降等问题。但是，过量的维生素 A 对人体具有毒性，可表现为皮肤干燥、头痛、失眠、呕吐、低热、容易疲倦、烦躁不安等。

3. 西红柿炒鸡蛋是许多家庭餐桌上的一道家常菜。它制作方法简单，营养搭配合理。西红柿中含有丰富的维生素 B 和 C，对心脏具有良好的保护作用，同时能够减少癌症的发生。鸡蛋中含有丰富的 DHA，能够改善记忆力。因此，这道菜深受大家喜爱。

4. 意大利人酷爱咖啡，因此在意大利，咖啡馆遍地开花。不过你也许不知道，意大利人在不同的时间喝不同的咖啡，正宗的意大利咖啡是不加牛奶的，而且要站着喝。如果你选择坐下喝咖啡，需要另外付服务费。这种风俗大概有 60 年左右的历史。

5. 英国一位 15 岁的中学生身高超过 2.3 米，而且目前他还在继续长高，以至于同学们在和他交谈时都要抬头仰视。据了解，小学毕业的时候，他的身高就已经超过了父母，他父母的身高分别为 1.82 米和 1.77 米。

6. 一项最新研究结果显示：如果 3 到 5 年持续承受高度压力，人类的记忆力就有可能衰退。研究人员相信，压力是造成记忆受损的重要因素，过多的压力会极大地损害记忆力。

7. 日前，一名来自英国的年仅 14 岁的“数学神童” 成为剑桥大学 237 年历史上最年轻的大学生。他是在通过大学入学考试之后被剑桥大学录取的。远在 1773 年，剑桥大学也曾录取过一位 14 岁的天才少年。

8. 最新研究发现，小时候被父母打过的孩子，远比那些从来没挨过打的孩子生活得更快乐，而且更可能成功。小时候挨过父母打的孩子，上学后很可能成为校园里的好学生，而且冒险的欲望和考大学的欲望会比那些从来没有挨过打的孩子强烈得多。

9. 日前，一种名为茶杯猪的迷你小猪风靡英国。这种迷你小猪刚出生的时候只有茶杯大小，比小猫还要娇小，体重约有半斤，十分聪明，因此得名“茶杯猪”。目前，这种微型小猪非常抢手，供不应求，一只小猪的价格高达1100美元。

10. 比目鱼身体不对称，这可以帮助它们幸存下来，方式就是在海底进行伪装。在这种伪装下，过路的捕食者往往对它们视而不见。此外，一些比目鱼还能够改变体色，让伪装行为如虎添翼。

11. 1997年12月25日，在泰国首都，有一家餐厅制作了一块重2.3吨的蛋糕。这块长8.4米、宽60厘米的蛋糕是由10名厨师制作的，其准备工作花了360个小时。这块蛋糕被切成了19212份，成为世界上最大的圣诞蛋糕。

12. 妈妈对儿子说："你去厨房一下，看看电灯是否关上了。"不一会儿，儿子从厨房回来说："妈妈，厨房太黑了，什么也看不见！"

13. 妻子生气地问丈夫："你出去怎么不锁门？要是小偷进来怎么办？"丈夫说："没事，小偷来了也白来，咱家的存款我找过多少遍了，就是找不着，不知道你把它藏在什么地方了！"

14. 画家的一位朋友到他家做客。画家对他说："我打算把房间的墙壁粉刷一下，然后在墙上画些画儿。"朋友听后劝道："你最好先在墙上画画儿，然后再粉刷墙壁！"

15. 世界上公认的第一个在个人电脑上广泛流行的病毒是1986年初诞生的"巴基斯坦"病毒，编写该病毒的是一对巴基斯坦兄弟。为了防止软件被任意拷贝，也为了追踪到底有多少人在非法使用他们的软件，在1986年年初，他们编写了这个病毒。

第二部分

第16到30题，请选出正确答案。现在开始第16到20题：

第16到20题是根据下面一段采访：

记　者：蔡老师是我国国内资深的室内设计师。蔡老师，您好！第四届中国（深圳）国际室内设计文化节的主题是"原创设计在深圳"，在原创设计方面，您觉得设计师需要注意哪些要点？

蔡老师：首先，设计师应该认识到原创设计的基础是我们对传统文化的深刻理解、对现代环境的充分认识和对当今社会相关技术的掌握。其次，设计是为大众服务的，要注意四个原则：首先要体现出实用性原则，然后是美观性原则，还有科学性原则和经济性原则。

记　者：您觉得目前深圳的原创设计有什么优势？

蔡老师：深圳是一个新城市，起初建设时就有许多国内不同地区的设计团队来到这里，他们直接参与了设计和实践。与香港设计师和香港设计公司的合作，使他们学到了很多东西，掌握了很多新的技术。城市发展过程中有大量的工程和项目也需要设计师去设计，这样的一个空间让他们锻炼的机会比较多。所以说原创设计在深圳有多方面的优势。

记　者： 我们怎样才能做好有中国特色的原创呢？

蔡老师： 首先一定要学习过去的历史。现在国际化了并不是说就可以把设计完全西化、完全吸取西方的东西，如果我们一味盲目地学习西方最前沿的东西，那我们只是跟在人家后边跑，让人家看起来还是属于初学的阶段。还有就是要以民族为基础。有生命力的原创就是要有民族建筑设计的符号，加上现代人生活的需求，加上现代新技术的应用，再加上新理念的组合方式。

记　者： 您觉得深圳的设计师还需要在哪方面加强？

蔡老师： 我觉得，原创设计要想能够真正体现中国的特色，那一定不能离开本民族的土壤。我们在民族特色这方面还要加强。

16. 蔡老师的职业是什么？
17. 设计师除了要注意实用性和美观性，还应注意哪些原则？
18. 下列哪一项不是深圳原创设计的优势？
19. 下面哪一项不是有生命力的原创需要的因素？
20. 深圳的设计师还需要在哪方面努力？

第 21 到 25 题是根据下面一段采访：

主持人： 随着经济的发展和人民生活水平的提高，大家对环境问题的关注与日俱增。今天我们请来了环境保护部部长周生贤。请问周部长，过去的一年，百姓关注的突出的环境问题解决得怎么样？

周生贤： 从去年的情况看，环境质量有了很大改善。2009 年上半年全国环境各项指标都有所提高，113 个环保重点城市空气优良天数增加了 1.5 个百分点，二氧化硫平均浓度继续下降。农村环境保护也有一定的成绩。

主持人： 新的一年，环保部门要重点解决哪些环境问题？

周生贤： 解决人民群众关心的环境问题一直是我们努力的方向。新的一年，我们工作的重点集中在空气质量的改善、饮用水安全以及重金属污染防治等方面。在空气质量方面，经过多年努力，我国的大气污染防治工作取得了很好的成绩，但是形势依然十分严峻。今年，我们将进一步加强地区防控，扩大管理范围，完善政策法规体系。在水资源方面，今年将采取有效的措施，重点加强农村的饮用水的保护，为保证人民群众喝上干净的水而努力。加大重金属污染防治力度，维护生态环境安全，保证人民群众身体健康，是今年环保部门的一项重要工作。我们将采取部门合作的形式，对重金属污染进行综合治理。

主持人： 请问部长，从目前的形势看，减少大气污染、污水排放有哪些困难？怎么解决？

周生贤： 2010 年是完成环保任务的关键。现在有一些落后的设备和企业还存在，减少污染排放的压力还很大，因此我们要实现目标，就必须继续扩大工作范围，继续控制火电、钢铁、造纸等行业的大气污染排放量。对于污水排放，要重点建设污水处理设施，对高排放的落后产业要采用环保、技术标准等方法严格控制。

21. 去年重点城市空气优良天数增加了多少？
22. 新的一年环境保护的工作重点有哪些？
23. 饮用水安全工作重点要加强哪个方面？
24. 下面哪个行业不是大气污染严重的行业？
25. 下面哪一项是减少污水排放的措施？

第 26 到 30 题是根据下面一段采访：

主持人： 最近网络上的热点话题就是出卖自己的剩余人生。今天我们请到了故事的主人公陈潇。陈潇，请问你在网络上的剩余人生店是什么时候开始营业的？

陈　潇： 我在 2008 年 12 月 5 号在网上留言，让大家安排我的剩余人生，认真完成几次任务后，得到了网友们的信任，15 号我的店就开张了。

主持人： 当初为什么要开这样的店？

陈　潇： 大学毕业以后我曾经营过服装，但不是很顺利，也发觉生活不像我想象得那么简单。心情低落的时候我就在网上公布了自己的手机、QQ 号等联系方式，让大家安排我的时间，这样慢慢就有了开店的想法，现在觉得这样不错。

主持人： 你的第一个任务是什么？

陈　潇： 我的第一个任务很简单，就是做个胜利的表情然后拍照发到网上。

主持人： 你的店是怎么收费的呢？

陈　潇： 我的网上店铺买卖的物品就是我的时间，分成了三个档次：8 分钟卖 8 块钱，一个小时卖 20 块，一天卖 100 块。

主持人： 开店以后生意怎么样？

陈　潇： 生意还不错。元旦当天赚了两千块，这其中还要除去成本大概 50%吧。网友们的任务也各种各样，去接人、送咖啡、过生日、买火车票、医院陪同输液、代网友品尝小吃等。

主持人： 你从开始的免费到现在的收费，很多网友都觉得这才是你的目的，你怎么看？

陈　潇： 其实我想说的是，收费只是为了大家有一个保障，谁也不能支撑这样无偿的网络生活，吃穿住行都得花钱。所以收费帮大家办事，能坚持得更长久一点儿。如果不收费，这件事情早就结束了。如今我在感受每个人的不同的生活，这种感觉我觉得很好。

26. 陈潇的网店是什么时候开业的？
27. 她的第一个任务是什么？
28. 她的一个小时卖多少钱？
29. 下列哪一项不是网友给她的任务？
30. 她的网店收费的目的是什么？

第三部分

第31到50题，请选出正确答案。现在开始第31到34题：

第31到34题是根据下面一段话：

英国最新一项研究表明，开车的时候唱一些熟悉的歌，驾驶人员更容易集中注意力，也更加不容易困。相比之下，开车时不出声音更容易增加危险。当然，驾驶人员在开车时一边听音乐，一边跟着唱要有一个适度的问题，如果音乐过于吵闹，节奏过强，那么司机在开车时唱歌就不能起到保证安全的作用，反而会增加危险，因为吵闹和强的节奏会分散注意力。如果音乐过于缓慢，驾驶人员容易困，也是很危险的。所以在驾驶的时候，选择适当的音乐是很有必要的。

31. 在开车的时候唱一些熟悉的歌有什么好处？
32. 开车不出声音和开车唱熟悉的歌相比，哪个更容易增加危险？
33. 吵闹和节奏过强的音乐为什么不适合开车的时候听？
34. 节奏缓慢的音乐是否适合开车的时候听？

第35到38题是根据下面一段话：

网络是现代生活必不可少的一部分，使用广泛，在网上聊天儿的时候还出现了一些网络语言。所谓网络语言，就是指网络聊天室中流行的语言。一些网络语言已经被大家接受。例如，MM是指美女，就是长得漂亮的女孩子；GG是指帅哥，就是长得好看的男孩子；而在网络上把长得不好看的女孩子称为“恐龙”，把长得不好看的男生称为“青蛙”。现在网络上又有了一些以图画和字母相结合的形式出现的人们很难理解的语言，被称为“火星文”。火星文也是现在流行的一种网络语言形式，吸引了很多语言学家和网络爱好者。

35. 网络语言在哪里流行？
36. MM指的是什么？
37. 长得不好看的男生在网络语言中被称为什么？
38. 什么是火星文？

第39到42题是根据下面一段话：

在房屋装修结束以后应该让房屋空一段时间，然后才能住进去。为什么不能装修好了马上就住进去呢？因为刚刚装修过的房间里含有很多有毒的气体，这些气体对人体有害，会让人呼吸困难、头晕，严重的还会导致失明、死亡，所以我们要经常开窗，让新鲜的空气进到刚刚装修过的房子，把房间内有毒的空气排放出去。这些有毒的气体主要来源于室内的装饰材料，如地板、油漆、涂料及家具。所以，为了让装饰材料中的有毒气体充分地释放出来，我们既要保持室内的通风，也要使用一些吸收毒气的物质。

39. 为什么刚装修过的房子不适合马上住进去？
40. 屋内的有毒气体对人有什么影响？
41. 这些有毒气体主要来源于哪里？

42. 怎么做才能让有毒气体消失？

第 43 到 46 题是根据下面一段话：

丽江古城位于中国西南部云南省的丽江市。丽江古城又名大研镇，坐落在丽江坝中部，被称为"保存最为完好的四大古城之一"，它是中国历史文化名城中唯一没有城墙的古城。丽江古城历史悠久，景色美丽，是很多旅游者都想去的地方。在丽江居住的人包括汉族、白族、藏族等许多民族。丽江古城蕴涵着丰富的民族传统文化，又有纳西族的独特的特点，对研究中国建筑史、文化史具有重要的作用。

43. 丽江古城在哪个省？
44. 丽江古城是中国保存的最为完好的几大古城之一？
45. 丽江古城有什么独特之处？
46. 丽江古城在中国具有什么样的作用？

第 47 到 50 题是根据下面一段话：

2010 年 1 月 12 号，海地发生了 7.3 级地震，这是海地自 1770 年以来发生的最强烈的地震。地震震中距离海地首都太子港 16 公里，震源深度 10 公里。目前海地国内余震不断，最强烈的余震达到 5.9 和 6.4 级，不但为救援数以千计埋在废墟之下的民众带来了极大困难，更为无数处于恐慌中的平民带来了严重威胁，而且未来海地继续发生严重灾害的可能性仍然存在。太子港街头出现极度混乱的局面，到处都是呼喊者、哭泣者、四处寻找失散亲友者和无家可归者。

47. 海地发生了什么？
48. 海地的首都在哪里？
49. 为营救带来困难的是什么？
50. 太子港街头出现了什么样的情况？

听力考试现在结束。

HSK（六级）模拟试卷 9

第一部分

第 1 到 15 题，请选出与所听内容一致的一项。现在开始第 1 题：

1. 幼儿园的老师怀孕了，可是幼儿园的小孩子们却不懂。一天，牙齿保健员被请来，教孩子们如何保护牙齿。她告诉孩子们说，如果贪吃甜食和巧克力，不仅对牙齿有害，而且还会使人发胖。放学以后，一个小男孩指着老师怀孕的肚子说："我知道您的肚子为什么那么胖了，老师！"

2. 丈夫和妻子在家中闲聊。妻子说："人一老，话就多。"丈夫说："照你这么说，你从来没有年轻过！"

3. 小王身体不好，朋友建议他每天坚持锻炼身体。一个月过去了，他常常借口有事不去锻炼。他这样三天打鱼，两天晒网，怎么能把身体练好呢？

4. 小张觉得自己太胖了，就去医院看医生。小张问医生："请问减肥有什么方法？"医生说："把头从右边转到左边，再从左边转到右边，如此摇头不已。"小张问："什么时候这样做呢？"医生说："有人请客的时候。"

5. 每到我们感冒的时候，就会听到医生或者朋友对我们说："多喝点儿水！"确实，多喝水对感冒很有好处。因为当人感冒发烧的时候，体温下降，这时就会出很多汗，身体就会缺水，因此我们需要补充大量的水分。多喝水不仅能促使出汗和排尿，而且有利于体温的调节。

6. 儿子不喜欢学习，常常去游戏厅。爸爸很生气，对儿子说："你不好好学习，只知道去游戏厅。我到游戏厅去，十次有九次看到你！"儿子回答说："那您还比我多去了一次呢！"

7. 五岁的小强在院子里玩儿，突然跑回家对妈妈说："妈妈，我们的新邻居一定很穷。"妈妈说："你怎么知道的？"小强说："他们家的小孩不小心吞下了一块钱，他们特别焦急。"

8. 一对夫妻结婚不久收到了许多朋友送给他们的结婚礼物。其中有一个信封，里面只装着两张电影票和一张小纸条，小纸条上面写着："猜猜我是谁。"这对夫妻想了很久，也没有想出来。丈夫对妻子说："算了吧！不要想了，既然人家是一番好意，我们今天晚上就去看电影好了。"等看完电影回到家时，他们大吃一惊，因为家里遭小偷光顾，所有东西都没有了。最后他们在饭桌上发现了一张字条，上面写着："猜出我是谁了吧！"

9. 有个酒鬼，衣服口袋里装着一瓶酒。在他回家的路上，一辆迎面驶来的汽车把他撞倒了。他一边起身一边摸了摸口袋，发现有点儿潮湿。"哎呀，"他小声说道，"但愿是血！"

10. 一个有些胖的女孩很喜欢吃甜食，但她非常讨厌蚂蚁。朋友问她为什么，她气呼呼地说："哼！那些小东西很喜欢吃甜食，可是腰却还是那么细！"

11. 世界上有很多东西，我们常常会熟视无睹。不知道你留意过没有，我们眼下使用的电脑键盘上的26个英文字母，都是以Q打头至M结束。为什么不按从A到Z的常规顺序排列呢？实际上，它的产生是当年由于技术水平落后，设计师们退而求其次的无奈之举。

12. 朋友打算买辆新车，约我这个汽车发烧友陪他去选购。朋友是个工薪族，收入有限，所以主动给自己设了一道底线：买汽车不能超出 6 万元。结果，我们掉进了导购小姐设计的圈套里，原本只打算花 6 万买车，开回家的却是 12 万元的车。

13. 朋友对小王说："我求你件事，你能为我保密吗？"小王说："当然可以！"朋友犹豫了片刻说道："我手头有些紧，你能借给我一些钱吗？"小王拍拍朋友的肩膀说："不必担心，我就当没有听见！"

14. 猫抓不住猎物时，会马上整理自己身上的毛。为什么？有人说，猫爱干净，捕猎时毛弄乱了，所以得整理一下。其实，根据专家研究，猫抓不住猎物会很不好意思，为了避免尴尬，便装作整理身上的毛，避免同类取笑自己。

15. 夏天，人的活动时间变长，运动量变大，出汗多，消耗能量过大，因此应该适当多吃鸡、鸭、鱼、鸡蛋等营养食品，以满足人体新陈代谢过程中的需要。

第二部分

第 16 到 30 题，请选出正确答案。现在开始第 16 到 20 题：

第 16 到 20 题是根据下面一段采访：

主持人： 各位网友好！今天我们请来了中国摄影家协会副主席、高级教授朱宪民先生。我们都知道，旅游和摄影是分不开的，对于旅游者来讲，朱教授，您觉得旅游摄影应该注意哪些方面呢？

朱宪民： 旅游者首先要了解这个地区的风土人情，包括风光的特点。比如说黄山，春节期间拍雪景是最佳的时期，在百分之八九十的情况下都可以拍到雪景。你要掌握旅游景点的季节特点，这很重要。

主持人： 第一点是了解旅游目的地的气温、条件、气候变化，第二点要注意的是什么呢？

朱宪民： 以东北为例，天气可能最低达到零下 30 多度，将近零下 40 度，这时有的相机电池可能就会受影响。数码相机的电池容易冻，一般来讲要测试一下电池。

主持人： 那南方呢？

朱宪民： 现在去南方，比如云南，是比较好的季节。如果你夏天去的话，三十八九度的高温，非常炎热，冬天去，温度比较合适。

主持人： 目前咱们国家的摄影艺术逐渐民间化，这与数码相机的普及有很大关系。您能不能给我们介绍一下现在摄影创作的趋势？

朱宪民： 当今是一个图像的时代。随着人民生活水平的提高，现在搞摄影的、搞图像的越来越多。而且随着社会的发展，基本上城市里每个家庭都有照相机了，已经普及到家庭了，而且你每到一处都有摄影的。

主持人： 现在摄影爱好者越来越多、相机越来越多，如果要给他们提出一些建议，您认为是什么？

朱宪民： 我觉得应该尊重现实。每个时期都有每个时期的特点，你要抓住它，真实地记录人们的生活。不要现在拍出来的照片像30年前的一样，没有时代气息。

16. 朱教授谈旅游摄影应该注意风土人情时，以哪个地方为例？
17. 旅游摄影第二点要注意的问题是什么？
18. 去南方旅游摄影，什么季节比较好？
19. 朱教授认为现在是一个什么时代？
20. 朱教授给摄影爱好者的建议是什么？

第21到25题是根据下面一段采访：

主 持 人： 安妮宝贝当年因为网络小说而成名，现在是2009年，她又有了新的作品。今天我们请她来做客，给大家介绍她的作品和生活。安妮宝贝，你的新作品讲了一个什么故事？

安妮宝贝： 讲述了一个关于遗忘和记得的故事。书中的每一个人都在作出选择。但在这些选择中没有对和错，也没有幸福的标准。只是代表生命的时间不断前进。

主 持 人： 你的作品常常打动读者，但你的读者有没有打动过你？

安妮宝贝： 我给你讲一个故事吧。那是在一个寒冷的星期一下午，我那时还在上班，当时正在开会。一个女孩按了门铃，进来说，“我找安妮宝贝”。女孩穿着白色的大衣，看上去非常年轻，手里捧着一束白色百合花。我不太确定她是否喜欢我的文字，但是我确实被感动了。

主 持 人： 你的成长经历中让自己有较大改变的事情是什么？

安妮宝贝： 辞去第一份工作。那时候已在中国银行工作了两三年，辞职以后经历了很困难的生活。

主 持 人： 你现在生活中常常喜欢做什么？

安妮宝贝： 写作。每年出书量不会太大，因为是对自己有要求的人。还有大量的阅读，每天都会看看书。现在我也开始运动，爬山、游泳；还喜欢买来菜谱学习做菜。

主 持 人： 现在还在网上写作吗？现在的网络对于你意味着什么？

安妮宝贝： 还是每天上网，但已不在网上发表任何文字。我2005年就已经离开网络。我觉得自己是自由作家，所以不让自己的写作被限制在任何一个范围，也不受任何其他影响。

21. 安妮宝贝当年是因为什么成名的？
22. 来找安妮宝贝的女孩手里拿着什么？
23. 安妮宝贝的第一个工作是什么？
24. 下面哪件事不是安妮宝贝平时常做的？
25. 安妮宝贝从哪年开始不在网络上写小说了？

第26到30题是根据下面一段采访：

主持人： 今天我们邀请到的嘉宾是安徽农业大学茶业系副教授丁以寿。请问您最早是在什么时候、什么地方与茶结缘的？

丁以寿： 我读高中的时候，学校的旁边就有一片茶园。我早晚经常一个人在茶园里散步。

那个时候就认识茶树了，这算是初步与茶结缘吧。大学我的专业也是茶叶专业。

主持人：那您觉得茶叶的学问有多深？

丁以寿：一开始我觉得茶叶怎么能学四年。进学校后才知道一切不像我原来想象的那么简单。茶学的内容非常丰富，包含了茶的自然科学、社会科学和人文科学。我毕业后就留校从事学生管理工作。直到 2004 年，我不想再继续从事行政工作，于是改为专心搞茶文化研究，这在当时让有些人很难理解。

主持人：是因为兴趣，还是什么其他原因？

丁以寿：是兴趣。一个人的精力毕竟是有限的，人应该学会放弃，放弃一些应该放弃的东西，这样才能得到自己想要的。

主持人：茶艺这个名词是什么时候提出来的？

丁以寿：1977 年，是台湾茶人首先提出来的。茶道在中国历史上早就有了，但是用得很少，中国历史上茶书很多，但就是没有专门介绍茶道和茶艺的书。随着与台湾交流的增多，茶艺也跟着发展起来了。

主持人：您理解的中国茶道是什么样的？

丁以寿：中国茶道是以养生修心为宗旨的饮茶艺术，我在论文中对中国茶道作了比较系统的研究，也对古人饮茶方式进行过研究。古代的饮茶方式，我总结为四类：煮茶、煎茶、点茶、泡茶。最早，茶是被当做蔬菜来用的。古人吃着吃着发现茶有药用功能，于是又把茶当做中药。早期的饮茶，源于茶的食用、药用。

26. 丁以寿教授是在什么地方与茶结缘的？
27. 下面哪个茶学内容没有提到？
28. 丁教授为什么放弃原来的工作而进行茶文化研究？
29. “茶艺”这个名词是哪里人首先提出来的？
30. 最早茶是什么？

第三部分

第 31 到 50 题，请选出正确答案。现在开始第 31 到 34 题：

第 31 到 34 题是根据下面一段话：

有头瞎了一只眼睛的鹿，来到海边吃草，它用那只完好的眼睛看着陆地，防备猎人的攻击，而用瞎了的那只眼对着大海，因为它认为海面上不会发生什么危险。不料有人乘船从海上经过，看见了这头鹿，一箭就把它射倒了。它将要咽气的时候，自言自语地说：“我真是不幸，我防备着陆地那面，而我所信赖的海这面却给我带来了灾难。”这个故事是说，事实常常与我们想的东西相反，以为是危险的事情却很安全，觉得是安全的却危险。

31. 鹿的眼睛怎么了？
32. 它用哪只眼睛看着海面？
33. 猎人从哪个方向射死了它？
34. 这个故事告诉我们什么？

第35到38题是根据下面一段话：

有一只乌鸦口渴了，到处找水喝，后来在一个瓶子里发现了一点点水。因为瓶子又细又长，里面的水又很少，它必须想办法才能喝到水。它想尽了办法，仍然喝不到水。于是，他使出全身的力气去推，想把瓶子推倒，倒出水来，可是瓶子太重了，它推不动。后来乌鸦就用自己的嘴巴叼着石子投到水瓶里，瓶子里的石头多了，水面逐渐地升高了。最后，乌鸦高兴地喝到了水。这个故事告诉我们，遇到问题要运用自己的大脑来想办法。

35. 乌鸦遇到了什么问题？

36. 乌鸦在哪里发现了水？

37. 乌鸦用什么办法喝到了水？

38. 这个故事告诉我们什么？

第39到42题是根据下面一段话：

秦始皇的兵马俑在陕西省西安市。兵马俑大多是用陶瓷制成的，然后再涂上颜色。当年的兵马俑颜色都是鲜艳的，人们刚发现的时候也还是鲜艳的，但是出土后由于空气干燥，颜色就慢慢地脱落了。现在能看到的只是残留的颜色。兵马俑分为车兵、步兵、骑兵等多种类别。如果仔细观察，可以看出每个人的脸型、发型、体态都不相同。兵马俑体现了中国古代人民的智慧，也是全世界的奇迹。许多旅游者都会去西安看它。它让外国人赞叹，让中国人骄傲！

39. 秦始皇的兵马俑在哪里？

40. 当年的兵马俑颜色怎么样？

41. 为什么现在的兵马俑颜色不明显？

42. 兵马俑的脸型、发型和体型怎么样？

第43到46题是根据下面一段话：

《诗经》是中国第一部诗歌总集，是中华民族的瑰宝，传说是孔子的弟子编写的。《诗经》原本叫《诗》，共有诗歌305首，因此又称《诗三百》。从汉朝汉武帝时起，儒家将它奉为经典，因此称为《诗经》。《诗经》共分风、雅、颂三大部分。它们的名字都得名于音乐。“风”的意义就是声调。《风》有十五国风，是出自各地的民歌，这一部分文学成就最高，有对爱情、劳动等美好事物的赞美，也有怀念故土、反抗压迫的怨叹与愤怒。“雅”是正的意思，周代人把正声叫做雅乐，带有一种尊崇的意味。“颂”是用于宗庙祭祀的乐歌。

43.《诗经》是中国第几部诗歌总集？

44.《诗经》又称做什么？

45.《诗经》中文学成就最高的是哪一部分？

46.《诗经》中的哪一部分是用于宗庙祭祀的乐歌？

第47到50题是根据下面一段话：

“白色污染”是人们对塑料垃圾污染环境现象的称谓。由于人们随意乱丢乱扔塑料垃圾，它本身又很难分解，所以造成了城市环境严重污染的现象。白色污染存在两种危害：

视觉污染和潜在危害。所谓的视觉污染指的是塑料物品等散落在环境中，给人们的视觉带来不良刺激，影响环境的美感。而潜在的危害又包括两个方面。首先它会影响我们的身体健康。当温度达到 65℃时，一次性发泡塑料餐具中的有害物质将渗入到食物中，会对人的肝脏、肾脏及中枢神经系统等造成损害。 其次是使土壤环境恶化，严重影响农作物的生长。农田里的塑料产品会影响农作物对水分、养分的吸收，抑制农作物的生长发育，造成农作物减产。如果牲畜吃了塑料膜，还会引起消化道疾病，甚至死亡。

47. 白色污染指的是什么污染?
48. 白色污染对人有什么影响?
49. 白色污染对农作物有什么影响?
50. 如果牲畜吃了塑料膜会怎么样?

听力考试现在结束。

HSK（六级）模拟试卷 *10*

第一部分

第 1 到 15 题，请选出与所听内容一致的一项。现在开始第 1 题：

1. 医生为了检查精神病人的病情，在墙上画了一扇门，然后对大家说："谁能从这扇门出去，就可以回家啦！" 病人们纷纷向墙上的门跑去，只有一个人无动于衷。医生以为他恢复健康了，问他："你为什么不去呢?" 病人答道："嘘！钥匙在我这里。"

2. 一头驴能活多长时间，大概没有多少人知道。英国一头老驴现年约 54 岁，大概是全球现存年纪最大的驴。一般驴的正常寿命是 25 到 35 岁，像英国这头驴这样活过 50 岁的非常罕见。

3. 日本研究人员利用三年时间培育出了一种透明金鱼，身体内部清晰可见。这种金鱼今后有可能广泛应用于实验研究。这种金鱼不需解剖，可以直接观察肌肉和血液的状态。

4. 舞草外表看起来是一种普普通通的小草，但是，当有人对它说话或者唱歌时，舞草的叶子会左右舞动，就好像小草随着人的声音翩翩起舞，因此人们称它为舞草。如今许多植物园都种植着舞草，它作为会动的宠物很受欢迎。

5. 恐怖，是人们不愿面临的但又是人们需要的。当恐怖对人们构成威胁时，人们不愿意面对它；当恐怖在一定程度上满足人们的好奇心时，人们又需要它。许多年轻人特别喜欢恐怖，有关恐怖的电影、游戏等总是很流行。

6. 世界上最大的金字塔大约建造于公元前 2700 多年。塔高 146.5 米，相当于一座 40 层高的大楼，占地约 52900 平方米。大金字塔大约由 230 万块大小不等的石块砌成。最轻的石块大约 1.5 吨，平均重量约为 2.5 吨，总重量约 684.8 万吨。

7. 美国的一位数学家近日宣布，他已经发明了两个简单的数学公式，能够用来预测一对新婚夫妇能否维持幸福的生活。一个公式是为丈夫设计的，另一个则是为妻子设计的。这位数学家用 10 年的时间对 100 对夫妇进行了相关测验，结果准确率达到了 94%。

8. 蜘蛛是十分常见的动物，大的可有 10 厘米长，小的仅 1 毫米。蜘蛛种类繁多，全世界共有 22000 多种。在森林、田间、草原、水边以及室内，我们都可以发现它们的蛛丝马迹，甚至在地下和水面也有蜘蛛在生活。

9. 一位女士不小心把心爱的宠物小狗弄丢了。她的朋友劝她说："你应该在报纸上登广告呀！""没用的，"这位女士边哭边说，"我的小狗不认识字！"

10. 一天晚上，我开着丈夫的车去购物，回来后发现车身沾满灰尘，于是清洗了一遍。进屋之后我大声喊道："世界上最爱你的女人刚刚洗了你的车！" 我丈夫抬头看了看，说："我妈来了？"

11. 不少人认为大象的记忆力强，但根据科学试验，大象固然有时记忆力不错，但也经常忘这忘那，如果有些命令过了一些日子没有使用，它们便需要重新学习。

12. 近日，一只上了年纪的黄色大猫经常到北京大学的教室里，跟学生们一起"听课"，同学们把这只猫称为北大"学术校猫"。这只流浪猫早在 2004 年就出现在北大校园，它最爱听的是哲学和艺术类课程。

13. 英国一家祖孙三代四口人都是"选美皇后"，这家人已经被英国媒体誉为"英国最美丽的家庭"。外孙女说，她们一家三代人都成为"选美皇后"，应该归功于她们家族血液中流淌的"美丽基因"。

14. 英国一只 15 岁的小猫赶了一回时髦，成为世界上第一只戴隐形眼镜的猫。虽然这听起来有些荒谬，但多亏了隐形眼镜，才让这只猫重新看清周围的事物。这只小猫两岁时在一次车祸中受伤，患上了近视，就连走路都分不清方向。戴上隐形眼镜后，它开始了全新的生活。

15. 现年 9 岁的一只鹦鹉随主人一起去球场观看足球比赛。但是比赛进行到一半时，这只鹦鹉突然开始模仿裁判吹哨的声音，弄得足球队员们不知该如何是好。这只鹦鹉彻底搅乱了比赛。最后，裁判终于忍无可忍，向鹦鹉出示了"红牌"——要求鹦鹉的主人带着这只淘气的鹦鹉远离球场。

第二部分

第 16 到 30 题，请选出正确答案。现在开始第 16 到 20 题：

第 16 到 20 题是根据下面一段采访：

主持人：今天我们请到的是上海世博会事务协调局党委副书记许伟国。许书记，最近很多听众朋友反映，“世博会”好像很少能与市民接触，您怎么看这个问题呢？

许伟国：世博会和其他部门解决民生问题不一样。它不是直接地去解决老百姓的衣食住行等问题。但它和市民又有一些关系，比如说环保、可持续发展、节能等问题。这些问题从现在来讲可能和市民没有直接的关系，但是从长远上来讲关系很大。

主持人：市民怎么参与呢？

许伟国：世博会主体是国家和国际组织，从这个意义上讲，市民很少能直接参加设计。市民参与的主要途径是论坛。这个论坛大概有几种。一种是高峰论坛，出席对象主要是一些政要，政要对城市的发展起着很大的决定作用。第二个是主题论坛，对象多数是专家。还有一个是市民论坛，也叫公众论坛，公众论坛的主体就是市民。

主持人：最近上海世博会的门票价格已经定了，对残疾人是不是有票价优惠措施？请您介绍一下。

许伟国：上海世博会的优惠票有几种对象，其中一个是残疾人，但优惠的对象不仅仅是残疾人，还有团体，特别是学生团体，最低的学生团体票 50 元一张。

主持人：这次世博会设立了大学生见习岗位，你们对见习的大学生有什么具体要求？

许伟国：我们现在需要的，基本上都是 2009 年的毕业生。我们对见习岗位的大学生的要求首先是精神上的，要求他们有一种职业精神，因为这样一个国际大舞台，全世界人民都在关注，我们服务得好不好，水平高不高，是大家很重视的一个内容。

主持人：什么时间开始招募大学生志愿者？

许伟国：招募可能在年中的时候，今年第一批在秋季能上岗，到冬季时推出第二批。

16. 世博会和普通市民有什么关系？
17. 世博会的论坛形式有哪些？
18. 世博会门票优惠的对象有哪些人？
19. 大学生申请世博会志愿者需要什么条件？
20. 世博会见习大学生今年第一批什么时间上岗？

第 21 到 25 题是根据下面一段采访：

主持人：今天我们邀请的嘉宾是北京汇通财智国际经济文化发展有限公司总经理、英皇国际集团中国区理事、《80 后创富论坛》创办人马骏先生。马先生，您好！我听说您是创业者，而且年纪也比较轻，请问，您是哪年出生的？

马　骏：1982 年。

主持人：可以说是地地道道的 80 后。有很多人对 80 后提出了一些质疑，今天我们确实想通过这次访谈，听听您这个 80 后有什么样的创业经历。您现在在做什么项目？

马　骏：目前我在做英皇国际商学院，以金融教育为主，主要是组织我们国内一些企业家到海外去学习。另外一个项目是《80后创富论坛》。因为国家和社会目前对青年创业和就业问题比较关注，所以我们现在主要组织做这两块业务。

主持人： 金融方面的培训应该是很有发展前景的。您对80后这个项目的前景如何看待？

马　骏： 我感觉80后这个项目具有很好的市场前景，因为刚开始我们出发点就非常明确，我们主要解决80后青年的创业和就业问题。

主持人： 您现在已经在做自己的企业，您觉得作为一个年轻的80后创业者，最欠缺的是什么？

马　骏： 我觉得最欠缺的是资源和人脉，还有自己的软实力。软实力指的是个人的行为习惯、沟通能力、社交能力、为人处世的方法，也就是说做事之前一定得先做好人。

主持人： 人们都说80后是比较自我、比较叛逆，是"垮掉的一代"，对80后有一些批评和质疑，您怎么认为？

马　骏： 说80后是垮掉的一代也好，说是充满希望的一代也好，我觉得最重要的是我们随着社会的发展，知道自己真正需要什么，自己想要什么。这些东西也是我们这代人的一个特点，我们并不需要去顾忌别人怎么看，顾忌别人说什么，更重要的是我们自己决定做这件事情的时候，我们自己就去做。

21. 马骏目前在做什么项目？
22. 为什么说金融培训有前景？
23. 下列哪一项不是80后创业所欠缺的？
24. 软实力是指哪些？
25. 马骏认为80后是怎样的一代人？

第26到30题是根据下面一段采访：

记　者： 朋友们，今天我们请到了经济频道的一位资深记者张明。针对目前的买房问题，我们来采访一下他。您好！您觉得年轻人有什么样的住房观？

张　明： "有房才结婚"，我想这是一些年轻人的住房观、爱情观。年轻人结婚购房需求成为中国的住房需求，这样就推动了房价增长，使得更多的年轻人买房困难。于是有人说"如果社会上所有买不起房的人集体选择租房或拒绝买房，就能改变房价"。但我个人觉得这样的说法不能成立。

记　者： 为什么呢？

张　明： 因为结婚购房需求在中国的住房需求中占的比例很小。中国的住房需求主要是住房自住需求和住房投资需求。而自住需求主要包括住房改善需求和住房结婚需求，投资需求包括纯投资需求和投机需求。有关统计显示，中国住房市场的问题主要是过度投机造成的，而不是改善住房或者结婚住房需求造成的。

记　者： 还有什么其他原因吗？

张　明： 我觉得结婚购房需求大多是住房需要，这也是个原因。住房需求和住房需要是两个不同概念，住房需求由住房需要和支付能力组成。特别是随着房价暴涨畸高，大多数年轻人仅凭自己的支付能力很难实现结婚购房需求。父母替孩子买房结婚的家庭不多，因此社会上吹捧的结婚购房需求大多并不是住房需求，而是住房需要。

记　者：现在年轻人流行“裸婚”，您认为“裸婚”能改变目前的市场需求吗？

张　明：“裸婚”其实就是不买房、不买车、不办婚礼，甚至没有戒指，直接领证结婚。虽然这在年轻人当中正在流行，但是这并不能根本改变市场需求，更多的人还是选择稳定的传统的生活方式。

记　者：那么您觉得“集体拒绝买房”能实现吗？

张　明：其实市场上的人都是利己者，市场上会有“你不买，我买”的消费者心理，因此集体拒绝买房也难以实现。

26. 现在年轻人有什么住房观？

27. 中国住房需求包括哪些？

28. 下列哪一项不是“裸婚”的特点？

29. 为什么集体拒绝买房不能实现？

30. 集体租房、集体拒绝买房不能改变房价的原因是什么？

第三部分

第 31 到 50 题，请选出正确答案。现在开始第 31 到 34 题：

第 31 到 34 题是根据下面一段话：

一个寒冷的冬天，农夫发现一条冻僵了的蛇。农夫认为这条蛇很可怜，便把它放在自己怀里，希望温暖的体温能够让冻僵的蛇醒过来。果然，蛇温暖后苏醒了过来，同时蛇也恢复了自己的本性，狠狠地咬了农夫一口。农夫很快就倒在了地上，马上就要死了。临死的时候农夫很后悔，说：“我该死，我真的不应该救这条蛇。”这个故事告诉我们，要善于分辨好坏，不应该对恶人仁慈，因为他们的邪恶本性是不会轻易改变的。

31. 农夫发现蛇的时候，蛇怎么了？

32. 农夫用了什么方法让蛇醒过来？

33. 蛇醒过来以后对农夫做了什么？

34. 这个故事告诉我们什么？

第 35 到 38 题是根据下面一段话：

国家体育场是 2008 年北京奥运会主体育场，形态像鸟的“巢”，也像一个摇篮，寄托着人类对未来的希望，所以人们称它为“鸟巢”。体育场外壳采用气垫膜，能够达到防水效果，阳光可以穿过透明的屋顶满足室内草坪的生长需要。比赛时，看台可以变化，能满足不同时期不同观众量的要求，内设的两万个临时座席分布在体育场的最上端，能保证每个人都能清楚地看到整个赛场。许多建筑界专家都认为，“鸟巢”不仅成为 2008 年奥运会的一座独特的历史性的标志性建筑，而且在世界建筑发展史上也具有开创性的意义，将为 21 世纪的中国和世界建筑发展提供历史见证。

35. 哪个场馆是 2008 年北京奥运会主体育场？

36. 国家体育场又被称为什么？

37. 鸟巢内的临时座席分布在体育场的什么位置？

38. 鸟巢在建筑上有什么历史意义？

第39到42题是根据下面一段话：

现在很多学生迷恋网络游戏，这对他们的身体和人格都会造成影响。网络游戏大多以“攻击、战斗、竞争”为主要成分，长期玩飚车、砍杀枪战等游戏，火暴刺激的内容容易使游戏者模糊道德认知，淡化虚拟游戏与现实生活的差异，误认为这种通过伤害他人而达成目的的方式是合理的。一旦形成了这种错误观点，他们便会不择手段，欺诈、偷盗甚至对他人施暴。目前，因为玩儿电子游戏而引发的道德失范、行为不正常甚至违法犯罪的问题正逐渐增多，暴力游戏甚至被一些人称为“电子海洛因”。

39. 迷恋网络游戏对人会有什么影响？
40. 虚拟游戏对于人们对现实生活的认识有没有影响？
41. 玩电子游戏引发了什么问题？
42. 暴力游戏被一些人称为什么？

第43到46题是根据下面一段话：

万里长城是中国历代各族劳动人民血汗与智慧的结晶，从春秋战国起，就有20多个诸侯国和封建王朝修筑过长城，前后持续达两千余年，总长度超过一万里，是世界上最伟大的奇迹之一。秦始皇时期的万里长城是中国的第一道万里长城，主要是为了防止民族之间的冲突侵略而修建的。长城的主干在中国北方，有的部分在西部大开发的范围之内，这些地方的许多长城遗址都是宝贵的、潜在的旅游资源和研究对象。如何科学、合理地利用这些资源，既为西部人民造福，又使长城不至遭到破坏，正是长城学所要研究的问题。

43. 中国的第一道长城是什么时候起开始修建的？
44. 修建长城的大约有多少个诸侯国和封建王朝？
45. 修筑万里长城前后持续了多长时间？
46. 长城的主干在什么地方？

第47到50题是根据下面一段话：

清华大学是中国著名的高等学府，坐落于北京西北郊风景秀丽的清华园。其前身是1911年建立的清华学堂。建校90多年来，学校为民族复兴、国家强盛作出了杰出的贡献。清华大学拥有中国一流的师资力量和优越的教学、科研和实践环境。清华大学具有“大师之园”的美称，校园环境优美，教学设施先进，学校著名的老师也很多。目前，清华大学共有13个学院54个系，成为当代中国一所著名的拥有理、工、文、法、医、经济、管理和艺术等学科的综合性大学。在工科专业继续保持明显优势的同时，理科专业迅速发展，在物理、数学、生物等方面形成了一批具有优势的学科方向。

47. 清华大学在哪个地方？
48. 清华大学有什么样的美称？
49. 清华大学现在有多少个学院、多少个系？
50. 清华大学的传统优势专业是什么专业？

听力考试现在结束。

答案及说明

HSK（六级）模拟试卷 *1*

答案

一、听力

第一部分

1. C　2. B　3. C　4. A　5. B　6. C　7. D　8. A　9. C　10. B
11. C　12. B　13. D　14. B　15. D

第二部分

16. C　17. B　18. A　19. C　20. B　21. C　22. A　23. B　24. D　25. C
26. D　27. C　28. B　29. D　30. A

第三部分

31. D　32. B　33. B　34. D　35. C　36. C　37. B　38. A　39. D　40. C
41. B　42. D　43. B　44. B　45. C　46. A　47. C　48. D　49. B　50. B

二、阅读

第一部分

51. C　52. D　53. A　54. D　55. B　56. C　57. A　58. D　59. C　60. C

第二部分

61. A　62. C　63. B　64. C　65. A　66. D　67. A　68. C　69. B　70. D

第三部分

71. C　72. E　73. B　74. A　75. D　76. D　77. B　78. A　79. C　80. E

第四部分

81. C　82. C　83. D　84. B　85. C　86. D　87. A　88. A　89. B　90. B

91. C　92. D　93. A　94. D　95. C　96. B　97. C　98. B　99. A　100. D

三、书写

101. 缩写参考

生活对爱的最高奖赏

　　很多年以前，在一个小城里，有一个鞋匠每天辛苦地工作着。在一个冬天的傍晚，他刚要收摊回家的时候，一转身，看见一个小男孩在不远处站着。因为天气很冷，这个孩子穿得很少，他的耳朵被冻得通红，身子蜷缩着。也许没人愿意管这个流浪的孩子，可是鞋匠却把这个可怜的孩子领回了家。

　　鞋匠的妻子看见丈夫领回一个流浪的孩子很不高兴。面对妻子的唠叨，鞋匠只说了一句话："没人管的孩子我看着可怜。"于是，这个孩子就留了下来。

　　两年多时间过去了，孩子长大了许多，并且很懂事、很聪明。鞋匠想孩子的父母一定很着急，他一直在帮助这孩子寻找他的亲生父母。鞋匠四处打听，从来没有放弃对孩子父母的寻找。终于有一天，孩子的父母找到了这个鞋匠，他们只说了几句感谢的话，就把孩子带走了。

　　从这以后，鞋匠再也没有收到孩子的任何音信，直到去世。若干年后，一个小伙子因为帮助寻找失散的人成了名，他在互联网上还注册了一个寻人的网站。令人惊奇的是，网站是以鞋匠的名字命名的。进入网站，人们看到，在显要位置上，是网站创始人的"寻人启事"。他要寻找的，就是很多年以前，曾经给过流落在街头的他无限关爱和帮助的那个鞋匠。

（476字）

答案说明

1. 录音中提到"你爷爷只比我大5岁"，所以选C。
2. 丈夫不想再学洗碗机的用法，说明丈夫不想再多做家务，所以选B。
3. 孟子的母亲为了给孩子好的学习环境，曾多次搬家，这说明"学习环境很重要"，所以选C。
4. 掉下来的苹果不可能再被挂回去，所以是小男孩在偷农夫的苹果，所以选A。
5. "一千里的路程是从脚下开始的"意思是成功是逐渐积累起来的。B对。

6. 录音中最后一句的意思是丈夫已经等了好几次一分钟了。C 对。
7. 小强爸爸妈妈的婚礼本来就应该在同一天，所以这不是巧合。D 对。
8. 小明要 7 块蛋糕一支蜡烛，说明他想吃更多的蛋糕。A 对。
9. 如果冰厚，小强可能在溜冰；如果冰薄，小强可能在游泳，意思是他可能掉进河里面。所以 A、B 不对。说话时肯定是冬天，小强喜欢溜冰才去河里的，所以 C 对。
10. 儿子把上学看做是“不想做，但是又不得不去做的事情”，说明他不想上学，所以选 B。
11. 小王送不相识的老奶奶回家，说明他很善良，所以选 C。
12. 录音第一句说“男孩子们经常到那里偷苹果，”所以选 B。
13. 录音中说，我们有两种声音，即平常的声音和录音中的声音，所以选 D。
14. 儿子说“我一定不会让您死的”表示儿子一定不会考第一名，所以选 B。
15. 第一句说“三岁的小强非常淘气”，所以选 D。
16. 回答主持人第一个问题时，曹宏霞介绍了剪纸就是窗花，“最初农村妇女想表达自己的内心，表达她的心理状态，就拿起剪刀，拿起纸，把所有的东西都表达在纸上”，所以选 C。
17. 曹宏霞回答主持人第三个问题时说明了是奶奶和妈妈教她的，所以选 B。
18. 曹宏霞说“我估计大大小小将近万幅吧”，正确答案是 A。
19. 回答主持人第五个问题时曹宏霞介绍了第一次参赛的情况，是在 1998 年。所以 C 对。
20. 录音后面部分曹宏霞说“我第一次参赛是 1998 年，在北京国际展览中心。我参赛的作品是《水浒》，拿到一个国际银奖”，所以 B 对。
21. 回答女的提问的第一个问题时，男的说他自己“喜欢拍建筑设计，在某些程度上是受了摄影家莫尚勤先生的影响”，所以 C 对。
22. 对话中，女的问的第二个问题是“你曾为了了解一个设计案例，亲自去香港体验，为什么会这么做?”，所以 A 是正确答案。
23. 男的说“完美和永恒是任何设计师都追求的理念”，所以 B 对。
24. 男的提到“我们第一个项目是深圳发展银行的办公楼”，所以 D 对。
25. 男的最后说的第一句话“现在最想做的是开一间画廊”，所以选 C。
26. 陈凤霞回答记者第一个问题时，说“人们喝的是下雨蓄积在池子里的水，当地人称为‘无根水’”。所以选 D。
27. 回答记者第二个问题时，陈凤霞解释了当初离开白湾的原因是想让自己更充实，更丰富，自己需要读书，所以选 C。
28. 回答记者第三个问题时陈凤霞说“在我学成回来以后，用我自己的特殊身份找到了 1200 万元的投资”，所以 B 对。
29. 录音后半部分陈凤霞说“孩子们的心理健康是我们现在比较注重的方面”，所以选 D。
30. 陈凤霞最后说，“志愿者与帮助对象应该是平等的关系，没有谁高谁低。”所以 A 对。
31. 录音一开始说道，“大学生就业的压力越来越大”，所以就业越来越难，所以选 D。
32. 录音中提到“获取的真实有效的信息太少，是导致大学生就业难的一个原因”，所以选 B。
33. 录音中说，“许多骗子利用大学生着急找工作的心理和缺乏社会经验的弱点来行骗”，所以选 B。
34. 录音中提到“以培训和报名费的方式收取费用”，所以选 D。

35. 录音中提到“船上的乘客中除了犹太人拉比以外都是富翁”，所以选 C。
36. 录音中提到“船行途中遇到大风，只好靠岸”，说明船靠岸的原因是遇到了大风，所以选 C。
37. 录音中提到“拉比的智慧和学识很快就受到了岸上居民的赏识”，所以选 B。
38. 录音中提到“真正的成功是获取智慧和知识”，所以选 A。
39. 录音第一句话说“咖啡中含有咖啡因”，所以选 D。
40. 录音中提到“每天最多喝两到三杯咖啡”，所以选 C。
41. 录音中说“不仅容易引发疾病、破坏睡眠，而且对神经系统有明显的损害”，所以选 B。
42. 录音末尾提到，“如果晚上喝很多咖啡，人们就会很清醒，会破坏睡眠，严重的话还会失眠”，所以选 D。
43. 录音开头提到“2010 年 1 月 24 日，地质工作者在辽宁省丹东市发现了一座大型金矿”，所以选 B。
44. 录音中说“可供开采 20 年”，所以选 B。
45. 录音中说“该金矿资源主要位于地下 300 至 500 米左右”，所以选 C。
46. 录音中说“在全国排名第四位，位于山东、河北、河南的后面”，所以选 A。
47. 录音一开始提到“2009 年全球爆发了大型的甲型 H1N1 流感病毒，简称甲流”，所以选 C。
48. 录音中提到“中国发现了第一个甲流患者，是一名从国外回来的中国人”，所以选 D。
49. 录音中提到“患这种病毒的人主要表现为连续发烧超过 38 度，还伴有咳嗽现象”，所以选 B。
50. 录音中提到“建议国外留学生暂时不要回国， 如必须回国，也要作好健康检查”，所以选 B。
51. C。误用“了”。应为：我发现他这个学期变化很大。
52. D。关联词误用。此句为目的关系，应将“而”改成“以”。
53. A。语气词误用。应改为“留过两年学”，去掉“了”。
54. D。逻辑关系错误。应改为：这位著名的音乐家显然也是很欣赏面前这个诚实的小伙子的。
55. B。固定格式误用。“又……又……”应改为“既……也（又）……”。
56. C。连词误用。应将“此外”改成“另外”或“其他”。
57. A。缺少介词。应改为“在国际比赛当中”。
58. D。主谓搭配不当。应改为：听说贵公司的产品不仅在中国国内很畅销，而且外国顾客也很多。
59. C。结构助词误用。“的”应放在“所谓”之后。
60. C。副词位置错误。应改为“多吃一些”。
61. 珍稀，珍贵而稀有；珍惜，动词，珍视爱惜。千方百计，想尽办法做某事。对于“珍稀”动物，人们应该“千方百计”去保护。遭到，指遇到不如意的事；“动词+不了”是可能补语的否定形式。选 A。
62. “有博士学位”和“没有修养品位”是转折关系，用“却”来连接；“既要……，更要……”为递进关系；“提升”与“魅力”搭配。选 C。

63. “制度”应该与“废除”搭配；“一批”表示多数的人，且属于中性词。“管……叫……”是固定搭配。选 B。
64. “表示”即言语行为显示出某种思想、感情、态度等；“无论……还是……都……”表示条件关系；“实现”与“目标”搭配。选 C。
65. “重要”和“因素”经常搭配；“不是……”与“而是……”是并列关系，从正反两方面说明问题。选 A。
66. “普遍”是指存在面很广；“发明”指创造新的东西；“颁发”与“证书”搭配；“标志”表明某种特征。选 D。
67. “忽视”与前一分句的“重视”互为反义词； “也就是说”进一步解释说明；“缺乏”指没有或不够，常与抽象名词搭配。选 A。
68. 会英语应该属于一种“技能”，即运用技术的能力；“广泛”指方面广，范围大；“加强”与“联系”搭配；“必要”常用在“是……的”句式中。选 C。
69. “对……来说”是固定搭配；“与其……”与“不如……”搭配，是选择关系。“产业化”的“化”是动词性语素，表示某种做法可引起变化。选 B。
70. “是……，也是……”为关联搭配；“以……为……”是固定格式；“发扬光大”是使好的作风、传统等得到发展和提高；“家喻户晓”是家家户户都知道，非常有名。选 D。
71. 第二段一开始时说王阳一直梦想着进入一个大的有名的电脑公司，通过上下文发现，C 选项是王阳的更大的具体的梦想。
72. 前文提到他寻找跨国大企业的实习生招聘信息，和 E 选项表达内容前后呼应。
73. 由于此句为段首句，应该是对该段落的整体的概括，根据段落内容中提到的“没有特别严格的规范要求”等判断，此处为 B。
74. 此处仍为段首句，根据文中提到王阳以前误解了经理的善意的批评导致工作氛围不好，这是沟通的问题，因此此处选 A。
75. 根据最后一段所陈述的内容看，说的是时间管理的问题，所以选 D。
76. 照应上文“重重地摔倒在地”，所以选 D。
77. 照应前文，“见到母亲的时候”、“已躺在了医院的病床上”，选 B。
78. A 也是听医生说的母亲的情况，所以选 A。
79. 分别照应上文的“翻了一下身”和后文母亲说的“平安就好”，表达了病中的母亲对“我”的担心挂念。选 C。
80. “心中的最痛点”照应后文的眼泪“夺眶而出”，选 E。
81. 文中提到“据记载，心脏停跳又复活的世界纪录为 3 小时 24 分”，“……的世界纪录”是指“世界上最……”，所以这里的 C“3 小时 24 分”是世界上最长的。
82. 文中提到“肺泡采用轮休制，每次呼吸只有部分肺泡在工作”，这里的轮休制是指轮流休息的制度。所以选 C。
83. 文中描述了食物分别在消化系统胃、小肠、直肠、结肠停留的时间，所以这些时间相加就是食物进入消化系统到排除体外的时间，总共为 45.92 小时，所以选 D。
84. 文中提到“据记载，心脏停跳又复活的世界纪录为 3 小时 24 分”，这说明有时候心脏停止跳动后还可能复活，所以选 B。A 选项不符合文意，因为文中只是说人体的很多部分在夜间都在工作，而不是所有的部分。C 选项也不符合文意，文中说消化系统夜间工作，但并没说白天休息。文中提到“大脑中的睡眠中枢也在工作，它会产生去甲肾上腺素在清晨把人唤醒”，所以 D 选项也不对。

85. 文中并没有提到农产品生产成本提高，只是说运输成本提高才使价格上涨，所以选 C。
86. 文中没有提到食品生产量少的问题，因此选 D。
87. 文中关于这个问题的原句是“中国农产品价格从 1997—2007 年 10 年时间的年平均增长在 0.7%左右，而这 10 年居民收入增长大大高于这个数字。因此，价格上涨又有一定的必然性和合理性”，由此看来，合理性和必然性的主要原因是 A。
88. 文中最后一句话说“商务部长陈德铭预计中国下半年的 CPI 将有所下降”，所以 A 是对的。
89. “知其然，也要知其所以然”，这是中国人经常说的格言，这里的“然”是“这样”的意思，“所以”不是“因此”的意思，而是“为什么”或“……的原因”的意思。所以选 B。
90. 在讲述即时贴发明这个故事时，文中有句概括性的话：遇到问题应试着从不同角度来思考。因此应该选 B。
91. 在讲述了用火柴拼图形的故事后，作者说“这样的实践让我们对几何空间知识记忆深刻”，很明显这也应该是老师的目的，所以选 C。
92. 其他三项文中都提到了，而且进行了主要说明，而 D 选项只是培养创新能力的小的前提，而不是方法。所以选 D。
93. 文中只提到旅游业占 GDP 的比重超过了 4%，并没有说明这个比例的大小多少。因此旅游业的创收多少没办法判断。所以选 A。
94. 文中提到，旅游业“是现代服务业的重要组成部分，对文化交流、生态文明和人的全面发展都具有明显的促进作用，能够促进经济、社会协调发展”，这里只是提到了对几个方面的促进作用，而 D 选项的表述太绝对，所以选 D。
95. 文中提到，“中国旅游业还存在一定的问题”，“当前中国旅游业发展的一个基本情况，就是旅游需求远远大于旅游供给”，因此选 C。
96. 文中提到“中国将在 2020 年超过法国、西班牙、美国而成为世界第一旅游目的地”，这说明，目前中国的旅游业还不如法国、西班牙、美国。因此选 B。
97. 第三段第一句庄子说的话“吾生也有涯，而知也无涯”很明确地说明了学无止境的道理。因此选 C。
98. 第六段第一句话是：“那么，当我们在学习或事业上有了一定作为的时候，还要不要谦虚呢？答案是肯定的。”“答案是肯定的”意思是要谦虚。因此选 B。
99. 第六段最后一句话是：“只有在取得好成绩时不自满，才会使事业和学业都更上一层楼。”因此选 A。
100. 第七段的最后一句：“真正优秀的人永远都怀着一颗谦虚谨慎的心，为人处世也远比其他人稳重成熟。”因此选 D。

HSK（六级）模拟试卷 2

答案

一、听力

第一部分

1. C　2. A　3. B　4. A　5. A　6. D　7. A　8. B　9. D　10. C
11. B　12. C　13. C　14. A　15. D

第二部分

16. C　17. C　18. D　19. D　20. C　21. C　22. D　23. A　24. B　25. A
26. D　27. C　28. A　29. D　30. A

第三部分

31. C　32. D　33. B　34. C　35. D　36. B　37. C　38. D　39. B　40. D
41. A　42. C　43. B　44. A　45. D　46. B　47. B　48. C　49. A　50. D

二、阅读

第一部分

51. D　52. A　53. A　54. D　55. B　56. A　57. B　58. B　59. D　60. D

第二部分

61. C　62. A　63. D　64. C　65. B　66. C　67. A　68. B　69. C　70. D

第三部分

71. C　72. E　73. A　74. D　75. B　76. D　77. E　78. A　79. B　80. C

第四部分

81. C　82. A　83. B　84. C　85. D　86. C　87. A　88. B　89. C　90. A
91. C　92. C　93. D　94. A　95. C　96. D　97. D　98. A　99. B　100. C

三、书写

101. 缩写参考

母亲的心愿

本来和朋友们约好了去逛街，可是妈妈让我帮她买面包，因为她明天要去春游，在妈妈有点儿生气的情况下，我不得不答应她。可是那家面包店很多人在排队。我一边焦急地等，一边在心里埋怨着妈妈："都那么大年纪了，还春游什么？"好在再烤三炉就可以轮到我了，这时站在我后边的女人想在我前边买，因为她在我后面，还要再等一炉。她是来给孩子买的，孩子明天要去春游，买完以后她得回家做饭，送孩子去补习。她问我给谁买，我告诉她我给妈妈买，她明天也要去春游。店里的人听了我的回答都觉得很惊奇，售货员说："今天卖了好几百袋，你可是第一个买给妈妈的。"我后边的女人很不好意思地说："对不起，我真没想到，这家店人这么多，你为了你妈妈这么有耐心啊。" 她还说："我也想去春游，每年都想，哪怕只在草坪上坐一坐晒晒太阳也好。可是总没时间。"她轻轻叹口气，"大概，我也只有等到孩子长到你这么大的时候，才有机会吧。"此时，我才理解了母亲去春游的心理。（400 字）

答案说明

1. 老师不时地看学生是在检查学生是否在认真学，学生误以为老师在看着他画老鼠。选 C。
2. 儿子问"节约和小气有什么区别?"，表明儿子不知道节约和小气的区别。A 对。
3. 说话人的意思是只有经历失败才会成功，因此"我"会继续努力。选 B。
4. 录音中提到"女性甚至不知不觉就对吃巧克力上了瘾"，因此说吃巧克力会上瘾，A 对。
5. 录音中提到"超市里的东西真是五花八门"，是说超市里的东西太多了。A 对。
6. "到你心里"，说明小张想走到女孩的心里，他喜欢那个女孩。选 D。
7. 小王说痛苦的日子是"结婚后的每一天"，因此可以判断出小王婚后不快乐。A 对。
8. 职员说"我已经被你辞退了，用不着笑了"，说明笑话不可笑。B 对。
9. 录音中说比赛还有 5 分钟就结束了，所以选 D。
10. "大胜"和"大败"意思居然一样，说明中国的语言很奇妙。选 C。
11. 朋友说"怎么能说没劲? 你没看见其余的 8 个人被我追得直跑吗?"，说明他跑了第九名。B 对。
12. 西班牙队进了一个球后比赛结束，因此西班牙队胜利。C 对。
13. 小莉尖叫从房间里跑出来，说她看到了蟑螂，由此可以知道她害怕蟑螂。C 对。
14. 爷爷常常"自言自语"，说明缺少他人陪伴，缺少关爱。应该选 A。
15. 录音中说"从早上 8 点一直工作到晚上 11 点"，说明爸爸工作很忙。选 D。
16. 彭珊说"独立电影首先在精神和创作上都是独立的，而不是说资金上的独立"，所以选 C。
17. 主持人说"你是重庆大学美术电影学院文学系的"，所以选 C。
18. 彭珊说"但是到了重庆以后慢慢发现自己擅长做制片方面的工作"，所以选 D。
19. A、B、C 三项都是录音中提到的，所以选 D。
20. 主持人问"这个故事是你们自己写的，还是改编自别人的作品呢?"彭珊回答"这个是自己写的，但是也受到了别人作品的启发。”所以选 C。

21. 主持人在开篇介绍时说：“大家应该都很熟悉文怡，她每周都会做一些很好吃的菜在博客里跟大家分享。”所以选 C。
22. 文怡回答时说“是 2003 年还是 2004 年，我记不清了。反正肯定是我刚从法国回来的时候”，所以选 D。
23. 主持人问“你去法国干吗？”文怡回答“陪我先生”。所以选 A。
24. 主持人问：“你是怎么对美食发生兴趣的？”文怡回答：“其实我对美食的兴趣应该是从一台烤箱开始的。”所以选 B。
25. 文怡最后说“其实法国人把美食、爱情、生活都放在非常重要的位置上”，没有提到金钱，所以选 A。
26. 冯易进说“我是公司的总经理，也是首席设计师、品牌创始人”，所以 D 对。
27. 冯易进说“我非常喜欢设计，一个自己非常喜欢的事情，肯定会做好”，所以选 C。
28. 录音中提到“易百公司选择在新加坡注册创办公司”，A 对。
29. 前三项文中都提到过，只有 D 项不是回答这个问题的答案。
30. 主持人问“现在你考虑最多的是什么？”冯易进回答“当然是如何把公司做大”，所以选 A。
31. 录音开头说“一天早晨，曾子的妻子准备去集市”，所以选 C。
32. 录音中妻子对曾子说：“你怎么拿我哄孩子的话当真呢？”说明她只是想哄孩子听话，所以选 D。
33. 曾子坚持要杀猪，并说出了自己的道理：“在小孩面前是不能撒谎的。”所以选 B。
34. 录音最后一段提到“说话、做事情应该言而有信”，所以选 C。
35. 录音第一句说“人口问题……是当代许多社会问题的核心”，所以选 D。
36. 录音中说人口过多会“给环境带来压力”，所以选 B。
37. 录音中说，“人类必须控制自己，做到有计划地生育”，所以选 C。
38. 录音中说“人口与环境有密切的互为因果的联系”，所以选 D。
39. 阴阳五行哲学思想、儒家伦理道德观念等都是中国传统文化中的因素，录音中没有提到地理环境，所以选 B。
40. 录音中说“周秦时期是中国饮食文化的形成时期”，所以选 D。
41. 录音中说，“小米，又称‘谷子’，长时期占主导地位，为五谷之首”，所以选 A。
42. 录音中说，“豆类……是老百姓、穷人吃的”，所以选 C。
43. 录音开头说“印制人民币用的钞票纸是水印纸”，所以选 B。
44. “耐磨、耐折、耐酸、耐碱”只是纸的物理化性质，并不能起到防伪的作用，所以选 A。
45. 录音中提到“水印有方向问题，所以每张纸必须按照水印图案方向摞好”，所以选 D。
46. 录音后面提到“因为防伪的需要，……”，所以选 B。
47. 录音中提到“后代土木工匠都尊称他为祖师”，所以选 B。
48. 录音中说因为他是鲁国人，所以人们尊称他为鲁班。C 对。
49. 录音中提到鲁班“手被一种野草的叶子划破了”，所以选 A。
50. D。最后一句点明了主旨。

51. D。 缺少定语。应改为“一个我教的班的学生代表”或“一个我教的学生代表班级”。
52. A。连词误用。并列形容词应该用“而”或“又……又……”连接。应改为“听得懂简单而短小的对话”或“又简单又短小的对话”，去掉“很”。
53. A。动词误用。动词“后悔”应改为“悔恨”。
54. D。介词误用。“由于”表原因，应改为“由”。即：人的才能的大小，完全是由后天的学习和实践决定的。
55. B。缺少主语。“都让我引起”应改为“我都会产生”。
56. A。连词误用。“还有”应改为“同时”。
57. B。语义矛盾。“逐渐变了很多”应改为“逐渐发生了变化”。
58. B。动词误用。动词“继续”应换成“持续”或“连续”。
59. D。名词误用。“后来”应改成“以后”或“今后”。
60. D。动态助词误用。应改成“她学汉语学了一年半了”或“她汉语学了一年半了”。
61. “发祥”意为兴起发生，“遗址”指毁坏的、年代久远的建筑物所在的地方；“将……命名为……”常搭配使用，具有书面语色彩。所以选 C。
62. “团聚”多指亲人分别后再相聚；“无论……都……”是固定搭配，表示条件不同而结果不变；“赶回”是加快行动使不误时间；“习俗”是习惯和风俗。选 A。
63. “某”指不定的人或事物，本句指“不定的一个时期”；“产生”指由已有事物中生出新事物，可搭配“感情”、“矛盾”等。选 D。
64. “名扬四海”指美好的名声全世界都知道；“别具一格”可以形容建筑，指另具有一种风格；“而且”与“不仅仅”搭配；“珍藏”指认为有价值而妥善地收藏。选 C。
65. “算得上”是被认为是的意思；“不断”指连续不间断，可修饰“提高”；数量词“一股”修饰“热潮”。所以选 B。
66. “途径”指路径，多用于比喻；“通过”指用某种手段而达到某种目的；“不但……而且……”相呼应；“加深”常和“理解”互相搭配使用。选 C。
67. “艰辛”是艰苦的意思；“启迪”是启发的意思；“探求”指探索追求；“份”量词可用于“财富”。所以选 A。
68. “特别”是指与别人不同；“严肃”指神情、气氛使人感到敬畏的；“风趣”与“幽默”同义。选 B。
69. “凭借”是“凭着”、“依靠”的意思；“经验”是指从实践得来的知识或技能；“制造”与“笔”搭配；“创立公司”是合适的动宾搭配。C 是正确答案。
70. 1189 年到 1192 年是时间段，所以用“年间”；“造型”既可用来修饰人，也可修饰物。“由……组成”是固定格式。所以选 D。
71. 后文有“像水一样不可或缺”，所以选 C。
72. 后文有“我的愤怒转移到了我的身体上来”，说明前文空格中也应该是和愤怒相关的句子，所以选 E。
73. “狠狠地放下手中的空瓶”、“气乎乎地冲回了房间”都是“粗暴”的表现，所以选 A。
74. 后文有“这就是亲情”，所以应选择 D“这就是建立在爱上的”，可以跟后文相呼应。
75. 前文中提到“无色的水让我看到了红色的爱”，文章末尾点出中心“血永远浓于水”。选 B。
76. 后文有“否则，忧郁、悲伤、焦虑、失眠会接踵而来”，所以应接受它、适应它，选 D。
77. 文中提到冲热水澡会减轻心理的负担，所以选 E。

78. 前文提到的各种方法会使人“拥有健康的心态”，所以选 A。
79. “处理好自己的情绪”会使你“心里轻松很多”，选 B。
80. 整篇短文都在讲如何放松、如何缓解压力，这些都是在说改变生活态度，所以选 C。
81. 文章第一段提到了城市色彩研究工作的主要内容，其最后一个方面是说怎么样通过色彩给人创造出良好的生存环境，而不是居住环境。所以选 C。
82. 文章第二段提到“应该注意的是，针对不同性质的商业区，所应采取的控制策略是不同的”，所以选 A。
83. 文章第二段中间提到“因此，色彩的处理应慎重”，它的原因应该在这句话的前面，即“传统商业街所要传达的文化含量并不亚于其商业性”，所以选 B。
84. 文章第三段提到“对于确实具有一定历史文化价值的文物性建筑，外立面应以保护性清洗为主，尽量保留其原有的材质和色彩，绝不应盲目翻修粉饰，整旧如新”，所以答案应是 C 选项“保留其原有的色彩”。
85. 文章开始时提到，“从根本上治疗这种病的方法就是使患者的身体重新获得分泌这种化学物质的能力”，“这种化学物质”是指前文提到的多巴胺，所以选 D。
86. 文章没有提到帕金森有“视物模糊”的症状，所以选 C。
87. 文中第一段提到“病鼠因此恢复得和正常老鼠一样”，这表明实验成功。所以选 A。
88. 文章结尾处提到，“中国首例脑内移植手术在北京宣武医院获得成功，是继瑞典、墨西哥之后在临床上开展脑内移植手术的第三个国家”，所以瑞典是第一个，选 B。
89. 第一段提到“第一个目标是创制能让人在水下旅行和载货的船”，“另一个梦想是建造一种介于飞机和传统水面轮船之间的高速远洋轮船”，所以选 C。
90. 文中说“消耗动力大约只有后者的一半”，后者指的是水面核动力船，所以选 A。
91. 第二段段首处说“其主要原因是水的密度比空气要大上 800 倍”，所以选 C。
92. 短文末尾说“‘大东方’号机动船曾以 14 节的创纪录速度横越大西洋，可至今，机动船的速度增加还不到 3 倍”，原来的速度是 14 节，增加不到 3 倍，所以应是 C。
93. 文中开头说“发怒的‘破坏力’有多大——失去朋友、得罪亲人或者丢掉饭碗”，并未提及“人人都生气”，所以选 D。
94. 建议的第一条末尾提到“这样做，会为你赢得处理愤怒情绪的机会”，“这样做”是指向自己承认“我生气了”。所以选 A。
95. 建议的第二条提到“克制冲动并不意味着积累愤怒”，表明积累愤怒并不是克制自己的好方法。所以选 C。
96. 建议的第三条提到“而不是直接去找是谁让你生气的”，所以选 D。
97. 文本第一句说，“隐身飞机之所以被称为‘隐身’，是因为这种飞机的特点是在空中飞行时能够不让雷达这个‘千里眼’发现”，因此选 D。
98. 第二段第二句说：“美国洛克韦尔公司研制的 B-IB 型变后掠翼战略轰炸机是世界上第一种具有部分‘隐身’功能的轰炸机。”因此选 A。
99. 第三段的第二句是：“美国洛克希德公司从上世纪 70 年代中期开始执行秘密研制‘隐身’战斗机的‘臭鼬工程’计划。”因此选 B。
100. 最后一段第二句是：“它最大的特点是将机身、机翼、发动机融为一体。”因此选 C。

HSK（六级）模拟试卷 3

答案

一、听力

第一部分

1. C　2. C　3. D　4. A　5. B　6. D　7. C　8. D　9. C　10. C
11. A　12. B　13. D　14. C　15. A

第二部分

16. A　17. B　18. A　19. C　20. D　21. D　22. A　23. B　24. C　25. A
26. C　27. D　28. B　29. A　30. C

第三部分

31. B　32. C　33. D　34. A　35. A　36. D　37. B　38. C　39. D　40. B
41. A　42. B　43. C　44. B　45. D　46. D　47. C　48. C　49. A　50. D

二、阅读

第一部分

51. A　52. D　53. A　54. B　55. C　56. B　57. B　58. D　59. C　60. B

第二部分

61. B　62. C　63. A　64. D　65. B　66. C　67. A　68. B　69. C　70. D

第三部分

71. E　72. B　73. C　74. A　75. D　76. A　77. D　78. C　79. E　80. B

第四部分

81. B　82. C　83. A　84. D　85. D　86. B　87. C　88. A　89. C　90. D
91. D　92. B　93. C　94. D　95. C　96. B　97. D　98. B　99. D　100. A

三、书写

101. 缩写参考

免费的午餐

城市里有一家小吃店，这里的饭菜非常好吃。老板和老板娘又热情又善良，饭店虽小，生意却很好。一天中午，过了吃饭的高峰期以后，饭店里来了一位老奶奶和一个小男孩。他们两个人只要了一份牛肉汤饭，奶奶将碗推到孙子面前。小男孩问奶奶说："奶奶，您真的吃过中午饭了吗?""当然了!"奶奶含着一块免费赠送的咸萝卜慢慢咀嚼着。当老奶奶准备付账时，善良的老板说："老太太，恭喜您，您是我们今天的第一百位客人，所以今天的饭免费。"一个多月之后的某一天，老板发现那个小男孩在饭店对面用石子数着进店里吃饭的客人。可是午饭的时间就要过去了，也只有不到50人，于是老板打电话给老主顾，说他请他们来吃饭。当饭店的客人刚好到100位的时候，小男孩带着奶奶进来了。他们还是要了一份牛肉汤饭，这次只是奶奶一个人吃。老板娘想再送小男孩一份饭，老板说："我们不应该破坏孩子对奶奶的回报。"小男孩学着奶奶的样子咀嚼赠送的咸萝卜，还说自己吃得很饱。(399字)

答案说明

1. 录音中提到"看谁能把身子探出窗外最远，他赢了"，证明小王的弟弟把身子探出去最远，所以受伤了。选C。
2. "还是让孩子继续哭吧"意思是父亲唱的催眠曲比孩子的哭声还难听。C是正确答案。
3. 水喝少了不好，每天要保证6杯水；水喝多了也不好，会导致水中毒。所以，我们应该科学喝水。选D。
4. 男子说："我这人看见女士晕倒就难受，现在好多了!"意思是酒是给自己喝的，而不是为了救那位女士。选A。
5. 小张为了救女孩，打退了三个消防员，说明大家都想救这个漂亮的女孩。B是正确答案。
6. 录音中最后一句提到"小的也许已经睡了，但是大的肯定没睡呢!"，说明弟弟仍然想吃苹果，反驳妈妈的话。选D。
7. 朋友说："我看不出来，但是你忘了把商标从假发上取下来了。"表明朋友通过商标看出来是假发。C是正确答案。
8. 书店老板不能读遍书店里所有的书。跟书店老板一样，医生也没有吃过医院里所有的药。所以选D。
9. 女儿误会了爸爸的意思，以为要向坐在自己前面的人学习。坐在女儿前面的人才考了50分，所以女儿觉得很委屈。选C。
10. 录音中提到"人的烦恼是因为太会计划"，所以太会计划是自以为聪明。选C。
11. 小丽烫发以前，商店老板以为她是学生；烫了发，她被认为是已经参加工作的人。所以，直发显得年轻。A是正确答案。

12. 录音中说“不过它们睡觉的姿势可是各不相同的”，所以选 B。
13. 最后一句“是我”，表明掉进坑里的是小强，所以选 D。
14. “如果你走了，我就是全班倒数第一了”表示小王成绩也很差，所以选 C。
15. “不及格的人数和全班人数一样多”表示全班都没有及格，所以选 A。
16. 主持人问“请问一下，您是什么时候有这个梦想的？”杜国峰回答：“一直都有。”所以选 A。
17. 主持人问“很多人想问您，在空中飞行的时候冷不冷？”杜国峰回答：“当然冷！”所以选 B。
18. 主持人问“您认为飞行时最大的挑战是什么？”杜国峰回答：“恶劣的天气。”A 是正确答案。
19. 主持人问：“您下一个飞翔的目标是哪里？”杜国峰回答：“珠穆朗玛峰。”所以选 C。
20. 杜国峰回答主持人的最后一段话开始时说“当然是发动机”，所以选 D。
21. 主持人在开篇介绍时说：“今天我们请到的是《广告导报》出版人兼主编、智慧工场传播机构的 CEO、营销名人凌平先生。” 凌平最近在做一部电影，但是他本身不是电影演员。所以选 D。
22. 凌平回答主持人时说：“应该是属于青春爱情喜剧。”所以选 A。
23. 主持人问：“您期望的票房是多少？”凌平回答：“我们预想突破 3000 万。”所以选 B。
24. 主持人问：“这部电影的营销您会有一些什么创新的举措？”凌平回答：“主要是利用网络媒体。”选 C。
25. 主持人说：“有一个规律说，经济危机的时候往往电影会火暴。”凌平回答说：“对，确实是这样的。”选 A。
26. 沈宇辉提到“《行酒季》的评选每两年一次”，所以选 C。
27. A、B、C 三项在沈宇辉的回答中都提到了，所以选 D。
28. 主持人问：“其中最主要的是哪一个？”沈宇辉回答说“当然是创新的经营模式了”，所以选 B。
29. 主持人问：“沈总从事葡萄酒这个行业的原因是因为喜欢吗？”沈宇辉回答：“对。”选 A。
30. 采访结尾处，主持人问：“那您是以什么角度来从事这个行业的？”沈宇辉回答：“以一个爱好者的角度。”所以选 C。
31. 录音开头第一句便给出了答案“一只狐狸不小心掉到了井里”，所以选 B。
32. 录音中提到狐狸“极力赞美井水好喝”，所以选 C。
33. 录音中叙述的部位顺序是“脚—背—角”，所以选 D。
34. 最后一句说“你就不至于在没看清出口之前就盲目地跳下去了”，所以选 A。
35. 录音开头说“一起到海边散步”，所以选 A。
36. 录音中间部分的描写给出了答案，即大鱼潜游突袭小鱼的情形，所以选 D。
37. 录音中提到“同伴们就为它取了个代号——海龟”，所以选 B。
38. 开头第一句说“有些人喜欢叙述自己的亲身经历”，所以选 C。
39. 由“拥有众多的读者”这句话可以推出“受欢迎”的意思，所以选 D。
40. 录音中提到“觉得样样都很有味道，样样都讲，面面俱到”，所以选 B。
41. 录音最后说“讲故事比起写故事来更难一些”，所以选 A。
42. 这是个常识，录音中也没有提到“河北”，所以选 B。

43. 录音中说“说起东北菜，杀猪菜当然是不能少的”，所以选 C。
44. 录音中提到“酸菜是杀猪菜的又一主角”，所以选 B。
45. 录音中提到“西方人却对中国武术知之甚少，甚至一无所知”，所以选 D。
46. 录音中提到李小龙“创造了现代中国实战武术‘截拳道’”，所以选 D。
47. 录音最后一句说“李小龙将 kung fu（功夫）一词写进了西方的词典”，所以选 C。
48. 录音中提到“社会问题的特征主要表现在普遍性、变异性、复合性和周期性四个方面”，所以选 C。
49. 录音中提到，复合性常常是几种社会问题同时并存，所以选 A 。
50. 最后一句话指出“社会学家还特别强调周期性中潜伏性和反复性的特征”，所以选 D。
51. A。句意前后矛盾。可将“一窍不通”改为“一知半解”或“知之甚少”。
52. D。逻辑错误。应该将“把”改为“被”。
53. A。搭配错误。应说成“与……有密切的关系”或去掉“有”和“的”。
54. B。动词误用。应改为“对气候变化有很大影响”。
55. C。形容词误用。“扎实”为形容词，不能带宾语，应改为“让在校生掌握扎实的基础知识外”。
56. B。趋向补语误用。“坚持过来”应为“坚持下来”。
57. B。句式杂糅。应改为“在……眼里”或“48.3%的被调查者认为”。
58. D。成分残缺，缺少主语。
59. C。动宾搭配不当。应改为“维持家庭生活”。
60. B。语序不当。应改为“韩国小女孩”。
61. “满足”本句中是感到已经足够了的意思，可以与“于”连用；“充分”指足够，可以修饰“调查”；“借鉴”指跟别的人或事相对照，以便取长补短，这里与“新成果”搭配；“重新”这里指汉语水平考试变更方式或内容。选 B。
62. “乃至”即甚至；“蕴藏”指蓄积而未显露，可以与“智慧”搭配；“洞察”指观察得很清楚，这里是指佛教哲学对人生了解得很清楚；“独到”指好的方面与众不同。选 C。
63. “亦步亦趋”是比喻没有自己的主张，跟着人家做事；“方式”指方法和形式；“誉为”中的“誉”指称赞、赞美；“就”与“早期”相呼应，表示时间很早。选 A。
64. “独一无二”指没有可以相比的；“深厚久远”与“独特的艺术个性”应该是递进关系更为贴切，故用“不仅……更……”；最后一个分句与“艺术个性”应为并列关系，所以选“以及”。D 是正确答案。
65. “消亡”指消失，即一半的语言将消失；“则”本句中指一半以上的语言将消亡与 200 年后灭绝在时间上相承；“相比”常与“之下”搭配。所以选 B。
66. “适合”文中指食物符合人类生存；“七种食物”与“生存”是条件关系；“生存下去”指从现在继续到将来；“导致”一般指引起不好的结果。选 C。
67. “叮嘱”指再三嘱咐，符合语境；“免得”即“以免”，句中指不让父母挂念；“担心”指放心不下。所以选 A。
68. “想象”指对于不在眼前的事物想出它的具体形象，这里指“我”勾画的太阳村形象；“却”前后的分句是转折关系；“宁静”形容环境安静。选 B。

69. “致力于”指把力量用在某个方面；“获得”多用于抽象事物，取得，得到；“一干二净”指所有的都没有，常做补语；“以来”指从过去一直到现在的一段时间。选 C。
70. “增加”与“收入”搭配；“加快”与“步伐”搭配；“没有农民的小康”与“就不会有中国人民的小康”为假设关系；“也”进一步说明。选 D。
71. E 照应前文“我把 200 元购物卡的故事讲给学生听，组织大家讨论”。
72. B“各执一词”照应后文“一方说”、“另一方则反驳说”。
73. C“人都有趋利性”照应后文“本能”。
74. A“文如其人”照应后面的句子，后句是对其含义的解释。
75. D 照应前文“写作文”和“只有”引导的句子。
76. A“日子一去不复返”与后文各句呼应。
77. D 句中的“旋转”照应前文的“太阳”。
78. 根据上下文，只有 C 句适合此处，并照应下文“伸出手遮挽”。
79. E“和太阳再见”照应下句“又溜走了一日”。
80. B 照应上文“我赤裸裸来到这世界，转眼间也将赤裸裸的回去罢?”。
81. 文中第一句话提到“人们喜欢用‘左耳进，右耳出’来形容不听话的人”，这表明“左耳进，右耳出”是指不认真听话的人，所以选 B。
82. 第二段说“这种现象被科学家称为‘右耳优势’”，“这”指的是前文“如果希望别人更容易接受你所传达的信息或是下达的指令，最好对着他的右耳说话”，所以选 C。
83. 第二段提到“右耳由左脑掌管，而左脑主要负责语言和逻辑思维，因此通过右耳传达的语言信息更容易被人接受”，所以选 A。
84. 文中最后一段提到“人类的左耳在接收诸如‘我爱你’等甜言蜜语时比右耳来得敏锐”，因此要想求婚，应对着爱人的左耳朵说，所以选 D。
85. 文中第二段提到“在通常的水里，水分子是杂乱无章地排列的”，并不是电场中的水分子，所以选 D。
86. 第三段提到“如果电场在不停地转，那么水分子就会跟着转……摩擦生热，水的温度就升高了”，所以选 B。
87. 文章第四段提到“电磁波就相当于这样一种旋转的电场。用在微波炉上的电磁波每秒钟要转 20 几亿圈，水分子们以这样的速度跟着转，自然也就‘浑身发热’，温度在短时间内就急剧升高了”，所以选 C。
88. 文章最后一段提到“而非极性的分子，比如空气以及某些容器，就不会被加热”，所以选 A。
89. “病从口入”是指疾病很容易通过口腔传染。C 对。
90. 第三段提到“如果浴室潮湿，牙刷要放在浴室外的干燥处；如果浴室干燥，就把牙刷放在柜子里”，可见牙刷应该放在既不干燥也不潮湿的地方，所以选 D。
91. 第四段提到“倘若患上感冒和其他传染性疾病，等病好后，就应该换个新牙刷”，所以选 D。
92. 文章最后一句话是“每隔 15 天，要用对人体无害的消毒液给牙刷消一次毒”，所以选 B。
93. 文中第一段末尾提到“这说明，它们具有很好的学习能力”，所以选 C。
94. 第三段提到“海马区域正好是负责学习和记忆的部位”，胰岛素抵抗的仓鼠海马区域受到损害，摄入果糖的老鼠存在胰岛素抵抗，所以选 D。

95. 文中第四段说“果糖在低温下甜度会增加，它会给人以清凉愉悦的美感”，所以选 C。

96. 文中最后一段说“或许就在你的畅饮之中，大脑的记忆力正在悄悄地下降”，所以选 B。

97. 短文第一句话是：“豚草是一种世界性的杂草。”因此 D 项错误。

98. 第二段第二句提到：“据国外有关资料介绍，1 立方米空气中如果存在 30-50 粒豚草花粉，就能诱发花粉病。”由此可见，1 立方米空气中最少存在 30 粒豚草花粉，就能诱发花粉病。因此选 B。

99. 第三段第二句说的是：“一株豚草能结籽数千粒，并借助风、人、畜、鸟和水流到处传播；折断的豚草，其根茬会长出更多的新枝。”因此，折断的豚草虽然能长出更多的新枝，但是不能传播豚草籽。因此选 D。

100. 第五段第二句：“首先，到每年的 5 月底到 6 月中旬，在豚草未开花前，将它连根拔掉，然后晒干烧掉。此法简单易行，最彻底有效。”因此选 A。

HSK（六级）模拟试卷 4

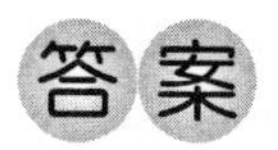

一、听力

第一部分

1. C　2. A　3. D　4. C　5. A　6. D　7. B　8. A　9. A　10. D
11. C　12. B　13. C　14. D　15. C

第二部分

16. C　17. B　18. D　19. B　20. B　21. D　22. A　23. C　24. B　25. D
26. B　27. C　28. D　29. C　30. A

第三部分

31. B　32. C　33. D　34. C　35. B　36. D　37. C　38. C　39. B　40. B
41. B　42. B　43. C　44. B　45. B　46. C　47. C　48. D　49. C　50. C

二、阅读

第一部分

51. C　52. B　53. C　54. D　55. A　56. D　57. A　58. D　59. B　60. C

第二部分

61. A 62. D 63. B 64. C 65. A 66. B 67. C 68. D 69. A 70. B

第三部分

71. A 72. C 73. D 74. B 75. E 76. E 77. D 78. C 79. A 80. B

第四部分

81. B 82. C 83. A 84. C 85. D 86. C 87. D 88. D 89. A 90. D
91. B 92. C 93. B 94. C 95. D 96. B 97. C 98. C 99. D 100. B

三、书 写

101. 缩写参考

秘密

妈妈发生了车祸，因为怕女儿害怕，并没有让女儿来医院。当年女儿才一岁，爸爸没有告诉女儿妈妈死了，而告诉她妈妈出差了，去了很远的地方，很长时间都不会回来。

从此，爸爸充当了爸爸妈妈两个角色来照顾女儿，可是女儿有时还是会问妈妈什么时候回来。有人给爸爸介绍女朋友，爸爸只匆匆见上一面，就不再联系了。但是爸爸刚刚30岁就有了白头发，妈妈的姐姐劝说爸爸再娶一位妻子。后来爸爸遇到了一位善良的女人，但是怕告诉女儿会伤害她，打算等女儿大一些再跟她说。他们又等了两年才告诉女儿说妈妈要回来了，只是妈妈比以前瘦了。

女儿和善良的女人见面了，开始女儿的反应并不自然，在爸爸的帮助下，才跟妈妈亲近起来。但是当她和这个后来的“妈妈”单独相处的时候，却告诉她，听爷爷奶奶说，她的妈妈已经死了，她希望后来的妈妈能对爸爸好，那样她同意接受这个妈妈，她觉得只有爸爸不知道妈妈已经死了，希望后来的妈妈不要告诉爸爸，她怕爸爸知道了会伤心。（398字）

答案说明

1. 录音第一句说“一位出租车司机开车很快，经常闯红灯”，而这位司机自己说“我哥哥也是这么开车的”，可见他哥哥也经常闯红灯。所以选C。
2. 由录音中最后一句话“如果他们再忘记关门的话”得出，袋鼠之所以跑出来是因为管理员没有关门，也就是说笼子的门开着。所以选A。
3. 丈夫问妻子猫有没有回家，妻子回答猫5分钟前就回来了。但此时，丈夫找不到家了，可见猫比丈夫先回家。所以选D。
4. 录音开始时提到山羊脚上扎了一枚钉子，于是向其他动物求救。最后提到白鹤用嘴拔出了钉子。所以选C。
5. 最后一句是“经过这种病毒复制的DNA可能会导致精神方面的疾病”，所以选A。

6. “这件事很快家喻户晓”，“这件事”指的是农民进献南瓜获得赏赐的事，而“家喻户晓”说明大家都听说了，因此选 D。
7. 录音中这个人说自己再过 4 年就 40 岁了，因此现在是 36 岁。所以选 B。
8. 录音中提到这两位猎人遇到的是“一头饥饿的熊”，因此熊不肯离去是想要吃掉猎人。所以选 A。
9. 病人对医生称赞“5 秒钟就赚了 100 元”，说明医生拔牙只需要 5 秒钟，因此可以得出医生拔牙非常快。所以选 A。
10. 录音中最后一句说“成年之后，由于不再需要大脑和神经系统，它们就会将自己的大脑吃掉”，因此选 D。
11. 录音中提到“这一数字甚至小于当前濒临灭绝物种的群体大小，如黑猩猩”，由此可见，黑猩猩就是当前濒临灭绝的例子之一。所以选 C。
12. 录音第一句说土拨鼠是最“健谈”的生物之一，表明它们善于交谈，所以选 B。
13. 录音最后一句提到“它们还具有学习能力”，因此选 C。
14. “它看上去就像是一个大个草莓，因此被命名为‘草莓螃蟹’”，说明了草莓螃蟹的名字是来自它草莓一样的长相，所以选 D。
15. 联系上下文“又有一位客人进入餐馆”、“女子向那位客人看了一眼”、“我的丈夫刚从门外进来”可以得出，妻子看见的那位客人正是自己的丈夫。所以选 C。
16. 回答记者第一个问题时，刘良海指出网络是上个世纪 90 年代进入中国的，现在进入 21 世纪获得了快速普及和发展，所以答案是 C。
17. 回答记者第二个问题时，刘良海提到了网络文化的特点有三个方面，即开放性、自由性、共享性。选 B。
18. 回答记者关于网络文化和整个社会文化的关系问题时，刘良海明确说明了网络文化不能代替社会文化，不能与社会文化等同，网络文化是社会文化的一部分。选 D。
19. 刘良海回答最后一个问题时提到“18 到 24 岁年龄段占全部网民的 35.2%”，所以选 B。
20. 刘良海指出，青少年的人生观、价值观正处在形成时期，上网青少年又很多，所以网络对他们影响巨大，选 B。
21. 张教练回答主持人第一个问题时说明了引起肥胖的原因有两个，是精神状态不好和习惯不好。所以选 D。
22. 教练回答主持人第二个问题时说到“瑜伽在国内应该是刚刚起步”，选 A。
23. 张教练说“我的第一个老师是马来西亚的”，选 C。
24. 张教练说“我练习瑜伽到现在已经 11 年了，从没有间断过”，所以选 B。
25. 张教练最后说“练瑜伽有三个条件，一个是姿势，一个是意识，还有一个是呼吸”，所以选 D。
26. 张坤回答主持人第一个问题时讲了他是 5 岁开始学习武术的，所以选 B。
27. 回答主持人第二个问题时，张坤说“那个时候想通过学武术来强身健体”，所以选 C。
28. 主持人问张坤在哪方面见长，他回答说“到少林寺专门学了一些拳法，主要是少林的鹰拳”，所以选 D。
29. 主持人问第五个问题“是在学校里面开武术班吗?”张坤回答“是，是学校里的一个社团”，所以选 C。

30. 张坤没有提到在练习武术中他在学习方面有进步，所以选 A。
31. 那个人的主意是“谁先画好了，这壶酒就归谁喝”，所以选 B。
32. 那个人先画好后“十分得意地又给蛇添了几只脚”，所以选 C。
33. 录音末尾提到“做事情要知道什么时候停止，不要做没有必要的事情”，所以选 D。
34. 录音开头提到“很多野生动物正面临着从地球上消失的危险”，所以选 C。
35. 录音中提到“现在只有 50 只”，所以选 B。
36. 录音中提到“最主要的原因是野生动物生存的环境被破坏了”，所以选 D。
37. 录音结尾提到“我们要保护自然环境，不要随便捕杀野生动物”，所以选 C。
38. 录音开头提到“老人喝的是桂花茶”，所以选 C。
39. 录音中说“谈恋爱的人喝玫瑰茶”，所以选 B。
40. 录音中说“金桂是等级最高的，只能年纪大的人喝”，所以选 B。
41. 录音末尾提到“青年男女第一次约会的地方一定要有玫瑰茶”，所以选 B。
42. 录音第一句话说“人类为了躲避雷电而发明了避雷针”，所以选 B。
43. 录音提到“所以在大楼上安装避雷针，就可以使大楼免受雷击而倒塌”，所以选 C。
44. 录音末尾提到，“一个人站在一片很大的空地上，那么这个人就可能成为雷雨云的放电对象”，那么人就会遭到雷击，所以不安全，所以选 B。
45. 录音提到“周杰伦是中国台湾著名的流行音乐歌手”，所以选 B。
46. 录音提到“大家尊称他为‘周董’”，所以选 C。
47. 录音中提到“他自导自演的电影《不能说的秘密》……”，所以选 C。
48. 录音中说南郭先生不会音乐，不会表演，所以选 D。
49. 录音中提到“于是在大家作准备的时候他逃跑了”，所以选 C。
50. 录音末尾提到，“这个故事告诉我们，做人要诚实，要有真本领”，所以选 C。
51. C。缺少介词。应改为“在比赛过程中”。
52. B。副词“却”位置不当。应改为“另一个却自甘贫贱”。
53. C。“比”字句误用。“比”字句中不能使用程度副词“很、非常”等，应去掉“很”，改成“大学时就更比别人差了”。
54. D。成分残缺。应改为“都是顺着历史潮流发展的”。
55. A。宾语残缺。应改为“要为她而变成一个靠得住的人”。
56. D。双宾语误用。“灌输”不能带双宾语，应改为“他向我们灌输了传统的儒家思想”。
57. A。动宾搭配错误。动词“克制”常和“感情、情绪”之类的词搭配，“行为”可和“停止”搭配。
58. D。逻辑错误。“动不动”表示容易发生某行为，但多含厌烦意，后面不能加表示常规动作的“吃饭”。可改为“动不动就吃零食”。
59. B。介词搭配误用。“为……而……”表示因果关系时，“而”后的动词应为心理动词，应改为“是因（为）堵车而迟到的”。
60. C。动词使用错误。“加以”这个动词带动词性的宾语，但是做了宾语的动词，如“控制”，就不能带宾语了。应改为“如果不对人口加以控制”。
61. 修饰“听觉”用“灵敏”；“不亚于”指“不比……差”。选 A。
62. “必须”，副词，放在动词前；“摒弃”指舍弃、不要；“半途而废”指事情没完成而终止；“摆”和“花架子”常常搭配使用。选 D。

63. “鲜嫩”形容竹笋又鲜又嫩；“津津有味”形容有滋味、有趣味；“活泼”形容熊猫宝宝自然、好动、不呆板。所以选 B。

64. “恰到好处”是补充说明动词“运用”的，所以用“得”连接；“从……中”是“从……里边”；“潜移默化”指人的思想或性格受其他方面的感染而不知不觉起了变化。选 C。

65. “占”常和“多数、少数”及具体数字搭配；“精打细算”指仔细地计算；“管理”常和“严格”搭配。A 是正确答案。

66. “迄今”指到现在；“跻身”指已上升到某个行列或位置；“为……作贡献”常搭配使用。所以选 B。

67. “疼爱”指关切喜爱；“以身作则”意思是用自己的行动做榜样；“吝惜”指过分爱惜。选 C。

68. 发表自己的观点用“认为”；上文的“不应是……” 和“而要……”搭配；“循序渐进”指学习或工作按一定的步骤逐渐深入或提高。选 D。

69. “因为”说明原因，“无论……还是……”是固定搭配；“尽管……可是……”是固定搭配。选 A。

70. “塑像”的量词用“尊”；“坐落”指土地或建筑物的位置；“着”，动词 zhuó，指穿。选 B。

71. A“机毁人亡”照应上文“飞往指示的机场迫降”、“半途坠落”。

72. C 照应上一句“机翼先着地”。

73. 填 D。根据上下文，前文提到了“将损失降到最小的唯一办法”，后用“可是”进行转折，从后文看也可以理解出是一种比较危险的办法。

74. B“栽入河底”照应上一段“在附近的哈得孙河道上降落”。

75. E 照应下句“溅起浪花一片”。

76. E 照应上句“海水剧烈的起伏”及下句“向前推进”。

77. “阻止”应为人类行为，故应放在此处。填 D。

78. C“并”连接上文“波高可达数十米”，说明什么是“水墙”。

79. 根据上下文，“陨石造成的海啸”发生几率不高，因此也较为强烈，A 句最为合适。

80. B 照应上句的“在任何水域都有可能发生”，稍加转折。

81. 文中提到“他终于找到了一座鲜花盛开的小岛。岛上已有人家，他们是 18 世纪海盗的后代”。这里的“他们”就是指小岛上的人。因此应该选 B。

82. 小王不是想去寻找海盗，而是到了第二个小岛上才发现了那里有人，是海盗的后代。所以选 C。

83. 文中提到“岛上的一切使他怀疑走错了地方：高大的房屋，整齐的田地，健壮的青年，活泼的孩子……”，这里不包括漂亮的花园。所以选 A。

84. 文中提到小李说“这一切都是我的双手干出来的，这是我的小岛”，所以选 C。

85. 文中提到黄河“经青海、四川、甘肃、宁夏、内蒙古、陕西，山西、河南、山东九个省区，流入大海”，其中没有提到辽宁，所以选 D。

86. 文中提到，“商代以后，黄河流域成为中国最早被开发的地区，经济发达，人口增长较快，政治、文化也比较先进。因此，黄河流域成为中华民族成长的摇篮。”这里没有提到自然环境好的问题，所以选 C。

87. 黄帝的后代自称“华”（或“夏”），生活在中原地区，人们认为“中原”位于四个方向的中间，所以后世称中国为“中华”。所以选 D。

88. 文中提到，“那时，这里的气候温暖湿润，土地肥沃，到处是青山绿野，植物种类繁多，为原始人类的生存提供了有利的条件。”所以选 D。

89. 文中提到“穿上高跟鞋，女性看起来又高又苗条，而且很时尚，整个人看起来也比较有精神”，并没有包括“穿高跟鞋看起来很健康”的说法。所以选 A。

90. 文中提到“穿着高跟鞋走路会使身体重心向前倾斜，为了适应这一变化，人会自然地弯腰来平衡，这样长时间地持续下去，就会使脊柱的位置发生改变，使腰部神经受到压迫，穿高跟鞋的人会因此而感觉腰疼。”没包括 D 项。

91. 文中提到“穿高跟鞋走路一般下半身肌肉长时间处于一种过度紧张状态”，这里是说肌肉紧张，而不是精神紧张。所以选 B。

92. 文中提到“专家建议：高跟鞋不宜每天穿”，因此 C 项不对。

93. “而在 1983 年 7 月 21 日，在东方站又记录到了-89. 6℃的低温；同年 7 月，新西兰人在他们的万达站也记录到了同样的温度。这还不是最低温度。”虽然文中提到了这不是最低温度，但是问题里有限定的时间为 1980 年以来，所以答案选 B。

94. 文中虽然提到了“在这样的气温之中，一杯热水泼到空中落下来就变成了冰雹”，但是这只是说明温度低的假设，而不是南极气候的特点。选 C。

95. 文中提到“结果，巨大的 C-130 运输机被狂风吹得飘飘摇摇，失去了控制”，因此选 D。

96. 文中提到了前苏联、新西兰、挪威、美国，因此是 4 个国家，所以选 B。

97. 第二段的第二句话是“正所谓‘蜂争粉蕊蝶分香’，就是说花香能引来蜜蜂和蝴蝶竞相采蜜，因此选 C。

98. 第三段的第一句话是：“花朵带有香味是因为它们的内部都有一个专门制造香味的‘工厂’——油细胞。”说明花朵带有香味是因为它有油细胞，这种油细胞就像一个专门制造香味的工厂。A 和 B 都是说花香的作用。因此 C 项正确。

99. 第四段第一句话说“花香除了有益于其自身的生长繁殖，对人类也有很多的益处”，因此，花香有益于生长繁殖，对植物自身有益处，因此选 D。

100. 第五段的最后一句说“古代民间把金银花放入枕内，用来祛头痛、降血压，同时还能起到消炎止咳的作用”，因此选 B。

HSK（六级）模拟试卷 *5*

答案

一、听力

第一部分

1. B　2. A　3. D　4. C　5. D　6. B　7. C　8. A　9. D　10. B
11. C　12. D　13. D　14. A　15. C

第二部分

16. C　17. A　18. A　19. D　20. B　21. C　22. D　23. A　24. C　25. A
26. A　27. B　28. C　29. D　30. A

第三部分

31. C　32. B　33. D　34. A　35. B　36. B　37. D　38. B　39. C　40. B
41. D　42. C　43. A　44. B　45. B　46. D　47. C　48. A　49. D　50. B

二、阅读

第一部分

51. B　52. A　53. D　54. A　55. C　56. B　57. C　58. D　59. D　60. A

第二部分

61. A　62. C　63. B　64. D　65. B　66. A　67. B　68. C　69. D　70. A

第三部分

71. C　72. A　73. E　74. D　75. B　76. C　77. A　78. E　79. D　80. B

第四部分

81. C　82. B　83. D　84. C　85. C　86. C　87. C　88. D　89. B　90. D
91. D　92. B　93. D　94. B　95. C　96. D　97. D　98. A　99. C　100. C

三、书写

101. 缩写参考

感谢自卑

我曾经是个很自卑的人，即使现在，我还觉得自己很多地方不如别人。

10 岁回到城里上学时，因为衣服、鞋子和口音都被城里的孩子笑话，我开始自卑。我不再和别人说话，成绩不断地下降，只盼望快点儿离开。

后来我勉强考上一个三流中学。直到有一天，我的日记和插图被老师发现，并受到了表扬，我才意识到，我原来是一个重要的角色。

从那以后，我开始努力学习，并且考入了重点高中。在考中的五个人中，我是分数最高的一个。

上高中后，第一次摸底考试我考得很差。后来我起早贪黑地努力学习。到期末的时候，我的成绩已经是班里最好的了。

我高中的大部分时间都用在了读书上。高二下半年，我写了一篇小说，发表在了《河北文学》上。当时学校还没有人发表过文章。

大学毕业时，我已经出了自己的第一本书。

但我仍然自卑，觉得自己很多地方不如别人。

直到有一天在电视上我看到了对邓亚萍的访问，才有所感悟。

感谢我的自卑，它让我越挫越勇，让我永远觉得自己不如别人，让我不敢停步，让我在人生的路上一路坚强！（369 字）

答案说明

1. 老板抱怨道："你这两天干什么去了？"职员回答："我不小心从三楼窗口掉下去了。"B 与职员的回答相符。
2. 录音开始提到"英国最近公布了一张奇特的海底鱼类照片"，说明水滴鱼生活在海底。选 A。
3. 录音中提到戴上帽子"就可以使人的大脑与网络相连接"，因此选 D。
4. 录音中提到"研究这种青蛙特殊的耳朵结构，有助于发明一种新的技术"，所以选 C。
5. 录音中说，冰虫的个头非常小，在雪地里就像一丝细细的小黑线，而且可以在冰块中自由行走，所以选 D。
6. 录音开头提到"韩国动物园有一只 15 岁的大象最近很有人气"，说明大家很喜欢这只大象，所以选 B。
7. 录音中说这只小狗"竟然自己搭上了一辆开往家乡的火车回到了家。最不可思议的是，这只聪明的小狗不但搭对了火车，还在正确的车站下了车"，说明它自己乘车回到了家。正确答案是 C。
8. 录音中提到"当它生气的时候看起来是鲜艳的黄色"，所以选 A。
9. 录音中说杜鹃鸟"会偷偷地把自己的蛋生在其他鸟的鸟巢中，经过伪装以后由其他的鸟代替它把儿女喂养大"，因此可以知道杜鹃鸟不抚养儿女，所以选 D。

10. 录音中提到“它们会努力节食，把自己饿得瘦瘦的，以此避免被其他虾虎鱼赶出家门”，所以选 B。
11. 录音中提到“原来它们是靠消化自己的身体提供能量，有时甚至会消化自己的一部分心脏”，所以选 C。
12. 录音中说：“兽医为这只小猫进行全面检查后发现，那四只多余的耳朵只是徒有其表。”“徒有其表”意思是空有外表，没有实际作用。所以选 D。
13. 录音中说“它一生中学会了 100 多个英文单词，会用简单的句子进行对话”，所以选 D。
14. 录音中说“黄色星稍微高一些，是 5000℃—6000℃；白色星的温度更高，大约有 7700℃—11500℃”，所以选 A。
15. 其他人问道：“先生，能谈谈您的事迹吗？”他生气地说：“我自己的声音为什么要让你们听见？”他吝啬到声音都不想让别人听见，结果他得了冠军。我们从另两个人对他的称呼“先生”中看出，冠军是男的。所以选 C。
16. 主持人一开始时问“是什么促使你继续跳舞的呢？乐观开朗的性格还是顽强的毅力？”廖智回答：“都不是，是对舞蹈的热爱。”所以选 C。
17. 主持人问：“听说你现在最大的梦想是创立一个正规的残疾人表演团队，是吗？”廖智回答：“是的。”所以选 A。
18. 主持人问：“你是怎么创作出这种残疾人舞蹈的？”廖智回答：“其实是很偶然想到的。”所以选 A。
19. 主持人问廖智：“现在有多少残疾人参加你这个团队？”她回答：“二十五六个吧。”所以选 D。
20. 采访最后，主持人问廖智：“到目前为止，你遇到的最大的困难是什么？”廖智回答说是“对残疾人这个群体的陌生”，所以选 B。
21. 张梓琳说“我当选世界小姐是 2007 年 12 月，正式的任期是从 2008 年的 1 月开始的”，所以选 C。
22. A、B、C 三项都是文中提到的，所以选 D。
23. 张梓琳说“做世界小姐是很辛苦的。因为工作时间很紧，强度也很大”，所以选 A。
24. 主持人问：“这一年你最大的收获是什么？”张梓琳回答：“那当然是做世界小姐的经历了。”选 C。
25. 采访最后张梓琳回答主持人的问题时说，写书会写的内容 “主要是我的成长经历”，所以选 A。
26. 主持人问：“人人都有一个钻石梦想，这是为什么呢？”刘燕生回答：“因为钻石代表婚姻。”所以选 A。
27. 主持人问：“为什么会把钻石和婚姻联系到一起呢？”刘燕生回答：“因为钻石是最不容易被破坏的。”所以选 B。
28. 刘燕生说“真正把钻石用在饰品方面的是印度”，所以选 C。
29. 主持人问：“那么用什么来切割钻石呢？”刘燕生回答“用钻石粉”，所以选 D。
30. 采访最后，刘燕生说“这‘八心八箭’ 实际上就是一种理想的切割模式”，所以选 A。
31. 录音开头第一句便给出了答案“有个放羊娃老是喜欢说谎、开玩笑”，所以选 C。

32. 录音中提到“村里人都认为他又像往常一样在说谎、开玩笑”，所以选 B。
33. 最后一句告诫人们，做人要诚实，不要说谎，所以选 D。
34. 录音开头说“……唯一的目的就是赚钱”，所以选 A。
35. 录音中提到“流行称他们为‘参观者’”，所以选 B。
36. 录音中提到“可从他们的装束辨认出他们”，所以选 B。
37. 录音中提到一个关键词“一无所获”，所以选 D。
38. 录音中提到“许攸前来报信”，所以选 B。
39. 录音中提到“他们打着袁军的旗号，穿上袁军的衣服”，所以选 C。
40. 录音中提到“张郃、高览带兵投降”，所以选 B。
41. 录音开头说金刚石“自古以来就是财富的重要象征”，所以选 D。
42. 录音中提到“它是自然界中最硬的一种矿石”，所以选 C。
43. 录音中多处出现“稀有、极少、稀缺”等关键词，所以选 A。
44. 录音最后说“金刚石的主要成分是碳”，所以选 B。
45. 录音开头说“晶体管电子计算机诞生了，这是第二代电子计算机”，所以选 B。
46. 录音中提到“其特点是：小型化、微型化、低功耗、智能化、系统化”，所以选 D。
47. 录音后半部分说“20 世纪 90 年代，电脑向‘智能’方向发展”，所以选 C。
48. 录音中提到 2008 年北京奥运会吉祥物“强调了以人为本，人与动物、自然界和谐相处的天人合一的理念”，所以选 A。
49. 录音中提到“其一大特点就是五个吉祥物的头饰部分”，所以选 D。
50. 录音最后一句已经给出答案“达到五个”，所以选 B。
51. B。修饰语多余。去掉“很”，“身强力壮”本身已含有程度意义。
52. A。语气助词误用。去掉“了”。
53. D。补语误用。去掉“一下”。
54. A。搭配错误。“脾气”不能与“乐观”搭配，应把“脾气”改为“人”，或者改为“脾气好多了”。
55. C。动词误用。“了解”应改为“理解”。
56. B。量词重叠形式误用。“一个一个”应改为“每一个”。
57. C。形容词误用。“暖和”改为“温暖”。
58. D。搭配错误。“空气”不能与“爽快”搭配，去掉“爽快”。
59. D。关联词位置错误。“固然”应放在主语后。
60. A。动词用法错误。“意味”后应加“着”。
61. “一旦”指不确定的时间，表示“有一天”；“便”表示“就”的意思；“于是”，连词，表示后一件事紧接着前一件事，后一件事往往是由前边的事引起的。选 A。
62. “所有”，形容词，修饰名词时后面可以加“的”；“表率”是“好榜样”；上文的“必须关心学生，热爱学生”是条件，“才能……”是结果。选 C。
63. “就……来看”是固定搭配；“快过”是“比……快”的意思；“不及”是“赶不上”。选 B。
64. “不但没/不……反而……”是固定结构，这里用“没”是因为已经发生；“莫名其妙”，表示事情很奇怪，使人不明白。选 D。

65. “含有”表示包含在内；“但是”表示转折，这里表示豆浆虽然营养丰富，可是一岁半以下的宝宝不能喝；“即”，就是，表示进一步解释说明。选 B。
66. “宽松”和“环境”搭配；“把……当成……”是固定结构；“能力”的量词是“种”；“如果……就……”是固定搭配。选 A。
67. “一……也……”表示强调；形容烟雾多，多用“弥漫”。选 B。
68. “农村文化对农村社会成员……影响”、“使得……意义”，这两个句子中后一个句子意义更进一层，所以用“不仅……而且……”来连接；“发挥”能和“作用”搭配，“发扬”不能。选 C。
69. 对“知识”和“教育”的关系，是从两方面来谈的，所以用关联词语“一方面……，另一方面……”来连接；“也”表示同样。选 D。
70. “本着”常和“思想、精神、原则”搭配；“由……而……”也是固定搭配。选 A。
71. C 照应下文“可是从来没像这一次给他如此大的触动”。
72. A 照应下文“狼为什么不选择岔道”。
73. 根据上下文，“狼是一种很聪明的动物”，“这是它们在长期与猎人周旋中悟出的道理”，说明狼选的这条路一定是有生存希望的路。填 E。
74. 照应后文，填 D“必有陷阱”。
75. 填 B。根据上下文悟出道理而得出结论。
76. C“不自觉”与前文“简单”相照应。
77. A 与前文“单亲妈妈”等内容照应。
78. E“无处不在”与下文相呼应。
79. 下文是对 D 第一张笑脸照片内容的说明。“第一次”与时间词语“去年年初”相照应。
80. B“再一次”与时间词语“今年 6 月”相照应。
81. 当女教师问他：“ 能告诉我你画的是谁的手吗？”小道格拉斯回答：“这是你的手，老师。”所以选 C。
82. 短文中说的是“母亲体弱多病，没有工作”，不是父亲没有工作，所以选 B。
83. 短文中，老师回想起来是因为放学后，她常常拉着孩子的小手，送这个孩子走一段，所以孩子要感谢的是这只手。选 D。
84. 短文中说“当然，她也常拉别的孩子的手”，所以选 C。
85. 短文开头说“太空垃圾，主要由滞留在太空的废弃卫星和火箭残体（又称空间碎片）构成，还包括天然流星体”。没有提到“在太空中飞行的航天器”，所以选 C。
86. 短文中说“激光扫帚”主要针对直径 1—10 厘米的太空垃圾，没有说可以清理所有的太空垃圾，所以 C 项错误。
87. 短文中说，“激光扫帚”“利用气体的反作用力推动太空垃圾朝地球的方向运动”，所以选 C。
88. 短文说“它一旦侦察到太空垃圾，便依附在垃圾上，使其速度降低”，说明降低的是太空垃圾的速度，不是自身的速度。所以选 D。
89. 文章第一段就指出“可以用它搓澡、擦地板，特别耐用”，所以选 B。
90. 文中提到：“这是因为泡沫塑料内的无数气孔能容纳大量的空气，而空气是不易导热的。织物纤维中的空气越多，导热性就越差。空气是热胀冷缩的，用泡沫塑料做衣服的里层，只要人体有一点儿热量，泡沫塑料内的空气就会膨胀；空气的压力使泡沫塑料伸展开来，挤住了透气孔，空气对流量减少，增强了衣服的保暖能力。”可见 A、B、C 都提到了，选 D。

91. 文中倒数最后一段提到“泡沫塑料最大的特点就是保暖”，“成本低廉，又好洗又好干”，所以选 D。
92. 开头第一段就说泡沫塑料“比海绵结实多了”，所以选 B。
93. “不吸收对外来的或新出现的事物”不是城市的特点，文中提到“城市兼收并蓄、包罗万象、不断更新的特性，促进了人类社会秩序的完善”。所以选 D。
94. 文中写道，“1800 年，全球仅有 2%的人口居住在城市；到了 1950 年，这个数字迅速攀升到了 29%”，“攀升到”包括底数，去掉底数，即增加了 27%。选 B。
95. 文中有“引发空间冲突、文化摩擦、资源短缺和环境污染”的内容，而儿童的入学不是今天城市人生活面临的挑战。所以选 C。
96. 文中提到 “不论是拥挤、污染、犯罪还是冲突，根源都在于城市化进程中人与自然、人与人、精神与物质之间各种关系的失谐。长期的失谐，必然导致城市生活质量的倒退乃至文明的倒退”，所以选 D。
97. 第一段最后一句是：“所以，请不要挑食，因为每种食物中都有人体不可缺少的营养。”因此选 D。
98. 第二段中间提到：“例如缺乏维生素 A，会引起儿童发育不良、夜盲症、皮肤粗糙等”，因此选 A。
99. 第三段的最后一句话是“蛋白质主要来源于鱼类、牛奶、肉类、干果仁、豆类等”，因此选 C。
100. 第二段第一句说:“人体所需的营养大致可分为五类：维生素、蛋白质、脂肪、碳水化合物和矿物质。”第二段第三句提到“维生素的种类很多，已知的有 20 余种，包括维生素 A、B、C、D、K 等”，所以维生素 A 是维生素的一种；第六段提到“矿物质在人体内的含量不多，但也很重要，常见的如钙、锌、铁、镁、磷等”，可见 A、B、D 都是人体所需营养，因此不是人体所需营养的是 C 尼古丁。

HSK（六级）模拟试卷 *6*

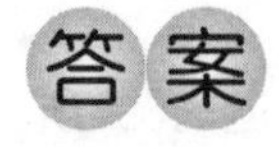

一、听 力

第一部分

1. B　2. C　3. D　4. A　5. A　6. B　7. D　8. A　9. B　10. C
11. B　12. D　13. A　14. B　15. C

第二部分

16. B　17. A　18. C　19. B　20. D　21. B　22. A　23. D　24. C　25. D
26. C　27. B　28. D　29. C　30. B

第三部分

31. D　32. B　33. C　34. A　35. D　36. C　37. B　38. D　39. C　40. A
41. A　42. C　43. B　44. D　45. B　46. A　47. C　48. C　49. D　50. A

二、阅读

第一部分

51. A　52. B　53. A　54. D　55. C　56. B　57. D　58. B　59. C　60. A

第二部分

61. A　62. B　63. D　64. C　65. B　66. A　67. D　68. C　69. B　70. D

第三部分

71. E　72. D　73. B　74. C　75. A　76. D　77. A　78. E　79. C　80. B

第四部分

81. D　82. C　83. D　84. C　85. D　86. D　87. D　88. B　89. C　90. D
91. A　92. D　93. C　94. A　95. D　96. C　97. D　98. A　99. C　100. A

三、书写

101. 缩写参考

令人悲伤的心愿

他的母亲75周岁了，吹蜡烛时，她一本正经地说："我希望从明天开始，时间就不再往前走了，而是完全静止下来。"她的话把大家逗得哈哈大笑。

他有三个远嫁他乡的姐姐，他是令母亲最放心不下的唯一的儿子。他烤过羊肉串，摆过杂货摊，开过音像店，甚至出国打过工。但他没有攒下钱，反而总惹祸，让母亲操心。母亲说："如果我永远75岁，就可以永远照顾你，就能给你洗衣做饭。如果眼不瞎耳不聋，还能看看你的样子听听你的声音。你说我怎么能对你放心？你这样没个正经生活。"

可是今年他不可能给母亲过生日了。因为他闯了祸，被判刑15年。

今年他的母亲76周岁。半年前他就开始准备，想让母亲过一个与众不同的快乐生日。可是事与愿违。

母亲生日那天，他的朋友买了礼物去他家。

"我想过 91 岁的生日。"他白发苍苍的母亲说，"如果真能活到那个时候，我希望自己还能照顾他，还能给他洗衣做饭。我希望那时候耳不聋眼不瞎，还能看到他的样子听到他的声音。"

他的朋友流下泪来，为了一个母亲这样令人悲伤的心愿。（422 字）

答案说明

1. 小孩子误以为孕妇的肚子里是气球。B 是正确答案。
2. "你在我的脑海里跑了一整天"意思是小王满脑袋里都是那个女生，他想追求她。选 C。
3. "当人们所说的话和面部表情不一致的时候，我们更容易相信面部表情传递的信息"，说明肢体语言更真实。所以选 D。
4. 宝宝用一块抹布擦了桌子、马桶、地，还要擦碗，说明宝宝不懂得干净和脏。选 A。
5. 小王说自己对考试"胸有成竹"，意思是他已经复习好了。选 A。
6. 虽然客人没有坐到钉子上面，可是却因为小明把椅子拿走了，可能会摔倒，所以说小明没有帮到客人。选 B。
7. 老太太一直干涉司机开车，司机不耐烦了，说明老太太很啰唆。正确答案是 D。
8. 小明说"再过两年我就比你大一岁了"，说明小明忘记了对方的年龄也会增长，从中可以算出他今年 8 岁。选 A。
9. 孩子的爸爸也在苹果树上，所以说爸爸也在偷苹果。选 B。
10. 那个学生说"要是没钱，怎么能做慈善家呢?"说明他的志愿是当个有钱人。选 C。
11. 录音第一句说"大气污染对人体的危害很大"，所以选 B。
12. 录音最后一句说"可是你今天没有带伞出去啊!"可见丈夫带回了别人的伞。所以选 D。
13. 录音中说"它可以使我们头发变黑"， 所以选 A。
14. 南郭先生不会吹竽，做出吹竽的样子，表明他不懂装懂，滥竽充数，所以选 B。
15. "八字还没一撇"表示小张和女朋友还没有到结婚的地步，所以选 C。
16. 回答主持人第一个问题时，张教授说："外向型青少年主要有三个特点：第一个就是合群。第二个就是活跃。……第三个特点就是幽默，……"可见 A、C、D 都谈到了，所以选 B。
17. 回答记者第二个问题时，张教授最后说"初一、高一、高二差别是最大的"，所以选 A。
18. 回答记者第三个问题时，张教授第一句话就说"这是习惯的问题"，所以选 C。
19. 张教授在采访的后半部分说"我们说的青少年人际关系的特点就是他们希望在处理各种问题的时候给人留下一个好印象"，所以选 B。
20. 张教授的最后一句话是"应该注意全面发展"，所以选 D。
21. 回答记者第一个问题时，高春明说"旗袍最早是满族人的服装"，所以选 B。
22. 回答记者第二个问题时，高春明说"据我所知，最早穿旗袍的汉族女性是上海的女学生"，所以选 A。

23. 回答记者第三个问题时，高春明的最后一句话是“上海成为现代旗袍的发源地”，所以选 D。
24. 高春明介绍了旗袍设计的变化：“1928 年，女学生的旗袍又提高了一些，露出了小腿。”所以选 C。
25. 最后一句话，高春明说“大量欧美面料进入中国”，所以选 D。
26. 记者开始就介绍了潘教授提出的学术命题是“民间手工文化生态保护”，所以选 C。
27. 回答记者第一个问题时，潘教授第一句话说“这是民间艺术研究的一个必然结果”，所以选 B。
28. 回答记者第二个问题时，潘教授最后一句话提到“我们提出这样的命题，目的就是呼吁大家要关爱与保护整个民间文化的生态环境”，所以选 D。
29. 潘教授回答记者第三个问题时有这样一句话：“传统文化是现代文化的根基，现代文化是传统文化的生命力。”所以选 C 。
30. 最后一段，潘教授觉得一个重要的渠道就是通过基础教育，所以选 B。
31. 录音开头第一句便给出了答案“有一只雄孔雀，它的长尾巴真是漂亮极了”，所以选 D。
32. 录音中提到它“养成了嫉妒的恶习”，不允许别人比它漂亮，所以选 B。
33. 录音中提到它“落入了捕鸟人撒下的罗网 ”，所以选 C。
34. 文章最后一段提到，雄孔雀太追求完美了，过分喜爱自己的尾巴而招致灾祸，所以选 A。
35. 录音中提到某些动物“能比人类提前知道一些灾害事件的发生”，所以选 D。
36. 录音中提到“海洋中的水母能预报风暴”，所以选 C。
37. 录音中提到 “人对每秒 20 次以上的声波才能感觉到”，所以选 B。
38. 录音中提到“在感触到这种低声波时，便会惊恐万状”，所以选 D。
39. 录音中提到“高烧会持续 3—4 天”，所以选 C。
40. 录音中说“甲型 H1N1 流感流鼻涕比较少见”，“几乎没有打喷嚏”，所以选 A。
41. 录音中说甲型 H1N1 流感“严重头疼”、“发烧”、“扁桃体不肿”，所以选 A。
42. 录音中说普通感冒“逐渐发烧，有轻微的全身性轻微肌肉酸痛”，可见 C 是普通感冒的症状。所以选 C。
43. 录音中提到“姚明在全世界的球迷应该在 15 亿以上”，所以选 B。
44. 录音中多次提到姚明的影响力之大，范围之广，遍布整个世界，所以选 D。
45. 录音中只列举了友好、善良、谦虚、礼貌，没有提到“勇敢”，所以选 B。
46. 最后一句提到“因为喜爱姚明，很多美国人会对汉语和中国文化产生兴趣”，所以选 A。
47. 录音开头说“它像巨龙般腾越在崇山峻岭、沙漠戈壁”，所以选 C。
48. 录音中提到“筑起长城以自卫”，所以选 C。
49. 录音中提到“楚国率先在南阳地区筑方城数百里”，所以选 D。
50. 录音最后一段说“秦始皇统一各诸侯国后……建成了中国最早的万里长城”，所以选 A。
51. A。缺少主语。应改为“我（曾）跟爸爸”。
52. B。固定格式使用错误。根据句意，“越来越”应改为“逐渐”。
53. A。缺少介词。应改为“我想谈谈对方言的感想”。
54. D。动宾搭配错误。“宣布”应改为“颁布”。

55. C。形容词误用。“活泼”应改为“活跃”。
56. B。动词误用。应将动词“解乏”改成重叠形式“解解乏”，表轻松之意。
57. D。关联词误用。前后两句非因果关系，而是解释说明关系。“这样”应改为“也就是说”。
58. B。定语、中心语搭配不当。应改为“令人好奇的东西”。
59. C。介词结构残缺。应改为“这兴奋是从束缚中摆脱出来的”。
60. A。动词用法错误。应改为“向……打听”。
61. “详细”，细致全面；“似懂非懂”，好像明白又不明白，“似……非……”是固定结构；“不是……而是……”是成对使用的关联词语。选 A。
62. “相当”表示多；“推广”和“技术”搭配；“明明”是副词，表示显然如此或确实。所以选 B。
63. “在……的时候”或“在……时”是惯常用法，这是音节上的需要；“不约而同”表示没有约定，却有了共同的行动；数量词“一道”修饰“长廊”。选 D。
64. “小心翼翼”指非常小心，不敢有丝毫的马虎；“生涯”指较长期的某种固定的或职业性的活动；“象征”用来表示某种特别意义的具体事物。选 C。
65. “欣欣向荣”形容草木茂盛，比喻事业蓬勃发展。“成果”指工作或事业上的收获，常与“丰硕”搭配使用。选 B。
66. “全力以赴”指把全部力量都投入进去；“冒”，动词，指不顾危险、恶劣环境等；“采集”和“样品”搭配；“终于”表示经过种种变化或等待之后出现的情况。选 A。
67. “优势”指能超过对方的有利形势；“何必”用反问的语气表示不必；“盲目”指眼睛看不见东西，比喻认识不清。选 D。
68. 形容“竞争”得很厉害用“激烈”；“炒鱿鱼”指被老板解雇，失去工作。“逼”指紧紧地催促，用压力促使。选 C。
69. “可谓”，可以说；“终究”表示追根究底所得出的结论；“自豪”指因为自己和与自己有关的集体或个人具有的优良品质或取得的伟大成就而感到光荣。选 B。
70. “话音”指说话的声音；“答案”指对问题所做的解答；“连连”表示不停；“当”，担任、充当，常和某种职业、职位搭配。选 D。
71. E“终于”衔接上文的“许多年过去了”、“在……的帮助和……的努力下”。
72. D 照应前文“不再是穷光蛋”。
73. 后文说“这是一处公墓”，这是男孩没想到的，所以他惊呆了。选 B。
74. C 照应后文的“女孩正对着他甜甜地笑”。
75. 根据上下文，男孩已经知道女孩是深爱自己的，A 中的“跪”字照应后文的“在女孩的墓前”。
76. 填 D，根据后文“种内斗争”来判断。
77. 根据后文实验及实验结果分析得出结论 A。
78. E 照应后文的“正在咬杀争斗的蚂蚁”。
79. 联系上下文所说的“窝味”，洗掉了窝味的蚂蚁就不会争斗，所以填 C。
80. B 照应前文的“蚂蚁成群打仗咬杀”，说明其原因。
81. 文中第一段提到“都觉得不知所措”，意思是不知道该怎么办。所以选 D。

82. 文中第二段提到那位先生把盐罐递给旁边的女士，第三段提到“其实昨天的青豆一点儿也不淡”，这表明那位先生是想活跃餐厅的气氛。选 C。
83. “公关”是指理想的人际交往。“胡椒罐和糖罐也加入‘公关’行列”是指这两样东西也帮助活跃气氛。选 D。
84. 那位先生是为了活跃气氛才跟旁边的女士说“我觉得青豆有些淡”，其实青豆并不淡。C 对。
85. 文章第二段提到“抢劫的前一天晚上”，所以选 D。
86. 文章开头说“几周以来，埃米尔·雅恩克满脑子都只在盘算一个问题”，所以选 D。
87. 文章最后一段提到“福特货运车里跳下两名男子，他们把运钞车司机和副手拖出车外，关进货运车厢，接着，只见两辆车同时开走了”，可见是那两名男子抢了运钞车。所以选 D。
88. “运钞车司机只得停下车。埃米尔看到，那司机摇下车窗，冲着绿色货运车的司机破口大骂”，所以选 B。
89. 文中第一段提到“为了提高酒水的销售量，她决定让一部分老顾客——其中大部分是失业酒鬼——享受先喝酒后付款的优惠”，所以选 C。
90. 银行增加了琳达的贷款金额是在酒吧营业额激增以后，所以 D 选项不是酒吧营业额激增的原因。
91. 文章第五段说“琳达无法履行还款义务，进而宣布破产”，所以选 A。
92. 文章第四段说随着这些有价证券价格不断升高，它们变成了热卖点，所以选 D。
93. 文章第一段就提到传统上日本人以“鞠躬”表达问候，所以选 C。
94. 文章第二段提到“鞠躬时男性的双手一般放在两侧裤线的位置或大腿前”，所以选 A。
95. 文章并未提到遇见女性时，女性应该先鞠躬，所以 D 做法不合适。
96. 去朋友家里作客是比较正式的场合，故应为 30 度左右。选 C。
97. 第一段开始时里提到：“身上黑、棕、白三种颜色的毛，光滑得好像在油桶中浸过，摸上去舒服极了。”因此可以知道荷兰鼠的皮毛很光滑，所以选 D。
98. 第二段第一句话是：“托尼最喜欢吃绿色的菜叶，有时还会吃嫩绿的青草以及水果皮、萝卜、面包、馒头等食物。”因此选 A。
99. 第五段第一句话是：“我们每次赶托尼出来‘遛达’的时候，妈妈都会说托尼是‘鼠性难改’，因为它总是喜欢往角落里钻。”因此选 C。
100. 本文的最后一句是：“妈妈告诉我，这是条件反射，因为托尼的食物大都是从冰箱里取出来的。”由此可知托尼的食物大都放在冰箱里，因此选 A。

HSK（六级）模拟试卷 7

答案

一、听力

第一部分

1. B　2. A　3. C　4. D　5. B　6. A　7. B　8. C　9. D　10. B
11. A　12. C　13. D　14. A　15. C

第二部分

16. A　17. B　18. C　19. D　20. A　21. C　22. A　23. D　24. C　25. B
26. B　27. A　28. C　29. B　30. C

第三部分

31. B　32. C　33. B　34. C　35. B　36. A　37. B　38. B　39. C　40. B
41. D　42. B　43. C　44. B　45. B　46. C　47. C　48. D　49. C　50. B

二、阅读

第一部分

51. D　52. B　53. C　54. A　55. C　56. B　57. D　58. C　59. A　60. D

第二部分

61. B　62. D　63. B　64. C　65. B　66. D　67. A　68. B　69. C　70. A

第三部分

71. A　72. E　73. D　74. B　75. C　76. E　77. D　78. A　79. B　80. C

第四部分

81. C　82. B　83. B　84. A　85. C　86. C　87. B　88. B　89. D　90. B
91. C　92. D　93. B　94. D　95. D　96. C　97. A　98. D　99. B　100. C

三、书写

101. 缩写参考

麦当劳的经营之道

麦当劳是世界上最大的快餐集团，第一家是1955年在美国开设的，现在全世界六大洲百余个国家有31000多家餐厅，主要销售汉堡包、薯条、炸鸡、汽水、冰品、沙拉、水果等快餐产品。麦当劳的食品会按照当地人的口味进行适当的调整。在中国，麦当劳已经开设了500多家餐厅，成为中国人熟知的世界快餐品牌之一。

为了能始终受到广大消费者的欢迎，麦当劳对自身的要求也是非常严格的。首先，麦当劳公司通过技术转移来确保食品和其他产品符合麦当劳严格的质量标准。其次，快捷和可靠的服务是麦当劳的标志。第三，卫生保障是麦当劳决不放松的要求。不管是食品卫生还是就餐的环境卫生都很受重视。第四，物有所值是麦当劳对顾客的承诺。价格合理、营养丰富，这就是全世界接近4000万位顾客天天光临麦当劳的原因所在。就是在这里，不管是在纽约、香港还是北京，只要你光顾麦当劳，就可以吃到同样新鲜美味的食品，享受到同样快捷友善的服务，感受到同样的整齐清洁，并且体验到真正的物有所值。(413字)

答案说明

1. 父亲说“我还没有看呢”，意思是父亲还没有看今天的报纸。所以选B。
2. “每一根……全部划得着”说明他把每根火柴都划着试过了，选A。
3. 捂着自己的耳朵去偷铃铛，就是成语“掩耳盗铃”。选C。
4. 丈夫说“现在我懒得追了”意思是当年追求过妻子。选D。
5. 录音中说天旱的时候有一种草能飞，所以选B。
6. 小偷一无所获，最后对主人说“你家根本就不用关门”，意思是没什么可偷的，说明这个人家里很穷，所以选A。
7. 从小莉8岁、弟弟4岁可以推算小莉比弟弟大4岁。B对。
8. 小强的弟弟很小，所以很爱哭。C对。
9. 儿子听了爸爸的话，认为爷爷更操心，已是满头白发，所以很聪明。选D。
10. 小女孩认为孕妇是怕麻烦才把孩子放进肚子里的。选B。
11. 无论零件多了还是少了，都说明电视机坏了，所以选A。
12. 两个人比赛，小明得了第二名，说明小军赢了比赛，所以选C。
13. 录音中说应当定量吃盐，最好不要超过6克盐，所以选D。
14. 每个盲人只摸到大象的一部分，所以不知道大象是什么样，所以选A。
15. 老师说他是“淘气的孩子”意思是他很淘气，并不是说他的爸爸名字叫“淘气”。所以选C。
16. 主持人说“‘美的’从1981年诞生到现在，短短26年就已经是一个全国知名的品牌”，所以A对。
17. 主持人问：“我们很想知道，是什么带动了美的品牌的提升？”董小华回答：“是产品的发展。”所以选B。

18. 主持人问："'美的'的第一个广告'原来生活可以更美的'是什么时候出现的?"董小华回答："是 1998 年。"所以选 C。
19. 主持人问："'美的'的新战略是以什么为基础的?"董小华回答："我们是以一个叫做"品牌漏斗"的理论为基础。"所以选 D。
20. 主持人说："忠诚度就是指买了一件产品还会买更多产品，对吧?"董小华回答："对。"选 A。
21. 回答记者第一个问题时，撒贝宁说："如果用一个词来概括《今日说法》的十年，那就是'成长'"。所以选 C。
22. 撒贝宁说："有这么高的收视率完全是因为观众的支持。"所以选 A。
23. 撒贝宁说："最大的'得'，就是这十年让我得到了一个庞大的观众群体。"D 是正确答案。
24. 记者问："那这十年你又失去了什么呢?"撒贝宁回答："可能是错过了真正去生活的机会。"所以选 C。
25. 记者问："那你认为法律最大的魅力在哪里?"撒贝宁回答："在于它的平衡。"选 B。
26. 回答主持人第一个问题时，莫言说："一直忙着出国。"所以 B 对。
27. 主持人问："那最近在做什么?"莫言回答："写一部新的长篇小说。"A 对。
28. 主持人问："您的新书大概什么时候出版?"莫言回答："今年年底吧。"C 对。
29. 对于《红高粱》，莫言提到"这是 1986 年发表的小说"，所以 B 对。
30. 最后，主持人问："您对由这部小说改编的同名电影《红高粱》又怎么看?"莫言回答："我觉得这个电影是新中国电影史上一座纪念碑式的作品。"所以选 C。
31. 录音中提到茶"具有提神、促进消化、利尿、清热、降火、明目等有益于身体健康的作用"，所以选 B。
32. 录音中说"日本人称茶为'原子时代的饮料'"，所以选 C。
33. 录音末尾提到"不仅在茶的故乡——中国……"，所以选 B。
34. 录音开头提到"京剧中的人物形象主要分为生、旦、净、末、丑五个角色"，所以选 C。
35. 录音中提到"老生的形象都是口戴胡子的中年人"，所以选 B。
36. 录音中提到"武旦多为武功厉害的女性"，所以选 A。
37. 录音中结尾提到"老旦多为中老年妇女，以演唱为主"，所以选 B。
38. 录音一开始提到"人民的生活水平也越来越高"，所以选 B。
39. 录音中提到"村里这几年买来了几台电脑，网络也开始走进了农村，成了农村的'新农具'"，所以选 C。
40. 录音中提到"非要我把电脑带回家，让他学习学习"，所以选 B。
41. 录音末尾提到"村里的人都称爷爷为'时尚老头儿'"，所以选 D。
42. 录音中提到"现在有很多年轻人喜欢把饮料和啤酒当成饮用水"，所以选 B。
43. 录音中提到"如果用饮料代替水，不仅不能起到给身体补充水分的作用，还会……"，所以选 C。
44. 录音末尾提到"长期喝啤酒会破坏大脑，让人反应变慢"，所以选 B。
45. 录音中提到"如果你正在家里，就待在里面，不要往外跑了"，所以选 B。
46. 录音中说"远离玻璃，特别是大的窗户或镜子……屋中的角落是好的避难处"，所以选 C。
47. 录音末尾提到"如果在装有电梯的高楼办公室内，也要待在室内，……不要进电梯和楼梯"，所以选 C。

48. 录音开头提到马妈妈让马宝宝“去河对面外婆家送米”，所以选 D。
49. 录音中提到“小马听了他们的话，不知道怎么办，于是跑回家问妈妈”，所以选 C。
50. 录音末尾提到“这个故事告诉我们，要听取别人的意见，但也要自己去尝试”，所以选 B。
51. D。语义关系混乱。应改为“经理因受贿而被抓起来了”。
52. B。语序错误。时量补语“两年”应该放在动词“学过”的后边。
53. C。介词误用。“推荐到”应改为“推荐给”。
54. A。动词误用。动词“负责”应改为名词“责任”。
55. C。连词误用。去掉“而”，此句为连动句，不需要“而”。
56. B。缺少介词。“我根本就基层管理工作摸不着门”应改为“我根本就对基层管理工作摸不着门”。
57. D。动词误用。“吸引”应换成“引进”。
58. C。副词误用。“正在”应改为“正”。
59. A。补语重复。“冷清得很不得了”应改为“冷清得不得了”或“冷清得很”。
60. D。语序错误。“边谈边吃”应改为“边吃边谈”。
61. “广泛”指方面广、范围大；“开阔”与“视野”搭配；“才干”应该用“增长”；“扩大”与“知识面”搭配。所以选 B。
62. “起源”指事物发生的根源；“遗产”与“保护”搭配使用；“批准”指上级对下级的意见、建议或请求表示同意；“列入”指安排到某类事物之中。D 是正确答案。
63. “尊重他人”与“会被他人尊重”是条件关系，所以用“只有……才……”连接；“过程”指事情进行或事物发展所经过的程序；“建立”指开始产生，开始形成，常和“关系”搭配。所以选 B。
64. “演变”指历时较久的发展变化；“精明”指精细明察，机警聪明，这里指厂家精明；“理想”这里指使人满意的；“因（为）……所以……”成对使用，不能说“因为……因而……”。所以选 C。
65. “树立”应该与“观念”搭配；“意识”应该搭配“增强”。选 B。
66. 第一分句中“客观全面的反映”与“主观片面的想法”构成转折关系，所以选“而”；“善良的动机”与“会犯或大或小的错误”应为假设关系，所以用“即使……也……”。选 D。
67. “引发”，引起，触发；把“科学进步”比喻成“发动机”；“诞生”指出生，这里指科学的“出生”；“变革”指改变事物的本质。选 A。
68. “一扇”，数量词，用于“门”、“窗”；“领略”指先了解事物的情况，再去认识、辨别它的滋味，比“领会”等意思更进一层；“激发”是刺激使奋发的意思；“创造”指想出新方法等。选 B。
69. “先进”指水平比较高；“焦虑”这里指担心焦急；“比例”常和“成”搭配；“来源”指事物所来的地方。选 C。
70. “扎扎实实”用来形容基础非常稳固；“循序渐进”指学习、工作等按照一定的步骤逐渐深入或提高；“讲究”指讲求重视；“一味”指不顾客观条件地做事。A 对。
71. A 照应上一句“avatar”一词的含义。
72. E 照应上句最后一词“含义”，所选句起解释说明作用。
73. D“生命间互通”照应前文“网络”。
74. B 照应本段中第一句“自然力”一词。

75. C“慢慢回味”照应后文“恍然大悟”。
76. E“出其不意”、“让人陶醉”照应上句“雾凇来时”。
77. D“转瞬即逝”、“让人叹惋”照应前一句“雾凇去时”。
78. 根据上下文，雾凇说来就来、说走就走的性格就像“天地使者”一样。所以填A。
79. 上文说“远远望去”，所以此处应选择远处景物，其特点应是模糊不清的，与B中的“似烟似雾”吻合，所以填B。
80. “枝丫间的”照应上一句“近距离看去”，“雪花”与后一句中“要经历比雪更复杂的物理变化”呼应。选C。
81. 文中提到“国王利用节日和举行大型活动的时机，开展彩票活动”，所以可知举行大型活动只是古罗马开展彩票活动所利用的时机，而不是目的。选C。
82. 文中提到“国会也曾发行四种彩票来筹集资金”，所以选B。
83. 文中提到“但是大多数人都是出于希望‘天上掉馅饼’的目的”，这里的“天上掉馅饼”是指不用经过努力就得到的好处，因此选B。
84. 文中介绍传统型彩票时提到“票面上有事先印制的号码，一般是5至7位数字”，而A选项的意思是只有5位数和7位数。所以A的描述不正确。
85. “小有名气”是有了一定的名气，不是因为年龄小而有名气，所以选C。
86. 文中提到“在信息资本发展阶段，只有具有掌握人才的能力，才能拥有财富”，所以选C。
87. 文中提到“盖茨最让人佩服的地方既不在于他的技术，也不在于他的市场运作能力，更不在于他逐渐积累的雄厚的资金基础，而是他善于吸引和凝聚众多人才的能力”，所以选B。
88. 文中提到“盖茨对企业的管理理念是‘让员工和公司一起致富’”，所以选B。
89. 文中提到“一般要从随从人员之间上菜”，所以选D。
90. 文中说“总的原则是：先冷后热，先炒后烧，先咸后甜，先清淡，后味浓”。B选项说反了。
91. 文中提到“广东菜的上菜顺序是冷盘、汤、热炒、大菜、青菜、点心、炒饭、水果，上青菜则表示菜已经全部上齐了”，所以选C。
92. 文中提到“给大家分餐，要按照先主要客人后主人，先女士后男士，或按顺时针的方向依次分餐”。D选项未提到。
93. 文中提到在辽东半岛上挖掘出古莲子，后“经过北京植物园园艺家的精心培育”，可以判断此事发生在中国，其他生命奇观都发生在别的国家，所以选B。
94. A蛤蟆活了100万年，B古莲子距今1000或2000年，C蜗牛不吃不喝活了4年，D青蛙活了200万年，D最长，所以选D。
95. D项文中没提到，其他三项都提到了。
96. 文中最后一句话就是对考察、研究生命奇异现象的重要意义的陈述，但是其中没有提到计算生物年龄的问题。C是正确答案。
97. 文章开头说：“在一个蜂群中有三种蜂：一只蜂王、少数雄蜂和几千到几万只工蜂。”一个蜂群中只有一只蜂王，数量是最少的，因此选A。
98. 第三段提到“我们是蜂群的主要成员，工作也最繁重：采集花粉、花蜜，……”，“我们”指工蜂，因此选D。

99. 第三段第二句话说："它的责任就是和蜂王交尾。"因此选 B。
100. 第三段结尾时提到"我们的寿命也只有 6 个月"，因此选 C。

HSK（六级）模拟试卷 8

答案

一、听 力

第一部分

1. B　2. D　3. D　4. C　5. B　6. C　7. A　8. D　9. A　10. C
11. C　12. B　13. B　14. D　15. A

第二部分

16. B　17. C　18. B　19. A　20. D　21. B　22. C　23. A　24. D　25. B
26. B　27. C　28. B　29. A　30. C

第三部分

31. C　32. A　33. C　34. C　35. D　36. B　37. C　38. B　39. C　40. D
41. B　42. B　43. C　44. B　45. A　46. A　47. C　48. B　49. A　50. B

二、阅 读

第一部分

51. D　52. B　53. C　54. C　55. B　56. A　57. A　58. D　59. A　60. D

第二部分

61. D　62. A　63. D　64. B　65. B　66. C　67. A　68. B　69. B　70. D

第三部分

71. A　72. D　73. C　74. E　75. B　76. E　77. B　78. A　79. D　80. C

第四部分

81. C　82. D　83. C　84. A　85. B　86. B　87. D　88. B　89. D　90. C
91. A　92. C　93. D　94. C　95. A　96. D　97. A　98. D　99. C　100. C

三、书写

101. 缩写参考

一杯牛奶的恩情

一个贫穷的小男孩为了攒够学费，挨家挨户地推销商品，可是一上午也没人买他的商品。他又累又饿，可是没钱买吃的，于是他决定向下一户人家讨口饭吃。可是他到的这一家，开门的是一位满脸长着横肉的胖女人，还没等他说明来意，那个胖女人就重重地关上了门。他来到了第二家，开门的是一位善良的年轻女人，小男孩没有要饭，只乞求给他一口水喝，年轻女子却给了他一大杯牛奶。这让小男孩感觉到世界上还是有好人的，所以他坚定了信心，继续努力下去。

很多年过去了，当年的那个年轻女人得了重病，她转到了大城市的医院，给她会诊的都是有名的医生，其中有一个就是当年的小男孩。他听说女人来自当年他恩人的那个小城时，就跑到女人的病房去看，果然就是当初给他一杯牛奶的女人。经过他的努力，女人的手术奇迹般地获得成功，当女人拿到医药费通知单时，她非常担心自己恐怕要用后半辈子的时间去还清医药费，可是她翻开医药费通知单后发现，旁边写着一行小字："医药费已付：一杯牛奶。"签名是"霍华德·凯利医生"。（421字）

答案说明

1. 录音中提到影响"既有正面的，也有负面的"，所以选B。
2. 录音中提到缺乏维生素A会导致视力下降、牙齿停止生长、食欲下降等问题，所以选D。
3. 录音中第一句提到"西红柿炒鸡蛋是许多家庭餐桌上的一道家常菜"，所以选D。
4. 录音中间部分说"正宗的意大利咖啡是不加牛奶的"，因此选C。
5. 录音最后提到小学毕业的时候"他的身高就已经超过了父母"，所以选B。
6. 由"压力是造成记忆受损的重要因素"可知压力对记忆力不好，因此选C。
7. 由录音中的关键词"数学神童"可知这个少年非常聪明，所以选A。
8. 录音中提到"小时候被父母打过的孩子…更可能成功"，所以选D。
9. 录音第一句出现了关键词"风靡英国"，表明茶杯猪很有人气，很受欢迎，所以选A。
10. 录音中分别提到"在海底进行伪装"、"让伪装行为如虎添翼"，都显示了比目鱼善于伪装。因此选C。
11. 录音中提到"其准备工作花了360个小时"，360个小时也就是15天，所以选C。
12. 由儿子的回答"厨房太黑了，什么也看不见"可以得知厨房没有开灯，所以选B。
13. 丈夫说"不知道你把它藏在什么地方了"，所以选B。
14. 朋友建议先画画儿再粉刷，结果画儿就会被覆盖住看不见了，言外之意就是朋友觉得画家的画儿并不好看。所以选D。
15. 录音中提到编写该病毒的是"一对巴基斯坦兄弟"，所以选A。
16. 记者介绍蔡老师时说他是国内资深室内设计师，所以选B。
17. 蔡老师回答第一个问题指出："设计是为大众服务的，要注意四个原则：首先要体现出实用性原则，然后是美观性原则，还有科学性原则和经济性原则。"所以选C。

18. 回答记者的第二个问题时，蔡老师没有提到资金问题，所以选 B。
19. 在采访的后半部分，蔡老师列举了有生命力的原创需要的因素，包括民族建筑设计的符号、现代人生活的需求、现代新技术的应用、新理念的组合方式，没有提到设计师的灵感，所以选 A。
20. 最后一段蔡老师指出设计师在民族特色方面还需要加强，所以选 D。
21. 第二段中提到“113 个环保重点城市空气优良天数增加了 1.5 个百分点”，所以选 B。
22. 周部长回答主持人第二个问题时说“新的一年，我们工作的重点集中在空气质量的改善、饮用水安全以及重金属污染防治等方面”，所以选 C。
23. 周部长提出，在新的一年，在水资源方面，应加强农村饮用水的保护。所以选 A。
24. 最后一段周部长说要继续控制火电、钢铁、造纸等行业大气污染排放量，没有提到建筑，所以选 D。
25. 最后一段还提到了减少污水排放，要重点建设污水处理设施，所以选 B。
26. 回答主持人第一个问题时，陈潇说明了开店时间是 2008 年 12 月 15 号。所以选 B。
27. 回答主持人第三个问题时，陈潇说她的第一个任务就是做个胜利的表情，然后拍照发到网上。所以选 C。
28. 在回答主持人第四个问题时她说明了价格，一个小时 20 块钱。所以选 B。
29. 她列举了网友给她的任务，没包括买衣服，所以选 A。
30. 陈潇解释了为什么开始收费，她说“收费帮大家办事，能坚持得更长久一点儿。如果不收费，这件事情早就结束了。”所以选 C。
31. 录音一开始提到“开车的时候唱一些熟悉的歌，驾驶人员更容易集中注意力”，所以选 C。
32. 录音中提到“相比之下，开车时不出声音更容易增加危险”，所以选 A。
33. 录音中说“因为吵闹和强的节奏会分散注意力”，所以选 C。
34. 录音中说“如果音乐过于缓慢，驾驶人员容易困，也是很危险的”，所以选 C。
35. 录音中说“所谓网络语言就是指网络聊天室中流行的语言”，所以选 D。
36. 录音中说“MM 是指美女，就是长得漂亮的女孩子”，所以选 B。
37. 录音中说“把长得不好看的男生称为‘青蛙’”，所以选 C。
38. 录音末尾提到“火星文也是现在流行的一种网络语言形式”，所以选 B。
39. 录音中提到“刚刚装修过的房间里含有很多有毒的气体”，所以选 C。
40. 录音中提到“会让人呼吸困难、头晕，严重的还会导致失明、死亡”，所以选 D。
41. 录音中提到“这些有毒的气体主要来源于室内的装饰材料，如地板、油漆、涂料及家具”，所以选 B。
42. 录音末尾提到“我们既要保持室内的通风，也要使用一些吸收毒气的物质”，所以选 B。
43. 录音开始时说“丽江古城位于中国西南部云南省的丽江市”，所以选 C。
44. 录音提到丽江“被称为保存最为完好的四大古城之一”，所以选 B。
45. 录音中说“它是中国历史文化名城中唯一没有城墙的古城”，所以选 A。
46. 录音最后说丽江古城“对研究中国建筑史、文化史具有重要的作用”，所以选 A。
47. 录音开始时说“2010 年 1 月 12 号，海地发生了 7.3 级地震”，所以选 C。
48. 录音中提到“海地首都太子港”，所以选 B。

49. 录音中说强烈的余震为营救带来极大的困难，所以选 A。
50. 录音末尾提到“太子港街头出现极度混乱的局面”，所以选 B。
51. D。动词重叠误用。应改为“我猜他也就 20 来岁”。
52. B。缺少介词。应改为“无奈向该公司辞职了”。
53. C。逻辑关系错误。应改为“从事日本与亚洲其他国家之间的贸易工作”。
54. C。关联词误用。“于是”可改为“所以”。
55. B。名词误用。应改为“为了赞扬他对科学的贡献”。
56. A。语序错误。应改为“我一直在这儿待着的呀”。
57. A。状语与中心语搭配错误。“猛烈”应改为“拼命”。
58. D。缺少结构助词。应在“预计”后加“的”。
59. A。副词误用。“亲身”应改为“亲自”。
60. D。缺少宾语中心语。应改为“他一边卖花儿一边收集关于陶器的资料”。
61. “闻名天下”指天下人都知道；“杰出”指才能、成就等出众；“包括”即包含，指列举各部分在内；“雄伟”多于形容建筑。选 D。
62. “技术高明”与“积极肯干”是递进关系，所以前句用“不仅”；“只要……就……”是条件关系；“即使……也……”为假设句；“推辞”表示多对任命、邀请、馈赠等表示拒绝。所以选 A。
63. “积淀”比喻凝聚，积累；“始终”表示从头到尾持续不变；“支配”指对人或事物起引导和控制的作用，经常和“行动”搭配；“礼仪”属于一种文明，所以说是“人类文明进步”。选 D。
64. “不管……都……”是条件关系；“文化有它的独立性”是对“大家承认的事实”的说明，所以用“即”，表示“就是”的意思；最后一个分句用“更”，表示递进关系。所以选 B。
65. “巨大”多用来形容规模、数量，也可形容“作用”；“快捷”强调速度快，行动敏捷；“促使”指推动某物或某事，使达到一定的目的；“伟大”这里指超乎寻常，用来修饰“发明”。选 B。
66. “丰富”指物质财富、学识经验种类多、数量大；“况且”表示更进一层，多用来补充说明理由；“留心”即注意；“联系”指彼此接上关系，常说“与……相联系”。所以选 C。
67. 常说“生命在于运动”，“在于”表示“由……决定”的意思；“表明”即表示清楚；“保持”指维持某种状态，使不消失或减弱；“保持”常与“平衡”搭配；“保证”本句中指作为担保的事物。所以选 A。
68. “举世瞩目”本句中指全世界都关注“三峡工程”；“疏忽”指粗心大意；“考虑”指思考、探索问题；“损失”指没有代价的消耗或失去的东西。选 B。
69. “面临”指面前遇到问题和形势等；“无论……还是……”表示选择，用来补充说明前面一个句子的范围；“难免”指难以避免，免不了。所以选 B。
70. “反映”比喻把客观事物的实质表现出来；“承受”指经受重量或压力；“把握”这里指思想上掌握；“证明”指用可靠的材料来表明。选 D。
71. 第一段提出要相信自己。第二段用“然而”表示转折，A 句照应第二段后面两个句子。

72. D 句中“不如”与前文“与其”构成选择关系复句，而且句中“爱护自己”照应后文“‘新我’的成长”。
73. C “相信自己”照应后句，后句说的是什么是相信自己。
74. E 照应前文“信心”一词，说明作者对这个词的理解。
75. B 句作用在于总结全文。
76. E “不见丝毫效果”照应下句的“无奈之下”。
77. 第二段的主要内容就是描述男孩见到心理咨询师的样子。B “刀枪不入”是表现他最初满不在乎的样子。填 B。
78. 男孩告诉老师，他以后不能再来了，下文说的是他回去要做的事情，接下来说的是后来的结果，按照事情发展的先后顺序，他“回学校去抓紧复习”，后来“考上了一所理想的重点大学”，因此大家都“倍感惊奇”。填 A。
79. 同上。填 D。
80. C 照应上文“多用一下耳朵，少用一下嘴巴”。
81. 文中第一段最后提到“终生的朋友”、“能引起你共鸣的朋友”，最后一段提到“异性朋友”，没有提到 C。
82. 文中第一段提到“他们不仅可以陪伴你，还可以促进你的健康”，所以选 D。
83. 文中第三段提到“自我意识强的人，拥有精粹而真挚的朋友，这也就是……”，所以选 C。
84. 文章第四段解释了“阶段性朋友”，即随着生活内容的变化而遇见的朋友，友情会因为不在一起而结束。所以选 A。
85. 文中第二段明确提到 47 小时零 15 分钟，所以选 B。
86. 文章第二段末尾提到“但是，自己酒后就会忍不住想说一些别人不知道的秘密”，所以选 B。
87. 文章第四段提到“将朋友的秘密泄露给不认识他们的人可以接受”，所以选 D。
88. 文中最后一段提到“大约 27%的受访者说……她们大多在第二天就会忘记头一天听说了什么”，所以选 B。
89. 文中并未提到和 D 选项相关的内容。
90. 文中第二段提到了中西医的不同治疗方法。选 C。
91. 文章第一句话“中国传统医学界由汉、藏、蒙等多个民族的传统医药学共同组成”，所以选 A。
92. 见文中第二段。选 C。
93. 文章第一段第二句和最后一段第一句都解释了什么是太空行走，把二者结合起来即为正确选项。选 D。
94. 文中并没有提到外太空的光线问题，所以选 C。
95. 第二段最后一句话提到“为了防止减压病，必须出舱前吸纯氧”，所以选 A。
96. 第三段阐述了在月球上的行走问题，最后一句说明了怎样更舒适。选 D。
97. 第二段的最后一句话是“现在，只有美洲虎和东北虎还常出现在森林中”，因此选 A。
98. 第三段的最后一句提到“东北虎走起路来像猫一样，无声无息，敏捷而富有弹性”，因此选 D。

99. 第四段的第二句说："虎的一扑很厉害，能远扑七米之外，跃高两米，一掌可以击倒一只鹿。"因此选 C。

100. 第五段的第一句说："除母虎带仔外，绝大多数的虎都是单独栖居，并有明显的巢域。"因此选 C。

HSK（六级）模拟试卷 9

答案

一、听力

第一部分

1. A　2. B　3. D　4. C　5. A　6. B　7. B　8. C　9. D　10. D
11. A　12. C　13. D　14. A　15. C

第二部分

16. C　17. B　18. D　19. B　20. A　21. B　22. A　23. D　24. C　25. B
26. B　27. C　28. B　29. A　30. C

第三部分

31. C　32. B　33. D　34. B　35. C　36. B　37. D　38. A　39. D　40. A
41. A　42. C　43. A　44. B　45. C　46. D　47. B　48. C　49. A　50. D

二、阅读

第一部分

51. C　52. D　53. D　54. A　55. B　56. B　57. A　58. D　59. C　60. B

第二部分

61. C　62. A　63. B　64. C　65. A　66. B　67. C　68. D　69. A　70. B

第三部分

71. C　72. B　73. D　74. A　75. E　76. D　77. B　78. A　79. E　80. C

第四部分

81. D	82. B	83. C	84. B	85. B	86. C	87. D	88. A	89. C	90. D
91. C	92. A	93. C	94. D	95. C	96. B	97. B	98. A	99. C	100. D

三、书写

101. 缩写参考

抓住细节

在生活中，有很多人埋怨自己缺少机会。但是如果你能留意周围的细节，就能找到成功的机会。

一个穷人到城市以后只能靠捡工厂的脚布做成拖把卖钱。后来他想到可以直接去工厂收购，这样他越赚越多，最后开了家公司，生意非常好。这个故事告诉我们，可以从小事中找到机会。

一家公司因为经济危机受到了打击，存放了很多卖不出去的大型机器。公司的领导们都没有解决办法。一天，总经理听见机器工作的声音，因为好奇，观看了机器工作的过程，看完以后很感兴趣。他在学习使用方法的过程中找到了乐趣。他觉得找一块空地教年轻人使用这些机器可以让他们放松心情。结果如他所愿，最后这块空地变成了游乐园，这家公司也发展成了著名的大公司。

这两个故事中的人物都能抓住身边的细节，最后获得了成功。在现实生活中，有很多成功的人士与他们有相似的经历。我们的生活中并不缺少机遇，而是缺少发现机遇的眼睛，只要我们平时多注意周围的事情，就能发现机会，把握机会，打开成功的大门。

（404 字）

答案说明

1. 录音中说“老师怀孕了”，但是小男孩误以为老师是甜食和巧克力吃多了。选 A。
2. “你从来没有年轻过”意思是你一直话很多，所以选 B。
3. “三天打鱼，两天晒网”意思是没有恒心，不能长期坚持。所以选 D。
4. 医生让小张当别人请客的时候摇头，意思是少出去吃饭。所以选 C。
5. 录音中说当人感冒发烧的时候，就会出很多汗，所以选 A。
6. “十次有九次看到你”说明儿子常常去游戏厅，爸爸也常去那里。所以选 B。
7. 新邻居的孩子不小心吞下一块钱，很危险，所以他的父母特别焦急。选 B。
8. 夫妻看完电影以后，家里来了小偷，小偷还留了条“猜猜我是谁”，所以票是小偷给的，好让他们去看电影时家中无人，可以偷窃。选 C。
9. 录音中提到“一辆迎面驶来的汽车把他撞倒了”，录音中没有提到酒瓶碎了或人受伤了，因此选 D。
10. 录音中女孩说“那些小东西很喜欢吃甜食，可是腰却还是那么细！”表现了女孩嫉妒蚂蚁吃甜食却很苗条的心情，所以选 D。

11. 录音中最后一句说这是“设计师们退而求其次的无奈之举”，“无奈”一词说明了设计师没有其他办法，所以选 A。
12. 录音中第一句提到朋友“约我这个汽车发烧友陪他去选购”，“汽车发烧友”专指非常喜欢汽车的人，所以选 C。
13. 小王说“我就当没有听见”，目的不是为了表达他会为朋友保守秘密，而是暗指“我没听见你要向我借钱”，也就是不想借钱的意思。所以选 D。
14. 由录音中最后一句“避免同类取笑自己”可知，猫抓不住猎物时害怕被其他猫笑话，因此选 A。
15. 录音中提到夏天“运动量变大”，说明夏天运动量更大，所以选 C。
16. 回答主持人第一个问题时朱教授说“比如说黄山，春节期间拍雪景是最佳的时期”，可见他是以黄山为例的。选 C。
17. 回答主持人的第二个问题时，朱教授以东北为例，谈到了气温对相机电池的影响，一般要先测试一下电池，所以选 B。
18. 回答主持人第三个问题时，朱教授说南方“冬天去，温度比较合适”，所以选 D。
19. 在回答主持人第四个问题——关于现在摄影创作的趋势时，朱教授说“当今是一个图像的时代”，所以选 B。
20. 回答主持人最后一个问题时，朱教授的第一句话是“我觉得应该尊重现实”，所以选 A。
21. 主持人第一句话说“安妮宝贝当年因为网络小说而成名”，所以选 B。
22. 回答主持人第二个问题中，安妮宝贝说了来找她的女孩是什么样子的——“穿着白色的大衣，看上去非常年轻，手里捧着一束白色百合花”，所以选 A。
23. 回答主持人第三个问题时，安妮宝贝说“辞去第一份工作，那时候已在中国银行工作了两三年”，所以选 D。
24. 回答主持人第四个问题时，安妮宝贝没提到“逛街”，所以选 C。
25. 安妮宝贝回答主持人最后一个问题时说“我 2005 年就已经离开网络”，主持人在采访开始说今年是 2009 年，所以选 B。
26. 回答主持人的第一个问题时，丁教授说到“我读高中的时候，学校的旁边就有一片茶园”。所以丁教授是在学校旁边的茶园对茶感兴趣的。选 B。
27. 回答主持人第二个问题时，丁教授介绍了茶学的内容，包括茶的自然科学、社会科学、人文科学。没有提到“茶的文化科学”，所以选 C。
28. 回答主持人第三个问题时，丁教授说是因为兴趣，所以选 B。
29. 回答主持人的第四个问题时，丁教授的第一句话就是答案——“1977 年，是台湾茶人首先提出来的”，所以选 A。
30. 丁教授最后说“最早，茶是被当做蔬菜来用的”，所以选 C。
31. 录音开头提到“有头瞎了一只眼睛的鹿”，可见鹿的一只眼睛是瞎的，所以选 C。
32. 录音中提到“用瞎了的那只眼对着大海”，所以选 B。
33. 录音中说“有人乘船从海上经过，看见了这头鹿，一箭就把它射倒了”，所以选 D。
34. 录音最后中提到“事实常常与我们想的东西相反”，所以选 B。
35. 录音开头中提到“有一只乌鸦口渴了”，所以选 C。
36. “后来在一个瓶子里发现了一点点水”，所以选 B。

37. “后来乌鸦就用自己的嘴巴叼着石子投到水瓶里”，所以选 D。
38. 录音末尾提到“这个故事告诉我们，遇到问题要运用自己的大脑来想办法”，所以选 A。
39. 录音一开始就提到“秦始皇的兵马俑在陕西省西安市”，所以选 D。
40. 录音中提到“当年的兵马俑颜色都是鲜艳的”，所以选 A。
41. 录音中提到“出土后由于空气干燥，颜色就慢慢地脱落了”，所以选 A。
42. 录音末尾提到兵马俑的“每个人的脸型、发型、体态都不相同”，所以选 C。
43. 录音开头说“《诗经》是中国第一部诗歌总集”，所以选 A。
44. “因此又称《诗三百》”，所以选 B。
45. 录音中提到“《风》有十五国风，是出自各地的民歌，这一部分文学成就最高”，所以选 C。
46. 录音中说“‘颂’是用于宗庙祭祀的乐歌”，所以选 D。
47. 录音开头说“‘白色污染’是人们对塑料垃圾污染环境现象的称谓”，所以选 B。
48. 录音中提到白色污染“会对人的肝脏、肾脏及中枢神经系统等造成损害”，所以选 C。
49. 录音中说白色污染会“抑制农作物的生长发育，造成农作物的减产”，所以选 A。
50. 录音末尾提到“如果牲畜吃了塑料膜，还会引起消化道疾病，甚至死亡”，所以选 D。
51. C。动词误用。“认识”应改为“了解”。
52. D。定语误用。“做中国朋友”应改为“做中国人的朋友”。
53. D。方位名词多余。去掉“里”。
54. A。量词误用。应改为“这 10 个工种”。
55. B。动词误用。应将动词“适合”改为形容词“合适”。
56. B。成分残缺。缺少兼语“我”，应改为“请允许我作一下自我介绍”。
57. A。宾语误用。应将“能力”改为“精力”。
58. D。介词多余。去掉“被”。
59. C。动宾搭配错误。应将“遵守”改为“遵循”。
60. B。连词误用。应将“及其”改为“及”。
61. “泥琢火烧”的瓷器可以看做是一种“艺术”；“智慧”与“结晶”常搭配使用；“珍贵”是价值大、宝贵的意思。选 C。
62. “作为”即当做；“家喻户晓”是说每家每户的人都知道；“推为”是推选作为的意思。选 A。
63. “独特”指独有的，特别的，常与“造型”、“功能”等词搭配；这里与“座位”搭配用动词“设有”最合适；“承办”指承担举办的意思，常搭配“活动”、“会议”等词；“足球、田径”等属于比赛的“项目”。选 B。
64. “公认”指公众承认；“经久不衰”这里指经典的著作流传很长时间；“普遍”指存在的面很广，这里修饰“接受”；“算得上”指认做、当做。选 C。
65. “随着……的普及”常搭配使用；“单纯”这里是单一、只顾的意思；“层出不穷”指连续不断地出现，比喻事物变化之快；“绞尽脑汁”形容费尽心思，想尽一切办法。选 A。
66. “根据”指依据，这里组成“根据……形体”；“创立”指首次建立，这里的“540 个部首”属于首次建立起来的；“按”即按照，“按照……分为……”是常用式；“阐述”即论述，常搭配“规律”、“原理”、“立场”等。选 B。
67. “落成”指建筑工程完工；“建筑面积”属于地产名词，可看做固定搭配；“达”即达到；“居”多用于书面语，指处在某个位置、名次。选 C。

68. “据……报道”经常搭配使用；“接待”这里搭配宾语“游客”；“秩序”这里受“良好”修饰；“采访”是媒体的行为，照应“传媒”。选 D。

69. “列为”这里指“中秋节”被排列到节假日当中；这里“保护”的对象为“遗产”；“批准”指上级对下级的意见表示同意；“批”是表示多数的量词，这里指被列入非物质文化遗产的并非只“中秋节”一个，它属于其中之一。选 A。

70. “导致”指引起；“造成”一般指不好的结果；是“压力”造成皇帝“早逝”；“卓著”常与“功勋”搭配使用，即“功勋卓著”；“据……记载”常搭配使用；“充满”常带“活力”、“信心”等词作宾语。选 B。

71. 从后文当国王看到仆人快乐时感到很奇怪，可以看出国王不快乐。所以填 C。

72. 从下一段中仆人说“我很知足，所以很快乐”句中可以得出结论 B。

73. 从上下文对话中可以看出，D 是丞相在回答国王时说的话，所以句中出现了“您”。

74. A 照应下文“跟以前不一样了，他不再快乐地唱歌了”。

75. E 句作为上文故事的总结，解释出“99 族”一词的含义。

76. D 照应下文“他只在乎一件事——画画儿”。

77. B 照应上文的“提交了几幅漫画”和下文“多次被退稿”。

78. A“为自己的前途奋斗”照应上文的“到了中学毕业那一年”一句。

79. E“人生经历”照应下文的“童年、青少年、艺术家、失败者”。

80. C“走红”照应下句的“风靡全世界”。

81. 文中第一句话说明了可再生资源是取之不尽的资源，也就是用不完的资源。四个选项中只有石油资源不是可再生资源，所以选 D 。

82. 文章第二段列举了三个有利条件，不包括 B。

83. 文中第三段第一句话说“北京在全国太阳能热水器市场份额中只占 5%”，“这是让北京的太阳能热水器行业不满意的地方”，所以选 C。

84. 文中最后一段提到了原因，包括 B，没提到其他三个选项。

85. 文章第一段说“特等西红柿‘长相’必须绝对优秀，颜色成熟，‘脸上’没有明显瑕疵，大小一致”，不包括 B。

86. 根据文章第一段最后一句说“一等西红柿，在‘长相’方面可以有点儿缺陷，比如颜色差一点儿，表面有轻微擦痕等”，“自然成熟”是西红柿质量的基本原则。所以选 C。

87. 文章第二段有这样一句话“还要新鲜，即无多余水分，无残留农药，无异味”，所以选 D。

88. 文章最后一段说“想靠吃西红柿补充维生素 C，那就尽量生吃”，所以选 A。

89. 文章第一段有这样一句话“狗用嗅觉，靠闻气味来判断自己的伙伴”，所以选 C。

90. 文章第二段中说“雄虫在低空飞舞，每隔 5.8 秒发光一次，雌虫在雄虫发光之后的两秒之后发光”，所以雌虫的发光间隔时间是 5.8 秒加上 2 秒，所以选 D。

91. 文章第四段第二句“北美北部和西部的鸟，叫声就有差异，北部的鸟的叫声更大一些”，南部的鸟声音较小，所以选 C。

92. 文章三、四段介绍了鸟的交流方式，不包括 A。

93. 文章第一段结尾时说“会议通过了著名的《联合国人类环境宣言》”，所以选 C。

94. 文章第一段说 1972 年是第一个世界环境日，每年一次，那么到 2010 年就是第 39 个世界环境日。所以选 D。

95. 文章第三段提到了世界环境日的意义，不包括 C。
96. 最后一段第二句话说“……主办国为墨西哥，这说明了当今拉丁美洲在对抗气候变化方面不断上升的地位”，A、C、D 三个选项文中没有提到。所以选 B。
97. 第二段第一句说“龙的形象起源于中国原始社会的新石器时代”，因此选 B。
98. 第二段第二句说“内蒙古、河南、山西、辽宁、陕西、甘肃等地原始社会晚期遗址中都曾出土过一些与龙有关的文物”，提到了 A 项“内蒙古”，其他三项在文中没有提及。因此选 A。
99. 第三段第一句说：“通过龙的形象的变化，可以看出龙的起源与农业生产有关。”因此选 C。
100. 第三段的最后说道：“进入真龙时期，人们干脆给龙在水中‘安了家’。”因此选 D。

HSK（六级）模拟试卷 *10*

答案

一、听力

第一部分

1. D　2. D　3. A　4. C　5. B　6. D　7. C　8. B　9. A　10. C
11. A　12. B　13. C　14. D　15. B

第二部分

16. C　17. B　18. A　19. D　20. A　21. B　22. C　23. A　24. C　25. D
26. B　27. D　28. C　29. B　30. D

第三部分

31. C　32. B　33. D　34. C　35. C　36. B　37. D　38. A　39. D　40. A
41. B　42. C　43. A　44. B　45. C　46. B　47. B　48. B　49. C　50. B

二、阅读

第一部分

51. D　52. B　53. D　54. C　55. B　56. B　57. C　58. D　59. C　60. A

第二部分

61. B　62. A　63. D　64. A　65. D　66. A　67. C　68. C　69. D　70. B

第三部分

71. E　72. D　73. B　74. A　75. C　76. D　77. C　78. E　79. A　80. B

第四部分

81. C　82. D　83. D　84. C　85. D　86. A　87. A　88. C　89. C　90. A
91. C　92. B　93. D　94. C　95. B　96. A　97. A　98. C　99. B　100. D

三、书写

101. 缩写参考

读书的三重境界

董健先生曾讲过一个他在大学一年级时错误解释孔子的话的故事。

这个故事使我想了很多，但是我想得最多的还是读书的三重境界，即为知、为己、为人。

为知，就是为了积累知识，增长学问、识见和智慧。博学才能多才多艺，这些都是“为知”的需要，也是读书最起码、最基本的要求和目的。

为己，就是古人所说的修身、正己，培养自己的人格、道德和情操。不仅要多读书，还要读好书，这是非常关键的。

对于读书完全“为知”而言，“为己”已经是大大提高了一个层次和境界。但是光做到这一点还不够，从更高的层次上说，还应该向前人学习，即“为人”而读书。

我所说的“为人”，是董健先生所私心向往的“为了别人”。比较而言，“为己”是读书人“能够”做到的，“为人”则是读书人“应该”做到的。

读书有三重境界，每一重境界都是一个新的逻辑起点，而第三重境界则是最高境界，也是我们每一个读书人都应该重视和追求的终极目标。（379 字）

答案说明

1. 门是画在墙上的，所以门是假的，自然也不会有钥匙，所以 A、B 都不对。想从门走出去的病人很显然并没有康复，所以说有钥匙的那个病人也没康复。D 对。
2. 最后一句话“像英国这头驴这样活过 50 岁的非常罕见”说明 D 对。
3. 录音中说研究人员用三年时间研究出了透明鱼，所以 C 不对；这种鱼可能应用于实验研究，不是一定，所以 D 不对；因为鱼是透明的，所以 B 不对。A 对。
4. 第一句话说“舞草外表看起来是一种普普通通的小草”，所以 C 对。
5. 第一句话说“恐怖，是人们不愿面临的但又是人们需要的”，所以 B 对。A、B、C 都不是这段话的主要内容。

6. 录音中说最大的金字塔“由 230 万块大小不等的石块砌成”，所以选 D。
7. 录音中提到“这位数学家用 10 年的时间对 100 对夫妇进行了相关测验，结果准确率达到了 94%”，可见这位数学家的公式非常准确，所以 C 对。
8. “在森林、田间、草原、水边以及室内，我们都可以发现它们的蛛丝马迹，甚至在地下和水面也有蜘蛛在生活”，可见蜘蛛到处可见，所以 B 对。
9. 她不登广告，她认为是小狗不认识字，所以 B、C、D 都不对。录音中说她“不小心把心爱的宠物小狗弄丢了”，所以 A 对。
10. 丈夫没有去购物，B 不对；妻子说“世界上最爱你的女人刚刚洗了你的车！”丈夫回答说“我妈来了？”丈夫觉得世界上最爱他的人是他妈妈，事实却是妻子帮他洗了车，所以 C 对。
11. “大象固然有时记忆力不错，但也经常忘这忘那”，所以 A 对。
12. 录音中说这是“一只上了年纪的黄色大猫”，说明不是年幼的猫，所以 B 对。
13. 录音中说“英国一家祖孙三代四口人都是‘选美皇后’”，所以选 C 。
14. 录音中说“英国一只 15 岁的小猫赶了回时髦，成为世界上第一只戴隐形眼镜的猫”，所以 D 对。
15. 录音中说“比赛进行到一半时，这只鹦鹉突然开始模仿裁判吹哨的声音，弄得足球队员们不知该如何是好”，说明鹦鹉很淘气，所以 B 对。
16. 回答主持人第一个问题时，许伟国说“这些问题从现在来讲可能和市民没有直接的关系，但是从长远上来讲关系很大”，所以 C 对。
17. 回答主持人第二个问题时，许伟国列举了三个论坛形式：高峰论坛、主题论坛、市民论坛。所以 B 对。
18. 回答主持人第三个问题时许伟国说明了优惠票的对象有残疾人和团体，特别是学生团体，学生团体包括在“团体”中，所以选 A。
19. 在回答对大学生的具体要求的问题时，许伟国说道：是 2009 年的毕业生，要有职业精神。所以选 D。
20. 许伟国最后一段话中说，第一批秋季上岗，第二批冬季上岗。所以选 A。
21. 回答主持人第二个问题时，马骏说了正在做英皇国际商学院和《80 后创富论坛》两个项目。所以 B 对。
22. 回答主持人第三个问题时，马骏说“刚开始我们出发点就非常明确，我们主要解决 80 后青年的创业和就业问题”，所以 80 后这个项目很有市场前景。选 C。
23. 录音中马骏说“我觉得最欠缺的是资源和人脉，还有自己的软实力”，可见不包括 A。
24. 马骏说“软实力指的是个人的行为习惯、沟通能力、社交能力、为人处世的方法”，所以 C 对。
25. 马骏最后说“最重要的是我们随着社会的发展，知道自己真正需要什么，自己想要什么”，“更重要的是我们自己决定做这件事情的时候，我们自己就去做”，所以选 D。
26. 回答记者第一个问题时，张明说：“‘有房才结婚’，我想这是一些年轻人的住房观、爱情观。”所以选 B。
27. 回答第二个问题时，张明说：“中国的住房需求主要是住房自住需求和住房投资需求。”所以选 D。

28. 张明解释说"'裸婚'其实就是不买房、不买车、不办婚礼，甚至没有戒指，直接领证结婚"，所以选 C。
29. 录音最后提到了集体买房不能实现的原因是"你不买，我买"的消费心理，所以选 B。
30. 张明在回答记者的第二个和第三个问题时说出了两点原因，即结婚购房需求在中国的住房需求中占的比例很小，结婚购房需求大多是住房需要。所以选 D。
31. 录音中提到"农夫发现一条冻僵了的蛇"，所以选 C。
32. 录音中提到农夫"把它放在自己怀里"，所以选 B。
33. 录音中提到蛇"狠狠地咬了农夫一口"，所以选 D。
34. 录音最后说"这个故事告诉我们，要善于分辨好坏，不应该对恶人仁慈"，所以选 C。
35. 录音开始时提到"国家体育场是 2008 年北京奥运会主体育场"，所以选 C。
36. 录音中说"所以人们称它为'鸟巢'"。B 对。
37. 录音中提到"内设的两万个临时座席分布在体育场的最上端"，所以选 D。
38. 录音末尾提到鸟巢成为"2008 年奥运会的一座独特的历史性的标志性建筑"，所以选 A。
39. 录音中说"这对他们的身体和人格都会造成影响"，所以选 D。
40. 录音中说网络游戏会"淡化虚拟游戏与现实生活的差异"，所以选 A。
41. 录音中说"因为玩儿电子游戏而引发的道德失范、行为不正常甚至违法犯罪的问题正逐渐增多"，所以选 B。
42. 录音末尾提到"暴力游戏甚至被一些人称为电子海洛因"，所以选 C。
43. 录音中提到"从春秋战国起，就有 20 多个诸侯国和封建王朝修筑过长城"，所以选 A。
44. 录音中提到"从春秋战国起，就有 20 多个诸侯国和封建王朝修筑过长城"，所以选 B。
45. 录音中提到万里长城"前后持续达两千余年"，所以选 C。
46. 录音中说"长城的主干在中国北方"，所以选 B。
47. 录音中提到清华大学"坐落于北京西北郊风景秀丽的清华园"，所以选 B。
48. 录音中说"清华大学具有'大师之园'的美称"，所以选 B。
49. 录音中说"清华大学共有 13 个学院 54 个系"，所以选 C。
50. 录音末尾提到"在工科专业继续保持明显优势的同时……"，可见清华大学一贯的优势是工科专业，所以选 B。
51. D。动宾搭配错误。应将动词"发表"改为"刊登"。
52. B。固定格式误用。应改为"在那个俱乐部里"。
53. D。动宾搭配错误，动词"推广"应改为"拓展"。
54. C。关联词误用。"何况"应改为"况且"。
55. B。语序错误。应改为"去爸爸单位看广告设计师是怎么工作的"。
56. B。固定格式误用。"从小时候"应改为"从小"或"从小时候起"。
57. C。介词误用。介词"据"应改为"按照"。
58. D。副词误用。"就"应改为"才"，表示在一定条件下出现的结果。
59. C。语序错误。应改为"当过一阵会计师"。
60. A。名词误用。"经验"应改为"经历"。
61. "相当"在这里是动词，是差不多、相抵的意思；"抓住"应与"机遇"搭配；"进程"指事物发展变化或进行的过程；"考验"指通过具体的事件来检验。选 B。

62. “程度”指要达到的状况；“肮脏”即脏；与“产蛋率”搭配的应该是“降低”；“导致”即引起，一般指不好的结果。选 A。

63. “对……有益”是常用搭配；“鉴定”是指辨别并确定事物的好坏，常说“经……鉴定”；“符合……标准”常搭配使用；“层出不穷”指接连不断地出现，没有穷尽，这里指竹笋不停地长出来。D 对。

64. “尽管”表转折之意，与“虽然”的意思很相近；“屹立”指像山峰一样高耸而稳固地立着；“遭受”指受到不幸和损害；“坚固”即牢固，结实。选 A。

65. 造纸的技术应该是被“改进”，即改变原来的情况，有所进步；这里应选择褒义的“传说”；受到“启发”，即指有所领悟；“试验”是指为了了解性能及结果进行操作。选 D。

66. “诚心诚意”指以真实的心意；“助人为乐”属于一种美德；“发扬光大”指使日益壮大的意思，这里指将美德继续传承下去；“逐步”是一步一步地。选 A。

67. “热衷”可与“于”搭配，表示十分爱好某种活动；“充沛”即充足而旺盛，常与“精力”搭配；“坚持”指坚决进行；“坚实”即坚固结实，常与“基础”搭配。选 C。

68. “精湛”指精深；“显赫”指成绩很突出的，盛大的；前一分句与后一分句是转折关系，即“然而”；“磨练”指在艰难困苦的环境下锻炼。选 C。

69. “总结”根据经验或者分析后做出结论；“揭示”指使人看到不容易看到的事物，常说“揭示……规律”等；“发挥”常和“作用”搭配；“现实”指符合客观实际的，即“现实意义”。选 D。

70. “意味”常与“着”一起用，表示含有某种意义；“摆设”指无实际用处的东西；“比拟”即比较；“消耗”指因使用或受损失而逐渐减少。选 B。

71. E“眼睛一眨不眨地望着外面”照应上句“临窗”一词。

72. D“可他却不能体会我的心情”照应上文“我还是很照顾他的自尊心”。

73. B“他的脸涨得通红”与上文“刺中了他的要害”相呼应。

74. A“他依然不敢看我”与上文提到的苏朋送“我”卡片时的动作神态相照应。

75. C“可从来没作过弊”照应上文的“也有尊严，不能抄别人的东西”。

76. 本文提到了“夕”兽吞食牲畜，伤害人命，因此人们都很害怕它，躲避“夕”兽的伤害。因此此处填 D。

77. C“乡亲们一片匆忙恐慌”跟下句的“只有村东头一位老婆婆……”一句作对比。

78. E“屋内烛火通明”和上文“门上贴着大红纸”结构相似，意义紧密相连。

79. A“院内突然传来‘砰砰啪啪’的炸响声”和下一句的“听到这声音”相照应。

80. 前文提到了“‘夕’大惊失色”，吓跑了，所以这里选 B“狼狈地逃走了”正合逻辑。

81. 文中没有提到生态旅游需要重视经济效益，因此选 C。

82. A、B、C 三项提出的内容文中都已提到，因此 D 项正确。

83. 文中提到“它既不会破坏自然，还会使当地从保护自然资源中得到经济收益”，所以选 D。

84. 文中提到“见到野生动物不要去打扰，更不可去捕捉”，捉野兔拍照虽然最后会放掉，但还是会打扰到野生动物，所以不是生态旅游包含的行为。本题选 C。

85. 文中提到“对人而言，可以没有骄傲的学习业绩、浪漫的恋爱婚姻、辉煌的事业，却万万不能没有睡眠”，因此选 D。

86. 文中提到“对于生命和健康来说，睡眠比饮食、医疗以及运动等更为重要”，所以选 A。
87. 文中的原句是：“因为人在卧睡时，脑和肝的血流量是站立时的 7 倍。”是“卧睡”而不是“坐睡”，因此选 A。
88. 文中的原话是“青年人约需 8 小时；成年人固定在其特有的睡眠习惯上”，因此选 C。
89. 文中提到“刀削面全靠用刀削，因此得名”，因此选 C。
90. 文中说刀削面与北京的打卤面、山东的伊府面、河南的鱼焙面、四川的担担面同称为五大面食名品，因此选 A。
91. 文中的原句是“揉面也很重要，一定要揉匀、揉软、揉光。如果揉面功夫不到家，削时容易粘刀、断条”。因此选 C。
92. 文中说“用湿布蒙住，半小时后再揉”，不是“干布”。因此应选 B。
93. 文中提到“每个人在人生的某一阶段、某一时刻都会经历抑郁的折磨，但有时自己又感觉不出来”，因此选 D。
94. 文章第一段后半部分列举了抑郁的表现，只有 C 是文中提到的，因此选 C。
95. 第二段说明了三种类型的严重持久性抑郁病表现，除 B 外，其他三项都是文中提到的。因此选 B。
96. 文中提到，“对于女性来说，有一个有利于心理健康的法宝，即‘唠叨’”。因此选 A。
97. 第二段第二句是：“除了不含脂肪，西瓜的汁液几乎包括了人体所需要的各种营养成分，如维生素 A、B、C、蛋白质和葡萄糖等。”由此可以看出西瓜汁不含脂肪。因此选 A。
98. 第三段第一句中提到：“在《日用本草》、《本草纲目》等中医典籍中均有记载。如说西瓜能消烦、止渴、解暑热……”因此选 C。
99. 第四段第二句是：“有的西瓜品种起的名字还很新颖，如‘十八天炒’，因为它生长 18 天就成熟了。”因此选 B。
100. 本文最后一句提到西瓜“因其性寒，又名‘寒瓜’”，因此选 D。

HSK（六级）答题卡

一、听力

1. [A] [B] [C] [D]　6. [A] [B] [C] [D]　11. [A] [B] [C] [D]　16. [A] [B] [C] [D]　21. [A] [B] [C] [D]
2. [A] [B] [C] [D]　7. [A] [B] [C] [D]　12. [A] [B] [C] [D]　17. [A] [B] [C] [D]　22. [A] [B] [C] [D]
3. [A] [B] [C] [D]　8. [A] [B] [C] [D]　13. [A] [B] [C] [D]　18. [A] [B] [C] [D]　23. [A] [B] [C] [D]
4. [A] [B] [C] [D]　9. [A] [B] [C] [D]　14. [A] [B] [C] [D]　19. [A] [B] [C] [D]　24. [A] [B] [C] [D]
5. [A] [B] [C] [D]　10. [A] [B] [C] [D]　15. [A] [B] [C] [D]　20. [A] [B] [C] [D]　25. [A] [B] [C] [D]

26. [A] [B] [C] [D]　31. [A] [B] [C] [D]　36. [A] [B] [C] [D]　41. [A] [B] [C] [D]　46. [A] [B] [C] [D]
27. [A] [B] [C] [D]　32. [A] [B] [C] [D]　37. [A] [B] [C] [D]　42. [A] [B] [C] [D]　47. [A] [B] [C] [D]
28. [A] [B] [C] [D]　33. [A] [B] [C] [D]　38. [A] [B] [C] [D]　43. [A] [B] [C] [D]　48. [A] [B] [C] [D]
29. [A] [B] [C] [D]　34. [A] [B] [C] [D]　39. [A] [B] [C] [D]　44. [A] [B] [C] [D]　49. [A] [B] [C] [D]
30. [A] [B] [C] [D]　35. [A] [B] [C] [D]　40. [A] [B] [C] [D]　45. [A] [B] [C] [D]　50. [A] [B] [C] [D]

二、阅读

51. [A] [B] [C] [D]　56. [A] [B] [C] [D]　61. [A] [B] [C] [D]　66. [A] [B] [C] [D]　71. [A] [B] [C] [D] [E]
52. [A] [B] [C] [D]　57. [A] [B] [C] [D]　62. [A] [B] [C] [D]　67. [A] [B] [C] [D]　72. [A] [B] [C] [D] [E]
53. [A] [B] [C] [D]　58. [A] [B] [C] [D]　63. [A] [B] [C] [D]　68. [A] [B] [C] [D]　73. [A] [B] [C] [D] [E]
54. [A] [B] [C] [D]　59. [A] [B] [C] [D]　64. [A] [B] [C] [D]　69. [A] [B] [C] [D]　74. [A] [B] [C] [D] [E]
55. [A] [B] [C] [D]　60. [A] [B] [C] [D]　65. [A] [B] [C] [D]　70. [A] [B] [C] [D]　75. [A] [B] [C] [D] [E]

76. [A] [B] [C] [D] [E]　81. [A] [B] [C] [D]　86. [A] [B] [C] [D]　91. [A] [B] [C] [D]　96. [A] [B] [C] [D]
77. [A] [B] [C] [D] [E]　82. [A] [B] [C] [D]　87. [A] [B] [C] [D]　92. [A] [B] [C] [D]　97. [A] [B] [C] [D]
78. [A] [B] [C] [D] [E]　83. [A] [B] [C] [D]　88. [A] [B] [C] [D]　93. [A] [B] [C] [D]　98. [A] [B] [C] [D]
79. [A] [B] [C] [D] [E]　84. [A] [B] [C] [D]　89. [A] [B] [C] [D]　94. [A] [B] [C] [D]　99. [A] [B] [C] [D]
80. [A] [B] [C] [D] [E]　85. [A] [B] [C] [D]　90. [A] [B] [C] [D]　95. [A] [B] [C] [D]　100. [A] [B] [C] [D]

三、书写

101.

HSK（六级）答题卡

一、听力

1. [A] [B] [C] [D]	6. [A] [B] [C] [D]	11. [A] [B] [C] [D]	16. [A] [B] [C] [D]	21. [A] [B] [C] [D]
2. [A] [B] [C] [D]	7. [A] [B] [C] [D]	12. [A] [B] [C] [D]	17. [A] [B] [C] [D]	22. [A] [B] [C] [D]
3. [A] [B] [C] [D]	8. [A] [B] [C] [D]	13. [A] [B] [C] [D]	18. [A] [B] [C] [D]	23. [A] [B] [C] [D]
4. [A] [B] [C] [D]	9. [A] [B] [C] [D]	14. [A] [B] [C] [D]	19. [A] [B] [C] [D]	24. [A] [B] [C] [D]
5. [A] [B] [C] [D]	10. [A] [B] [C] [D]	15. [A] [B] [C] [D]	20. [A] [B] [C] [D]	25. [A] [B] [C] [D]
26. [A] [B] [C] [D]	31. [A] [B] [C] [D]	36. [A] [B] [C] [D]	41. [A] [B] [C] [D]	46. [A] [B] [C] [D]
27. [A] [B] [C] [D]	32. [A] [B] [C] [D]	37. [A] [B] [C] [D]	42. [A] [B] [C] [D]	47. [A] [B] [C] [D]
28. [A] [B] [C] [D]	33. [A] [B] [C] [D]	38. [A] [B] [C] [D]	43. [A] [B] [C] [D]	48. [A] [B] [C] [D]
29. [A] [B] [C] [D]	34. [A] [B] [C] [D]	39. [A] [B] [C] [D]	44. [A] [B] [C] [D]	49. [A] [B] [C] [D]
30. [A] [B] [C] [D]	35. [A] [B] [C] [D]	40. [A] [B] [C] [D]	45. [A] [B] [C] [D]	50. [A] [B] [C] [D]

二、阅读

51. [A] [B] [C] [D]	56. [A] [B] [C] [D]	61. [A] [B] [C] [D]	66. [A] [B] [C] [D]	71. [A] [B] [C] [D] [E]
52. [A] [B] [C] [D]	57. [A] [B] [C] [D]	62. [A] [B] [C] [D]	67. [A] [B] [C] [D]	72. [A] [B] [C] [D] [E]
53. [A] [B] [C] [D]	58. [A] [B] [C] [D]	63. [A] [B] [C] [D]	68. [A] [B] [C] [D]	73. [A] [B] [C] [D] [E]
54. [A] [B] [C] [D]	59. [A] [B] [C] [D]	64. [A] [B] [C] [D]	69. [A] [B] [C] [D]	74. [A] [B] [C] [D] [E]
55. [A] [B] [C] [D]	60. [A] [B] [C] [D]	65. [A] [B] [C] [D]	70. [A] [B] [C] [D]	75. [A] [B] [C] [D] [E]
76. [A] [B] [C] [D] [E]	81. [A] [B] [C] [D]	86. [A] [B] [C] [D]	91. [A] [B] [C] [D]	96. [A] [B] [C] [D]
77. [A] [B] [C] [D] [E]	82. [A] [B] [C] [D]	87. [A] [B] [C] [D]	92. [A] [B] [C] [D]	97. [A] [B] [C] [D]
78. [A] [B] [C] [D] [E]	83. [A] [B] [C] [D]	88. [A] [B] [C] [D]	93. [A] [B] [C] [D]	98. [A] [B] [C] [D]
79. [A] [B] [C] [D] [E]	84. [A] [B] [C] [D]	89. [A] [B] [C] [D]	94. [A] [B] [C] [D]	99. [A] [B] [C] [D]
80. [A] [B] [C] [D] [E]	85. [A] [B] [C] [D]	90. [A] [B] [C] [D]	95. [A] [B] [C] [D]	100. [A] [B] [C] [D]

三、书写

101.

HSK（六级）答题卡

一、听力

1. [A] [B] [C] [D]
2. [A] [B] [C] [D]
3. [A] [B] [C] [D]
4. [A] [B] [C] [D]
5. [A] [B] [C] [D]
6. [A] [B] [C] [D]
7. [A] [B] [C] [D]
8. [A] [B] [C] [D]
9. [A] [B] [C] [D]
10. [A] [B] [C] [D]
11. [A] [B] [C] [D]
12. [A] [B] [C] [D]
13. [A] [B] [C] [D]
14. [A] [B] [C] [D]
15. [A] [B] [C] [D]
16. [A] [B] [C] [D]
17. [A] [B] [C] [D]
18. [A] [B] [C] [D]
19. [A] [B] [C] [D]
20. [A] [B] [C] [D]
21. [A] [B] [C] [D]
22. [A] [B] [C] [D]
23. [A] [B] [C] [D]
24. [A] [B] [C] [D]
25. [A] [B] [C] [D]
26. [A] [B] [C] [D]
27. [A] [B] [C] [D]
28. [A] [B] [C] [D]
29. [A] [B] [C] [D]
30. [A] [B] [C] [D]
31. [A] [B] [C] [D]
32. [A] [B] [C] [D]
33. [A] [B] [C] [D]
34. [A] [B] [C] [D]
35. [A] [B] [C] [D]
36. [A] [B] [C] [D]
37. [A] [B] [C] [D]
38. [A] [B] [C] [D]
39. [A] [B] [C] [D]
40. [A] [B] [C] [D]
41. [A] [B] [C] [D]
42. [A] [B] [C] [D]
43. [A] [B] [C] [D]
44. [A] [B] [C] [D]
45. [A] [B] [C] [D]
46. [A] [B] [C] [D]
47. [A] [B] [C] [D]
48. [A] [B] [C] [D]
49. [A] [B] [C] [D]
50. [A] [B] [C] [D]

二、阅读

51. [A] [B] [C] [D]
52. [A] [B] [C] [D]
53. [A] [B] [C] [D]
54. [A] [B] [C] [D]
55. [A] [B] [C] [D]
56. [A] [B] [C] [D]
57. [A] [B] [C] [D]
58. [A] [B] [C] [D]
59. [A] [B] [C] [D]
60. [A] [B] [C] [D]
61. [A] [B] [C] [D]
62. [A] [B] [C] [D]
63. [A] [B] [C] [D]
64. [A] [B] [C] [D]
65. [A] [B] [C] [D]
66. [A] [B] [C] [D]
67. [A] [B] [C] [D]
68. [A] [B] [C] [D]
69. [A] [B] [C] [D]
70. [A] [B] [C] [D]
71. [A] [B] [C] [D] [E]
72. [A] [B] [C] [D] [E]
73. [A] [B] [C] [D] [E]
74. [A] [B] [C] [D] [E]
75. [A] [B] [C] [D] [E]
76. [A] [B] [C] [D] [E]
77. [A] [B] [C] [D] [E]
78. [A] [B] [C] [D] [E]
79. [A] [B] [C] [D] [E]
80. [A] [B] [C] [D] [E]
81. [A] [B] [C] [D]
82. [A] [B] [C] [D]
83. [A] [B] [C] [D]
84. [A] [B] [C] [D]
85. [A] [B] [C] [D]
86. [A] [B] [C] [D]
87. [A] [B] [C] [D]
88. [A] [B] [C] [D]
89. [A] [B] [C] [D]
90. [A] [B] [C] [D]
91. [A] [B] [C] [D]
92. [A] [B] [C] [D]
93. [A] [B] [C] [D]
94. [A] [B] [C] [D]
95. [A] [B] [C] [D]
96. [A] [B] [C] [D]
97. [A] [B] [C] [D]
98. [A] [B] [C] [D]
99. [A] [B] [C] [D]
100. [A] [B] [C] [D]

三、书写

101.

HSK（六级）答题卡

一、听力

1. [A] [B] [C] [D]
2. [A] [B] [C] [D]
3. [A] [B] [C] [D]
4. [A] [B] [C] [D]
5. [A] [B] [C] [D]
6. [A] [B] [C] [D]
7. [A] [B] [C] [D]
8. [A] [B] [C] [D]
9. [A] [B] [C] [D]
10. [A] [B] [C] [D]
11. [A] [B] [C] [D]
12. [A] [B] [C] [D]
13. [A] [B] [C] [D]
14. [A] [B] [C] [D]
15. [A] [B] [C] [D]
16. [A] [B] [C] [D]
17. [A] [B] [C] [D]
18. [A] [B] [C] [D]
19. [A] [B] [C] [D]
20. [A] [B] [C] [D]
21. [A] [B] [C] [D]
22. [A] [B] [C] [D]
23. [A] [B] [C] [D]
24. [A] [B] [C] [D]
25. [A] [B] [C] [D]
26. [A] [B] [C] [D]
27. [A] [B] [C] [D]
28. [A] [B] [C] [D]
29. [A] [B] [C] [D]
30. [A] [B] [C] [D]
31. [A] [B] [C] [D]
32. [A] [B] [C] [D]
33. [A] [B] [C] [D]
34. [A] [B] [C] [D]
35. [A] [B] [C] [D]
36. [A] [B] [C] [D]
37. [A] [B] [C] [D]
38. [A] [B] [C] [D]
39. [A] [B] [C] [D]
40. [A] [B] [C] [D]
41. [A] [B] [C] [D]
42. [A] [B] [C] [D]
43. [A] [B] [C] [D]
44. [A] [B] [C] [D]
45. [A] [B] [C] [D]
46. [A] [B] [C] [D]
47. [A] [B] [C] [D]
48. [A] [B] [C] [D]
49. [A] [B] [C] [D]
50. [A] [B] [C] [D]

二、阅读

51. [A] [B] [C] [D]
52. [A] [B] [C] [D]
53. [A] [B] [C] [D]
54. [A] [B] [C] [D]
55. [A] [B] [C] [D]
56. [A] [B] [C] [D]
57. [A] [B] [C] [D]
58. [A] [B] [C] [D]
59. [A] [B] [C] [D]
60. [A] [B] [C] [D]
61. [A] [B] [C] [D]
62. [A] [B] [C] [D]
63. [A] [B] [C] [D]
64. [A] [B] [C] [D]
65. [A] [B] [C] [D]
66. [A] [B] [C] [D]
67. [A] [B] [C] [D]
68. [A] [B] [C] [D]
69. [A] [B] [C] [D]
70. [A] [B] [C] [D]
71. [A] [B] [C] [D] [E]
72. [A] [B] [C] [D] [E]
73. [A] [B] [C] [D] [E]
74. [A] [B] [C] [D] [E]
75. [A] [B] [C] [D] [E]
76. [A] [B] [C] [D] [E]
77. [A] [B] [C] [D] [E]
78. [A] [B] [C] [D] [E]
79. [A] [B] [C] [D] [E]
80. [A] [B] [C] [D] [E]
81. [A] [B] [C] [D]
82. [A] [B] [C] [D]
83. [A] [B] [C] [D]
84. [A] [B] [C] [D]
85. [A] [B] [C] [D]
86. [A] [B] [C] [D]
87. [A] [B] [C] [D]
88. [A] [B] [C] [D]
89. [A] [B] [C] [D]
90. [A] [B] [C] [D]
91. [A] [B] [C] [D]
92. [A] [B] [C] [D]
93. [A] [B] [C] [D]
94. [A] [B] [C] [D]
95. [A] [B] [C] [D]
96. [A] [B] [C] [D]
97. [A] [B] [C] [D]
98. [A] [B] [C] [D]
99. [A] [B] [C] [D]
100. [A] [B] [C] [D]

三、书写

101.

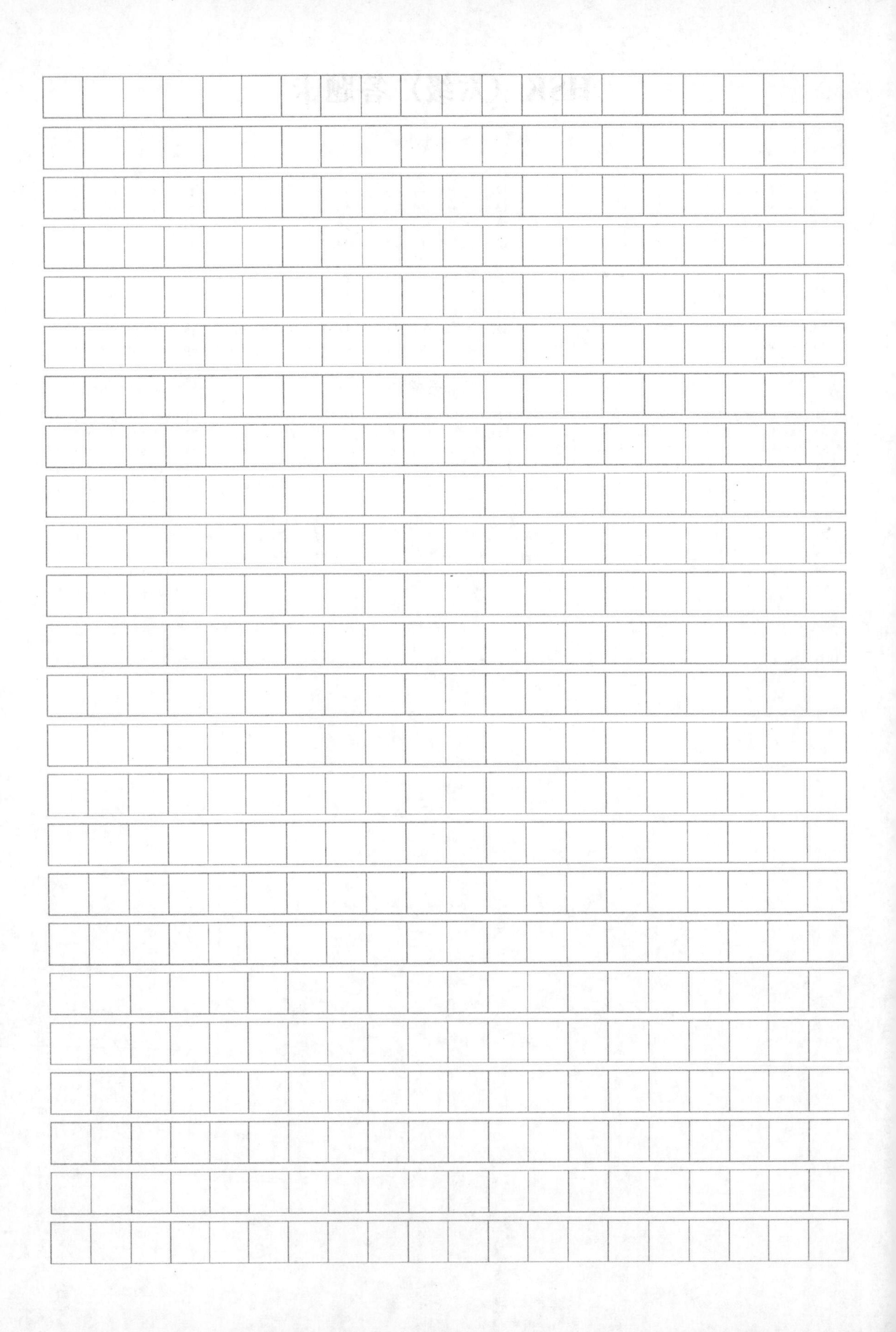

HSK（六级）答题卡

一、听力

1. [A] [B] [C] [D]	6. [A] [B] [C] [D]	11. [A] [B] [C] [D]	16. [A] [B] [C] [D]	21. [A] [B] [C] [D]
2. [A] [B] [C] [D]	7. [A] [B] [C] [D]	12. [A] [B] [C] [D]	17. [A] [B] [C] [D]	22. [A] [B] [C] [D]
3. [A] [B] [C] [D]	8. [A] [B] [C] [D]	13. [A] [B] [C] [D]	18. [A] [B] [C] [D]	23. [A] [B] [C] [D]
4. [A] [B] [C] [D]	9. [A] [B] [C] [D]	14. [A] [B] [C] [D]	19. [A] [B] [C] [D]	24. [A] [B] [C] [D]
5. [A] [B] [C] [D]	10. [A] [B] [C] [D]	15. [A] [B] [C] [D]	20. [A] [B] [C] [D]	25. [A] [B] [C] [D]
26. [A] [B] [C] [D]	31. [A] [B] [C] [D]	36. [A] [B] [C] [D]	41. [A] [B] [C] [D]	46. [A] [B] [C] [D]
27. [A] [B] [C] [D]	32. [A] [B] [C] [D]	37. [A] [B] [C] [D]	42. [A] [B] [C] [D]	47. [A] [B] [C] [D]
28. [A] [B] [C] [D]	33. [A] [B] [C] [D]	38. [A] [B] [C] [D]	43. [A] [B] [C] [D]	48. [A] [B] [C] [D]
29. [A] [B] [C] [D]	34. [A] [B] [C] [D]	39. [A] [B] [C] [D]	44. [A] [B] [C] [D]	49. [A] [B] [C] [D]
30. [A] [B] [C] [D]	35. [A] [B] [C] [D]	40. [A] [B] [C] [D]	45. [A] [B] [C] [D]	50. [A] [B] [C] [D]

二、阅读

51. [A] [B] [C] [D]	56. [A] [B] [C] [D]	61. [A] [B] [C] [D]	66. [A] [B] [C] [D]	71. [A] [B] [C] [D] [E]
52. [A] [B] [C] [D]	57. [A] [B] [C] [D]	62. [A] [B] [C] [D]	67. [A] [B] [C] [D]	72. [A] [B] [C] [D] [E]
53. [A] [B] [C] [D]	58. [A] [B] [C] [D]	63. [A] [B] [C] [D]	68. [A] [B] [C] [D]	73. [A] [B] [C] [D] [E]
54. [A] [B] [C] [D]	59. [A] [B] [C] [D]	64. [A] [B] [C] [D]	69. [A] [B] [C] [D]	74. [A] [B] [C] [D] [E]
55. [A] [B] [C] [D]	60. [A] [B] [C] [D]	65. [A] [B] [C] [D]	70. [A] [B] [C] [D]	75. [A] [B] [C] [D] [E]
76. [A] [B] [C] [D] [E]	81. [A] [B] [C] [D]	86. [A] [B] [C] [D]	91. [A] [B] [C] [D]	96. [A] [B] [C] [D]
77. [A] [B] [C] [D] [E]	82. [A] [B] [C] [D]	87. [A] [B] [C] [D]	92. [A] [B] [C] [D]	97. [A] [B] [C] [D]
78. [A] [B] [C] [D] [E]	83. [A] [B] [C] [D]	88. [A] [B] [C] [D]	93. [A] [B] [C] [D]	98. [A] [B] [C] [D]
79. [A] [B] [C] [D] [E]	84. [A] [B] [C] [D]	89. [A] [B] [C] [D]	94. [A] [B] [C] [D]	99. [A] [B] [C] [D]
80. [A] [B] [C] [D] [E]	85. [A] [B] [C] [D]	90. [A] [B] [C] [D]	95. [A] [B] [C] [D]	100. [A] [B] [C] [D]

三、书写

101.

HSK（六级）答题卡

一、听力

1. [A] [B] [C] [D]	6. [A] [B] [C] [D]	11. [A] [B] [C] [D]	16. [A] [B] [C] [D]	21. [A] [B] [C] [D]
2. [A] [B] [C] [D]	7. [A] [B] [C] [D]	12. [A] [B] [C] [D]	17. [A] [B] [C] [D]	22. [A] [B] [C] [D]
3. [A] [B] [C] [D]	8. [A] [B] [C] [D]	13. [A] [B] [C] [D]	18. [A] [B] [C] [D]	23. [A] [B] [C] [D]
4. [A] [B] [C] [D]	9. [A] [B] [C] [D]	14. [A] [B] [C] [D]	19. [A] [B] [C] [D]	24. [A] [B] [C] [D]
5. [A] [B] [C] [D]	10. [A] [B] [C] [D]	15. [A] [B] [C] [D]	20. [A] [B] [C] [D]	25. [A] [B] [C] [D]
26. [A] [B] [C] [D]	31. [A] [B] [C] [D]	36. [A] [B] [C] [D]	41. [A] [B] [C] [D]	46. [A] [B] [C] [D]
27. [A] [B] [C] [D]	32. [A] [B] [C] [D]	37. [A] [B] [C] [D]	42. [A] [B] [C] [D]	47. [A] [B] [C] [D]
28. [A] [B] [C] [D]	33. [A] [B] [C] [D]	38. [A] [B] [C] [D]	43. [A] [B] [C] [D]	48. [A] [B] [C] [D]
29. [A] [B] [C] [D]	34. [A] [B] [C] [D]	39. [A] [B] [C] [D]	44. [A] [B] [C] [D]	49. [A] [B] [C] [D]
30. [A] [B] [C] [D]	35. [A] [B] [C] [D]	40. [A] [B] [C] [D]	45. [A] [B] [C] [D]	50. [A] [B] [C] [D]

二、阅读

51. [A] [B] [C] [D]	56. [A] [B] [C] [D]	61. [A] [B] [C] [D]	66. [A] [B] [C] [D]	71. [A] [B] [C] [D] [E]
52. [A] [B] [C] [D]	57. [A] [B] [C] [D]	62. [A] [B] [C] [D]	67. [A] [B] [C] [D]	72. [A] [B] [C] [D] [E]
53. [A] [B] [C] [D]	58. [A] [B] [C] [D]	63. [A] [B] [C] [D]	68. [A] [B] [C] [D]	73. [A] [B] [C] [D] [E]
54. [A] [B] [C] [D]	59. [A] [B] [C] [D]	64. [A] [B] [C] [D]	69. [A] [B] [C] [D]	74. [A] [B] [C] [D] [E]
55. [A] [B] [C] [D]	60. [A] [B] [C] [D]	65. [A] [B] [C] [D]	70. [A] [B] [C] [D]	75. [A] [B] [C] [D] [E]
76. [A] [B] [C] [D] [E]	81. [A] [B] [C] [D]	86. [A] [B] [C] [D]	91. [A] [B] [C] [D]	96. [A] [B] [C] [D]
77. [A] [B] [C] [D] [E]	82. [A] [B] [C] [D]	87. [A] [B] [C] [D]	92. [A] [B] [C] [D]	97. [A] [B] [C] [D]
78. [A] [B] [C] [D] [E]	83. [A] [B] [C] [D]	88. [A] [B] [C] [D]	93. [A] [B] [C] [D]	98. [A] [B] [C] [D]
79. [A] [B] [C] [D] [E]	84. [A] [B] [C] [D]	89. [A] [B] [C] [D]	94. [A] [B] [C] [D]	99. [A] [B] [C] [D]
80. [A] [B] [C] [D] [E]	85. [A] [B] [C] [D]	90. [A] [B] [C] [D]	95. [A] [B] [C] [D]	100. [A] [B] [C] [D]

三、书写

101.

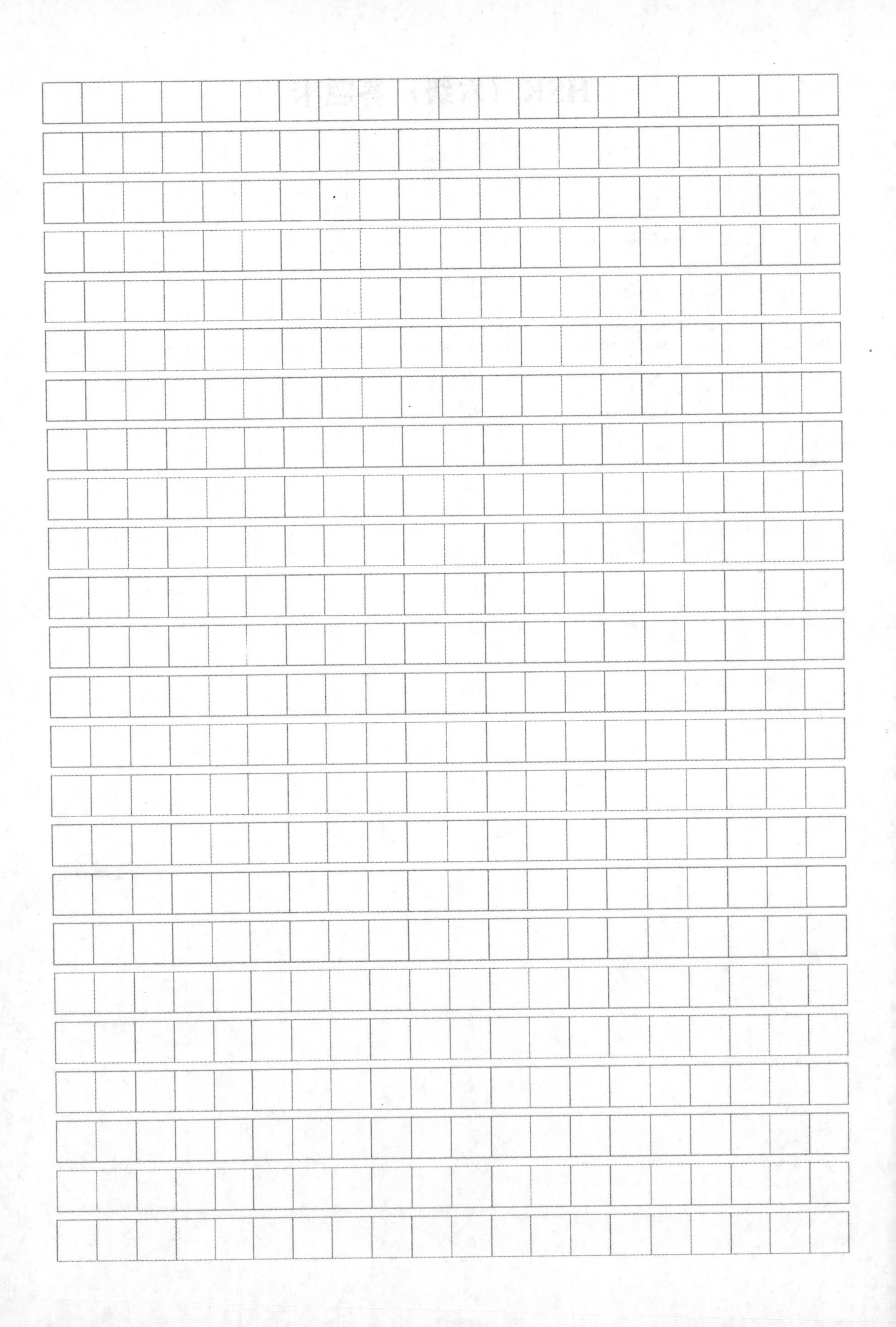

HSK（六级）答题卡

一、听力

1. [A] [B] [C] [D]	6. [A] [B] [C] [D]	11. [A] [B] [C] [D]	16. [A] [B] [C] [D]	21. [A] [B] [C] [D]
2. [A] [B] [C] [D]	7. [A] [B] [C] [D]	12. [A] [B] [C] [D]	17. [A] [B] [C] [D]	22. [A] [B] [C] [D]
3. [A] [B] [C] [D]	8. [A] [B] [C] [D]	13. [A] [B] [C] [D]	18. [A] [B] [C] [D]	23. [A] [B] [C] [D]
4. [A] [B] [C] [D]	9. [A] [B] [C] [D]	14. [A] [B] [C] [D]	19. [A] [B] [C] [D]	24. [A] [B] [C] [D]
5. [A] [B] [C] [D]	10. [A] [B] [C] [D]	15. [A] [B] [C] [D]	20. [A] [B] [C] [D]	25. [A] [B] [C] [D]
26. [A] [B] [C] [D]	31. [A] [B] [C] [D]	36. [A] [B] [C] [D]	41. [A] [B] [C] [D]	46. [A] [B] [C] [D]
27. [A] [B] [C] [D]	32. [A] [B] [C] [D]	37. [A] [B] [C] [D]	42. [A] [B] [C] [D]	47. [A] [B] [C] [D]
28. [A] [B] [C] [D]	33. [A] [B] [C] [D]	38. [A] [B] [C] [D]	43. [A] [B] [C] [D]	48. [A] [B] [C] [D]
29. [A] [B] [C] [D]	34. [A] [B] [C] [D]	39. [A] [B] [C] [D]	44. [A] [B] [C] [D]	49. [A] [B] [C] [D]
30. [A] [B] [C] [D]	35. [A] [B] [C] [D]	40. [A] [B] [C] [D]	45. [A] [B] [C] [D]	50. [A] [B] [C] [D]

二、阅读

51. [A] [B] [C] [D]	56. [A] [B] [C] [D]	61. [A] [B] [C] [D]	66. [A] [B] [C] [D]	71. [A] [B] [C] [D] [E]
52. [A] [B] [C] [D]	57. [A] [B] [C] [D]	62. [A] [B] [C] [D]	67. [A] [B] [C] [D]	72. [A] [B] [C] [D] [E]
53. [A] [B] [C] [D]	58. [A] [B] [C] [D]	63. [A] [B] [C] [D]	68. [A] [B] [C] [D]	73. [A] [B] [C] [D] [E]
54. [A] [B] [C] [D]	59. [A] [B] [C] [D]	64. [A] [B] [C] [D]	69. [A] [B] [C] [D]	74. [A] [B] [C] [D] [E]
55. [A] [B] [C] [D]	60. [A] [B] [C] [D]	65. [A] [B] [C] [D]	70. [A] [B] [C] [D]	75. [A] [B] [C] [D] [E]
76. [A] [B] [C] [D] [E]	81. [A] [B] [C] [D]	86. [A] [B] [C] [D]	91. [A] [B] [C] [D]	96. [A] [B] [C] [D]
77. [A] [B] [C] [D] [E]	82. [A] [B] [C] [D]	87. [A] [B] [C] [D]	92. [A] [B] [C] [D]	97. [A] [B] [C] [D]
78. [A] [B] [C] [D] [E]	83. [A] [B] [C] [D]	88. [A] [B] [C] [D]	93. [A] [B] [C] [D]	98. [A] [B] [C] [D]
79. [A] [B] [C] [D] [E]	84. [A] [B] [C] [D]	89. [A] [B] [C] [D]	94. [A] [B] [C] [D]	99. [A] [B] [C] [D]
80. [A] [B] [C] [D] [E]	85. [A] [B] [C] [D]	90. [A] [B] [C] [D]	95. [A] [B] [C] [D]	100. [A] [B] [C] [D]

三、书写

101.

HSK（六级）答题卡

一、听力

1. [A] [B] [C] [D]　6. [A] [B] [C] [D]　11. [A] [B] [C] [D]　16. [A] [B] [C] [D]　21. [A] [B] [C] [D]
2. [A] [B] [C] [D]　7. [A] [B] [C] [D]　12. [A] [B] [C] [D]　17. [A] [B] [C] [D]　22. [A] [B] [C] [D]
3. [A] [B] [C] [D]　8. [A] [B] [C] [D]　13. [A] [B] [C] [D]　18. [A] [B] [C] [D]　23. [A] [B] [C] [D]
4. [A] [B] [C] [D]　9. [A] [B] [C] [D]　14. [A] [B] [C] [D]　19. [A] [B] [C] [D]　24. [A] [B] [C] [D]
5. [A] [B] [C] [D]　10. [A] [B] [C] [D]　15. [A] [B] [C] [D]　20. [A] [B] [C] [D]　25. [A] [B] [C] [D]

26. [A] [B] [C] [D]　31. [A] [B] [C] [D]　36. [A] [B] [C] [D]　41. [A] [B] [C] [D]　46. [A] [B] [C] [D]
27. [A] [B] [C] [D]　32. [A] [B] [C] [D]　37. [A] [B] [C] [D]　42. [A] [B] [C] [D]　47. [A] [B] [C] [D]
28. [A] [B] [C] [D]　33. [A] [B] [C] [D]　38. [A] [B] [C] [D]　43. [A] [B] [C] [D]　48. [A] [B] [C] [D]
29. [A] [B] [C] [D]　34. [A] [B] [C] [D]　39. [A] [B] [C] [D]　44. [A] [B] [C] [D]　49. [A] [B] [C] [D]
30. [A] [B] [C] [D]　35. [A] [B] [C] [D]　40. [A] [B] [C] [D]　45. [A] [B] [C] [D]　50. [A] [B] [C] [D]

二、阅读

51. [A] [B] [C] [D]　56. [A] [B] [C] [D]　61. [A] [B] [C] [D]　66. [A] [B] [C] [D]　71. [A] [B] [C] [D] [E]
52. [A] [B] [C] [D]　57. [A] [B] [C] [D]　62. [A] [B] [C] [D]　67. [A] [B] [C] [D]　72. [A] [B] [C] [D] [E]
53. [A] [B] [C] [D]　58. [A] [B] [C] [D]　63. [A] [B] [C] [D]　68. [A] [B] [C] [D]　73. [A] [B] [C] [D] [E]
54. [A] [B] [C] [D]　59. [A] [B] [C] [D]　64. [A] [B] [C] [D]　69. [A] [B] [C] [D]　74. [A] [B] [C] [D] [E]
55. [A] [B] [C] [D]　60. [A] [B] [C] [D]　65. [A] [B] [C] [D]　70. [A] [B] [C] [D]　75. [A] [B] [C] [D] [E]

76. [A] [B] [C] [D] [E]　81. [A] [B] [C] [D]　86. [A] [B] [C] [D]　91. [A] [B] [C] [D]　96. [A] [B] [C] [D]
77. [A] [B] [C] [D] [E]　82. [A] [B] [C] [D]　87. [A] [B] [C] [D]　92. [A] [B] [C] [D]　97. [A] [B] [C] [D]
78. [A] [B] [C] [D] [E]　83. [A] [B] [C] [D]　88. [A] [B] [C] [D]　93. [A] [B] [C] [D]　98. [A] [B] [C] [D]
79. [A] [B] [C] [D] [E]　84. [A] [B] [C] [D]　89. [A] [B] [C] [D]　94. [A] [B] [C] [D]　99. [A] [B] [C] [D]
80. [A] [B] [C] [D] [E]　85. [A] [B] [C] [D]　90. [A] [B] [C] [D]　95. [A] [B] [C] [D]　100. [A] [B] [C] [D]

三、书写

101.

HSK（六级）答题卡

一、听力

1. [A] [B] [C] [D]
2. [A] [B] [C] [D]
3. [A] [B] [C] [D]
4. [A] [B] [C] [D]
5. [A] [B] [C] [D]
6. [A] [B] [C] [D]
7. [A] [B] [C] [D]
8. [A] [B] [C] [D]
9. [A] [B] [C] [D]
10. [A] [B] [C] [D]
11. [A] [B] [C] [D]
12. [A] [B] [C] [D]
13. [A] [B] [C] [D]
14. [A] [B] [C] [D]
15. [A] [B] [C] [D]
16. [A] [B] [C] [D]
17. [A] [B] [C] [D]
18. [A] [B] [C] [D]
19. [A] [B] [C] [D]
20. [A] [B] [C] [D]
21. [A] [B] [C] [D]
22. [A] [B] [C] [D]
23. [A] [B] [C] [D]
24. [A] [B] [C] [D]
25. [A] [B] [C] [D]
26. [A] [B] [C] [D]
27. [A] [B] [C] [D]
28. [A] [B] [C] [D]
29. [A] [B] [C] [D]
30. [A] [B] [C] [D]
31. [A] [B] [C] [D]
32. [A] [B] [C] [D]
33. [A] [B] [C] [D]
34. [A] [B] [C] [D]
35. [A] [B] [C] [D]
36. [A] [B] [C] [D]
37. [A] [B] [C] [D]
38. [A] [B] [C] [D]
39. [A] [B] [C] [D]
40. [A] [B] [C] [D]
41. [A] [B] [C] [D]
42. [A] [B] [C] [D]
43. [A] [B] [C] [D]
44. [A] [B] [C] [D]
45. [A] [B] [C] [D]
46. [A] [B] [C] [D]
47. [A] [B] [C] [D]
48. [A] [B] [C] [D]
49. [A] [B] [C] [D]
50. [A] [B] [C] [D]

二、阅读

51. [A] [B] [C] [D]
52. [A] [B] [C] [D]
53. [A] [B] [C] [D]
54. [A] [B] [C] [D]
55. [A] [B] [C] [D]
56. [A] [B] [C] [D]
57. [A] [B] [C] [D]
58. [A] [B] [C] [D]
59. [A] [B] [C] [D]
60. [A] [B] [C] [D]
61. [A] [B] [C] [D]
62. [A] [B] [C] [D]
63. [A] [B] [C] [D]
64. [A] [B] [C] [D]
65. [A] [B] [C] [D]
66. [A] [B] [C] [D]
67. [A] [B] [C] [D]
68. [A] [B] [C] [D]
69. [A] [B] [C] [D]
70. [A] [B] [C] [D]
71. [A] [B] [C] [D] [E]
72. [A] [B] [C] [D] [E]
73. [A] [B] [C] [D] [E]
74. [A] [B] [C] [D] [E]
75. [A] [B] [C] [D] [E]
76. [A] [B] [C] [D] [E]
77. [A] [B] [C] [D] [E]
78. [A] [B] [C] [D] [E]
79. [A] [B] [C] [D] [E]
80. [A] [B] [C] [D] [E]
81. [A] [B] [C] [D]
82. [A] [B] [C] [D]
83. [A] [B] [C] [D]
84. [A] [B] [C] [D]
85. [A] [B] [C] [D]
86. [A] [B] [C] [D]
87. [A] [B] [C] [D]
88. [A] [B] [C] [D]
89. [A] [B] [C] [D]
90. [A] [B] [C] [D]
91. [A] [B] [C] [D]
92. [A] [B] [C] [D]
93. [A] [B] [C] [D]
94. [A] [B] [C] [D]
95. [A] [B] [C] [D]
96. [A] [B] [C] [D]
97. [A] [B] [C] [D]
98. [A] [B] [C] [D]
99. [A] [B] [C] [D]
100. [A] [B] [C] [D]

三、书写

101.

HSK（六级）答题卡

一、听力

1. [A] [B] [C] [D]	6. [A] [B] [C] [D]	11. [A] [B] [C] [D]	16. [A] [B] [C] [D]	21. [A] [B] [C] [D]
2. [A] [B] [C] [D]	7. [A] [B] [C] [D]	12. [A] [B] [C] [D]	17. [A] [B] [C] [D]	22. [A] [B] [C] [D]
3. [A] [B] [C] [D]	8. [A] [B] [C] [D]	13. [A] [B] [C] [D]	18. [A] [B] [C] [D]	23. [A] [B] [C] [D]
4. [A] [B] [C] [D]	9. [A] [B] [C] [D]	14. [A] [B] [C] [D]	19. [A] [B] [C] [D]	24. [A] [B] [C] [D]
5. [A] [B] [C] [D]	10. [A] [B] [C] [D]	15. [A] [B] [C] [D]	20. [A] [B] [C] [D]	25. [A] [B] [C] [D]
26. [A] [B] [C] [D]	31. [A] [B] [C] [D]	36. [A] [B] [C] [D]	41. [A] [B] [C] [D]	46. [A] [B] [C] [D]
27. [A] [B] [C] [D]	32. [A] [B] [C] [D]	37. [A] [B] [C] [D]	42. [A] [B] [C] [D]	47. [A] [B] [C] [D]
28. [A] [B] [C] [D]	33. [A] [B] [C] [D]	38. [A] [B] [C] [D]	43. [A] [B] [C] [D]	48. [A] [B] [C] [D]
29. [A] [B] [C] [D]	34. [A] [B] [C] [D]	39. [A] [B] [C] [D]	44. [A] [B] [C] [D]	49. [A] [B] [C] [D]
30. [A] [B] [C] [D]	35. [A] [B] [C] [D]	40. [A] [B] [C] [D]	45. [A] [B] [C] [D]	50. [A] [B] [C] [D]

二、阅读

51. [A] [B] [C] [D]	56. [A] [B] [C] [D]	61. [A] [B] [C] [D]	66. [A] [B] [C] [D]	71. [A] [B] [C] [D] [E]
52. [A] [B] [C] [D]	57. [A] [B] [C] [D]	62. [A] [B] [C] [D]	67. [A] [B] [C] [D]	72. [A] [B] [C] [D] [E]
53. [A] [B] [C] [D]	58. [A] [B] [C] [D]	63. [A] [B] [C] [D]	68. [A] [B] [C] [D]	73. [A] [B] [C] [D] [E]
54. [A] [B] [C] [D]	59. [A] [B] [C] [D]	64. [A] [B] [C] [D]	69. [A] [B] [C] [D]	74. [A] [B] [C] [D] [E]
55. [A] [B] [C] [D]	60. [A] [B] [C] [D]	65. [A] [B] [C] [D]	70. [A] [B] [C] [D]	75. [A] [B] [C] [D] [E]
76. [A] [B] [C] [D] [E]	81. [A] [B] [C] [D]	86. [A] [B] [C] [D]	91. [A] [B] [C] [D]	96. [A] [B] [C] [D]
77. [A] [B] [C] [D] [E]	82. [A] [B] [C] [D]	87. [A] [B] [C] [D]	92. [A] [B] [C] [D]	97. [A] [B] [C] [D]
78. [A] [B] [C] [D] [E]	83. [A] [B] [C] [D]	88. [A] [B] [C] [D]	93. [A] [B] [C] [D]	98. [A] [B] [C] [D]
79. [A] [B] [C] [D] [E]	84. [A] [B] [C] [D]	89. [A] [B] [C] [D]	94. [A] [B] [C] [D]	99. [A] [B] [C] [D]
80. [A] [B] [C] [D] [E]	85. [A] [B] [C] [D]	90. [A] [B] [C] [D]	95. [A] [B] [C] [D]	100. [A] [B] [C] [D]

三、书写

101.

图书在版编目(CIP)数据

新汉语水平考试模拟试题集. HSK 六级 / 王素梅主编.
—北京: 北京语言大学出版社, 2011 重印
ISBN 978 - 7 - 5619 - 2878 - 3

Ⅰ. ①新… Ⅱ. ①王… Ⅲ. ①汉语-对外汉语教学-水平考试-习题 Ⅳ. ①H195-44

中国版本图书馆 CIP 数据核字 (2010) 第 192304 号

书　　名: 新汉语水平考试模拟试题集 HSK 六级
责任印制: 汪学发

出版发行: 北京语言大学出版社
社　　址: 北京市海淀区学院路 15 号　　邮政编码: 100083
网　　址: www. blcup. com
电　　话: 发行部　82303650/3591/3651
编辑部　82303647/3592
读者服务部　82303653/3908
网上订购电话　82303668
客户服务信箱　service@ blcup. net
印　　刷: 北京中科印刷有限公司
经　　销: 全国新华书店

版　　次: 2010 年 9 月第 1 版　2011 年 10 月第 5 次印刷
开　　本: 787 毫米 × 1092 毫米　1/16　印张: 21. 75
字　　数: 410 千字
书　　号: ISBN 978 - 7 - 5619 - 2878 - 3/H·10258
定　　价: 62. 00 元 (含录音 MP3)